Niederländische Autoren teilen mit Kollegen aus anderen Ländern, in denen Sprachen gesprochen werden, die nur wenig verbreitet sind, dasselbe Schicksal – sie können sich über die Sprachgrenzen ihres Landes hinaus kaum durchsetzen. Deutsche Leser wissen viel zuwenig über den Stand der Literatur in ihrem Nachbarland. Der an der Berliner Freien Universität tätige Niederlandist Frans de Rover hat mit diesem Band eine Anthologie zusammengestellt, die einige Kenntnislücken auffüllt. Die meisten Beiträge sind erstmals nach 1945 erschienen, einer (Melchiors ›Kleine Kugeln‹) 1992. Die früheren Arbeiten beschäftigen sich mit Krieg (Besatzung durch deutsche Truppen), Nachkrieg und der kolonialen Vergangenheit der Niederlande, die jüngeren stehen im Kontext der internationalen, zumal angloamerikanischen Entwicklung. Gar nicht überraschend, sind in den unmittelbar nach dem Krieg entstandenen Erzählungen Einflüsse des Existentialismus wahrnehmbar, jüngere Autoren berufen sich etwa auf Huysmans oder James Purdy. In der niederländischen Literarur hat weniger die große Form des Romans als vielmehr die Erzählung Tradition. So gesehen, ist diese knappe Auswahl durchaus repräsentativ für die jüngsten Jahrzehnte. Alle Autoren dieses Bandes sind in ihrer Heimat anerkannt. Kaum einer, der nicht wenigstens einen der wichtigen Literaturpreise des Landes erhalten hat.

Der Herausgeber *Frans Carel de Rover*, 1946 in Rotterdam geboren, studierte Niederländische Sprach- und Literaturwissenschaft und Allgemeine Literaturwissenschaft in Amsterdam. Er war einige Jahre Gymnasiallehrer, danach Dozent in Delft und Wissenschaftlicher Mitarbeiter in Amsterdam, seit 1988 ist er Professor für Niederländische Philologie (moderne niederländische Literatur) an der Freien Universität Berlin; zahlreiche Veröffentlichungen zu zeitgenössischer Literatur und Literaturwissenschaft.

Die Niederlande erzählen

15 Erzählungen

Herausgegeben und mit einem
Nachwort versehen von
Frans Carel de Rover

Fischer Taschenbuch Verlag

Originalausgabe
Veröffentlicht im Fischer Taschenbuch Verlag GmbH,
Frankfurt am Main, Juli 1993

Alle Rechte dieser Ausgabe liegen beim
Fischer Taschenbuch Verlag GmbH, Frankfurt am Main
Copyright für das Nachwort von Frans de Rover:
© Fischer Taschenbuch Verlag GmbH, Frankfurt am Main 1993
Quellenhinweise am Schluß des Bandes
Umschlaggestaltung: Manfred Walch, Frankfurt am Main
Gesamtherstellung: Clausen & Bosse, Leck
Printed in Germany
ISBN 3-596-11411-x

Gedruckt auf chlor- und säurefreiem Papier

Inhalt

»Die Wahrheit eines Buches ist nicht in der Treue zu allerlei bestehenden Regeln und Normen zu finden. Sie ist in der Treue zum eigenen Lebensgefühl und den gemachten Erfahrungen zu finden.«

Frans Kellendonk

Der König ist tot

Als ich im November auf die Insel kam, war der König zweiundachtzig. Ich wußte das nicht. Ich wußte nicht einmal, daß
es den König gab. Ich war viel zu sehr beschäftigt, mich
daran zu gewöhnen, daß ich ein Büro hatte, ein hohes, weiß-
gekalktes Zimmer mit Karten an den Wänden. Karten von
unserer Insel und von den Inseln ringsum. Und daß hinter
mir in einem gleichen Zimmer mein Sekretär saß, mein
freundlicher Sekretär, der eigentlich alles viel besser wußte
als ich, aber das nie zeigte. Er kannte den König natürlich. Ich
nicht, am Anfang jedenfalls. Nicht einmal, als ich ihm schon
Auge in Auge gegenübergestanden hatte. Das war am ersten
Dezember. An dem Tage sagte man mir gegen ein Uhr, daß
Herr Solomon mich zu sprechen wünschte, und ich sagte:
Lassen Sie Herrn Solomon bitte herein. Ich saß hinter meinem Schreibtisch, bereit aufzustehen und dem Besucher ent-
gegenzugehen. Ich sagte: Guten Tag, Herr Solomon, und ich
ging auf ihn zu und gab ihm die Hand und führte ihn zu
einem Stuhl.
Denn Herr Solomon war alt. Alt, gelb und taub. Er trug
einen gelben Anzug und ein gelbes Oberhemd ohne Schlips
und einen runden, gelben Hut, den er absetzte, nachdem er
an ihm salutiert hatte.
Herr Solomon ist pensionierter Sergeantmajor Kapellmei-
ster, sagte mein Sekretär.
Herr Solomon lachte, zuerst zu meinem Sekretär, dann zu
mir. Sein Kopf war kahl und so alt, daß die Runzeln schon
einsanken.
Herr Solomon kommt jeden Monat seine Pension holen,
sagte mein Sekretär.
Herr Solomon lachte wieder.

Wenigstens, wenn er nicht krank ist, sagte mein Sekretär. Er ist manchmal sehr krank. Wie steht es mit der Gesundheit, Herr Solomon?

Herr Solomon lachte wie jemand, dem man einen guten Witz erzählt, aber er sagte nichts, und mein Sekretär drängte nicht auf eine Antwort.

Ich begriff, daß ich jetzt an der Reihe war. Ich sagte: Sie gehen sicher schon hübsch auf die Sechzig, Herr Solomon?

Herr Solomon lachte wieder, doch diesmal zuerst zu mir. Und mein Sekretär sagte: Herr Solomon ist zweiundachtzig.

Herr Solomon nickte ein paarmal stolz, und ich schlug die Hände vor Erstaunen zusammen. Mein Sekretär hatte inzwischen ein großes Kassenbuch geholt. Er schrieb etwas hinein und gab Herrn Solomon seinen Füllhalter.

Hier müssen Sie unterschreiben, sagte er.

Herr Solomon legte seinen Hut auf den Boden und beugte sich vorsichtig über das Buch. Mein Sekretär winkte mir, daß er etwas zu sagen hätte.

Ihr Vorgänger gab ihm immer etwas extra, sagte er.

Ich nickte und wollte meinem Sekretär Geld geben.

Es ist besser, wenn Sie es ihm selbst geben, sagte mein Sekretär.

Inzwischen war Herr Solomon mit dem Buch fertig.

Sehr schön, Herr Solomon, sagte mein Sekretär. Und hier ist das Geld.

Und hier ist noch etwas extra, sagte ich schnell, und ich schob mein Geld zu dem anderen.

Herr Solomon brachte die flache Hand zum Gruß an die Stelle, wo vor dreißig Jahren die Klappe seiner Uniformmütze gesessen hatte. Er stopfte das Geld in ein zerschlissenes Portemonnaie. Er stand auf. Ich stand auf und gab ihm die rechte Hand. Mein Sekretär gab ihm die Hand, und wir sagten im Chor: Guten Tag, Herr Solomon. Herr Solomon lachte und ging rückwärts zur Tür.

An jedem Mittwochmorgen übte die Musikkapelle des hiesigen militärischen Korps auf einer Nebenstraße, in sicherer Entfernung von meinem Büro. Bei Westwind – er wehte meistens in dieser Zeit des Jahres – konnte man bei uns ab und zu Fetzen der Musik hören. Ungefähr vierzehn Tage nach dem Besuch von Herrn Solomon stand ich am Fenster. Ich hörte, daß die Klänge, die gewöhnlich ein Marschtempo einhielten, diesmal schleppend waren. Es lag etwas Beklemmendes in der verwehten Musik, etwas Spukhaftes. So, dachte ich, wird jemand in ein paar hundert Jahren hier stehen und diese Musik hören und wissen, daß sie von Geistern gespielt wird. Von den Geistern der Mitglieder dieser Musikkapelle, die alle tot sind und einmal nach soundsoviel Jahren aus den Gräbern steigen und zur Nebenstraße gehen, um ihren letzten Marsch zu proben, den sie nie vorspielen werden. Sie sind tot. Sie sind alle tot. Dann hörte ich, daß sie den Trauermarsch von Chopin spielten. Ich ging zu meinem Sekretär.

Hören Sie das? fragte ich und hob den Finger. Mein Sekretär horchte.

Ein Trauermarsch, sagte ich.

Oh, sagte mein Sekretär, richtig. Der König ist wieder sehr krank. Man sagt, daß es diesmal nicht gutgehen wird.

Mit dem König nicht gutgehen? fragte ich.

Er wird sterben, sagte mein Sekretär gelassen.

Wer ist der König? fragte ich.

Herr Solomon doch, sagte mein Sekretär.

Wird Herr Solomon der König genannt? fragte ich.

Ja, sagte mein Sekretär. Im Dorf, wo er wohnt, nennen sie ihn den König.

Es zeigte sich, daß Solomon nach seiner Pensionierung im Dorf wohnen geblieben war, was selten geschah. Meistens gingen Männer wie Solomon fort. Aber Solomon war geblieben. Er hatte mit sechzig Jahren noch eine junge Frau von der Insel geheiratet und wurde so in den Kreis der Bewohner aufgenommen, als vollwertiges Mitglied der kleinen Gemeinschaft. Als überwertiges Mitglied. Ein Mann, der mehr von der Welt gesehen hatte als sie alle zusammen, fand es gut, bei ihnen zu bleiben und die letzten Lebensjahre in ihrer Gesellschaft zu verbringen. Er wurde bald zum Orakel, und dies, zusammen mit seinem Namen, hatte ihm den Königstitel eingebracht. König Solomon. Der König war krank, und es würde diesmal nicht gutgehen.

Wieso diesmal? fragte ich meinen Sekretär.

Fast jeden Monat proben sie für sein Begräbnis, sagte mein Sekretär, und er zeigte in die Richtung, aus der die Musik kam.

Also stirbt er beinahe jeden Monat? fragte ich.

Ja, sagte mein Sekretär.

Und diesmal wird es nicht gutgehen? fragte ich.

Ja, sagte mein Sekretär, aber das sagen sie jedesmal.

Am Abend saß ich vor meinem Haus und sah den Doktor vorbeigehen.

Wie geht es Solomon? fragte ich.

Er wird die Nacht nicht mehr schaffen, sagte der Doktor.

Aber der König lebte am nächsten Tag immer noch, und Anfang Januar kam er zu mir ins Büro, um seine Pension zu holen.

Sie sind sehr krank gewesen, glaube ich, nicht wahr? fragte ich.

Der König lachte so ausgelassen, wie ihm nur möglich war.

Er bekam sein Geld, er bekam meinen Beitrag, und er ging wieder.

Seitdem wehten zu unbestimmten Zeiten die Fetzen der Musik von Chopin bis zu meinem Büro. Sie waren nicht länger beklemmend. Sie waren die Ankündigung eines Wettkampfes, einer Vorstellung. Hochverehrtes Publikum, sehen Sie den Kampf zwischen dem König und dem Tod! Einmal wurde zweimal im Monat geprobt, aber der König war am nächsten Zahltag anwesend. Ich gab ihm das Doppelte von dem, was er sonst bekam.

Den ganzen Monat blieb es still. Am ersten des nächsten Monats mußte ich um elf Uhr mein Büro verlassen. Ich ging zu meinem Sekretär hinein und fragte, ob er mich noch brauche.

Nein, sagte mein Sekretär. Nur, der König war noch nicht da.

O ja, sagte ich, geben Sie ihm etwas von mir. Und im gleichen Augenblick hatten wir die Musik. Die Wettkampfmusik. Die Totenmusik.

Er wird heute nicht kommen, sagte ich.

Nein, sagte mein Sekretär.

Ich ging in mein Zimmer zurück. Eigentlich mußte ich weg, aber ich zögerte. Ich rief den Doktor an, aber der Doktor war nicht zu Hause. Ich war noch dabei, mich zu überzeugen, daß ich ruhig weggehen könnte, als mein Sekretär mit einer Frau von ungefähr vierzig Jahren hereinkam.

Das ist Frau Solomon, sagte er. Frau Solomon will die Pension von ihrem Mann holen. Ihr Mann ist krank.

Wie geht es ihm? fragte ich.

Ach, Herr Solomon ist sehr krank, sagte sie.

Ich machte eine mitleidige Geste und sagte, daß wir das Geld auszahlen würden. Aber mein Sekretär zögerte. Wir ließen Frau Solomon einen Augenblick allein und gingen in sein Zimmer.

Eigentlich geht es so nicht, sagte mein Sekretär. Wir können es ihr nicht einfach geben.

Warum nicht? fragte ich.

Sie müßte ein Attest da vita vorlegen, sagte mein Sekretär. Ich dachte nach. Mein Sekretär hatte recht. Von seinem Standpunkt aus hatte mein Sekretär recht. Wenn der König in diesem Augenblick tot wäre, hörte auch seine Pension auf. Wenn es jemals nötig war, ein Attest da vita vorzulegen, dann in diesem Fall. Es war ein Schulbeispiel für ein Attest da vita.

Ich hatte eine Idee. Ich sagte zur Frau des Königs: Ihr Mann ist krank, und darum will ich ihn besuchen. Ich werde in einer Stunde kommen, und das Geld bringe ich gleich mit.

Die Frau des Königs nickte, daß sie verstanden hatte.

Was hatte sie verstanden? Daß ihr Mann König war und daß ein andersartiger König ihn besuchen würde? Daß wir der Sache nicht trauten? Gott weiß, dachte sie, daß es eine Ausflucht war, daß wir kein Geld im Haus hatten. Aber sie ging weg, um es ihrem Mann zu sagen, und ich würde in einer Stunde folgen.

Als ich mit dem Auto in das kleine Dorf des Königs einfuhr, sah ich, daß sie es auch allen Untertanen ihres Mannes gesagt hatte. Überall standen Leute an der Straße, und beim Haus standen so viele, daß ich zwischen zwei Reihen Menschen hindurch zur Tür gehen mußte. Zur Tür schritt. Ich verbeugte mich wahrhaftig nach links und rechts, und es fehlte nicht viel, und Jubel wäre aufgeklungen.

Aber drinnen war alles still. Still und kühl, wie es in einem Palast sein muß. Der König lag auf seinem Prunkbett. Es war wirklich ein Prunkbett, das viereckige, weiße Bett, auf dem Herr Solomon im Sterben lag. Im Sterben. Denn diesmal ging es nicht gut, das konnte sogar ich sehen. Seine Augen hatte er nicht geschlossen, sie waren mit einer Art Häutchen bedeckt. Er lebte noch, aber man konnte nicht sehen, daß er noch atmete. Da stand ich, mit meinem Kassenbuch unter dem Arm, vor seinem Bett. Ich stand am Sterbebett eines Fürsten. Als ich hereinkam, war ich noch, in gewissem Sinne, sein Mitkönig gewesen, jetzt war ich es nicht mehr. Ich war zum Untertan geworden. Vielleicht ein hochgestellter Untertan, vielleicht ein Minister, trotzdem Untertan.

Ich legte das Buch vorsichtig auf das Fußende des Bettes. Ich dachte: Das wird ihm Freude machen, wenn er es merkt. Und wenn er es nicht merkt, wird es ihm dort Freude machen, wohin die Könige gehen, wenn sie gestorben sind. Er wird darüber lachen, wie er in meinem Büro lachte. Seine Frau stand auf der anderen Seite neben dem Bett. Sie bückte sich zu ihm und schrie dicht bei seinem Ohr: Der Herr ist gekommen! Der Herr ist gekommen, um dir das Geld zu bringen!

Ich sah, daß sich der König bewegte. Seine Frau schrie wieder: Der Herr ist gekommen! Mit deinem Geld!

Im Gesicht des Königs spannte sich etwas. Und ich sah, daß er mich sah. Ich nahm das Kassenbuch, und hielt es ihm hin, wie man einem kranken Kind ein Spielzeug hinhält. Der König lächelte, und ich lachte auch, aber es muß gewesen sein, als ob ich durch Tränen lachte. Ich sagte nichts, aber ich zeigte und klopfte auf das Kassenbuch. Ich gab das Geld seiner Frau. Ich gab seiner Frau alles Geld, was ich bei mir hatte. Ich zeichnete selbst für den Empfang. Ich zeichnete mit denselben zittrigen Buchstaben, mit denen der König seinen Namen unzählige Male in unzählige Kassenbücher geschrieben hatte. Und ich nickte ihm zu. Eigentlich hätte ich eine Verbeugung machen müssen. Eine Verbeugung vor dem sterbenden König. Aber ich nickte lieber. Ich nickte ihm herzlich zu. Und ging hinaus, zu meinem Auto, zwischen den Hecken wartender Menschen hindurch, die so hörbar murmelten, daß es gut für einen verhaltenen Jubel durchgehen konnte. Den ganzen Tag habe ich daran gedacht. An dies und an das andere.

Am Tage

Die letzte Zeit verging kein Tag, ohne daß sie an die beiden Männer denken mußte, die in ihrem Leben eine Rolle gespielt hatten: an den Studenten und an Herrn Vis. Das ängstigte sie, es gab ihr ein Gefühl, als ginge es um ihr Leben und als wäre sie nun dabei, die Abschlußrechnung aufzustellen, bevor sie stürbe. Es war verrückt, denn warum sollte sie sterben? Sie war jung, noch nicht einmal dreißig, sie war gesund, und bei Lichte besehen war gar nichts los. Mehr denn je ging ihr Leben seinen alten Trott, aber statt dadurch ruhiger zu werden, versetzte es sie in Panik, als sei sie in die Stille vor dem Sturm geraten. Übrigens bemerkte es keiner, so glaubte sie wenigstens, und ihre Arbeit tat sie wie immer: am Morgen die Frühstückstabletts bereiten und servieren, eine gute Stunde später die Zimmer machen; das Hinterzimmer im ersten Stock, das als erster der Student und nach ihm Herr Vis bewohnt hatte, und dann das Vorderzimmer im gleichen Stock, wo immer noch, genau wie damals, der gleiche Bewohner hauste, ein Mann, der keinerlei Unannehmlichkeiten verursachte, der niemals etwas von sich merken ließ, der von ihr aus dableiben könnte bis zu seinem Tod.
Es ist doch wohl so gut wie sicher, daß etwas von der Atmosphäre ehemaliger Bewohner in einem Zimmer hängenbleibt. Und nicht nur das, sondern ein bestimmtes Zimmer scheint auch eine bestimmte Menschensorte anzuziehen. Im Hinterzimmer war es zugleich frostig und heimisch, es war ein Versteck und eine Sackgasse, man fühlte sich sicher auf eine trügerische Weise, denn in Wirklichkeit war man dort verloren. Dort war es gewesen, wo sich ihr Liebesleben vollzogen hatte, wenigstens wenn es so genannt werden durfte, denn sie war dort nur abgepaßt und geschändet worden. Und

vielleicht trog sie ihr Gefühl nicht einmal, daß sich eine ähnliche Drohung wieder über ihr zusammenballte. Nur eines wußte sie bestimmt: Das, was ihr geschehen war, würde es nie wieder geben, so wie vom Studenten, der sich nur mit kränkender Vorsicht getraut hatte, mit Mund und Händen an sie heranzugehen, und von Herrn Vis, der weder Mund noch Hände zu haben schien und sie beleidigend gewaltsam überrumpelt hatte. Und wie einem ein Schrecken erst nach langer Zeit in die Glieder fahren kann, so war ihr eigentlich jetzt erst klargeworden, wie schmutzig, wie beschämend das alles gewesen war. Wie hatte sie es nur zulassen können – wie hatte sie es tun können! Die Erinnerung daran wurmte sie entsetzlich. Wie würde sie je wieder von innen sauber werden? Indessen, nur ein einziges Wort darüber zu ihrer Mutter, und sie wären beide geflogen. Aber jenes Wort war nicht gesprochen worden, den Schneid hatte sie nicht gehabt, und beide waren fortgegangen, zu ihrer Zeit, zu der Zeit, die ihnen genehm gewesen, mit einem höflichen Dankeschön für die Betreuung – der Student auf eine andere Universität, Herr Vis nach einem Geschäftsaufenthalt von einigen Monaten zu seiner eigenen Frau, an seinen eigenen Ort. Müßte sie die Bilanz ziehen, so würde diese ein hoffnungsloses Defizit ergeben. Ihr Leben war eine einzige verpaßte Chance – verpaßt die Liebe, verpaßt die Haltung, die ihr ein wenig Selbstachtung gegeben hätte. Sie hatte wohl von Frauen gehört, die sich später aus nichts mehr etwas machten, die den Kampf endgültig aufgaben und die, statt Liebe zu erwarten, fürliebnahmen mit solchen Spielchen, wie man sie mit ihr gespielt hatte. Sie würde das niemals tun – lieber sterben, als es sich ein drittes Mal widerfahren zu lassen.

Sterben... Sie schlief in der letzten Zeit so schwer und traumlos, als wäre sie scheintot in diesen Schlafstunden. Es lag etwas Unheilverkündendes darin, es war wie eine Anspielung, wie ein Fingerzeig, als fände sich kein besserer Ausweg für sie als der Tod. Und am Tage, gleich beim Erwachen, fühlte sie sich beim Leben sozusagen an der falschen

Adresse. Immer erhob sie sich mit Kopfschmerzen, seufzend, ratlos, und fast jeden Morgen erbrach sie sich, wie vom Widerwillen übermannt. Nach dem Waschen setzte sie sich vor ihren Spiegel, um sich das dunkle, glatte Haar zu kämmen, und stets versetzte sie die Begegnung mit ihrem Spiegelbild in den gleichen miserablen Kummer. Da war die fahle Gesichtsfarbe, der dünne Mund, der unzufriedene Blick. Dennoch war sie nicht häßlich, aber was hatte sie davon? Sie hätte häßlicher, aber glücklicher sein können. Es gab häßliche Frauen von großem Zauber, die Liebe und Leidenschaft hervorriefen. In sie hatte sie noch keiner jemals richtig verliebt, nur die beiden waren es gewesen, die ihr schmuddeliges Spielchen mit ihr gespielt, ihre Haltlosigkeit und Sinnlichkeit mißbraucht hatten. Niemals würde ihr so etwas noch einmal zustoßen, gäbe es auch nie mehr etwas für sie zu erleben – und wenn sie welken müßte wie ein vom Baum des Lebens weit fortgewehtes Blatt...

Dennoch tat sie ihre Arbeit wie immer, trotz Kopfschmerzen, trotz allem inneren Weh durch Reue und Entbehrung. Diese Arbeit tat sie hervorragend, denn im Haushalt war sie geschickt. Ehrlich gestanden: nicht nur geschickt, sondern schon etwas herrschsüchtig. Zwar beschwerte sie sich darüber, daß ausgerechnet sie alles tun müsse: servieren, Geschirr spülen, die Zimmer, die Einkäufe. Sie kam sich dann wohl gern als die ausgenutzte Tochter vor, die längst Ehefrau und Mutter gewesen wäre, hätte sie nur die Chance zu einem eigenen Leben bekommen. Aber sie hatte es sich selber zu verdanken, hatte ihre Arbeit zum Bollwerk gemacht, hinter dem sich ihr Unvermögen zu weiblichem Glück sicher verbarg.

Morgens um ein Viertel nach sieben war sie bereits fix und fertig für ihr Tagewerk und warf, bevor sie hinunterging, noch einen letzten Blick in den Spiegel ihres Garderobenschrankes. Warum erschien sie so mager, so dürr? Sie hatte schon mal phantasiert, sich nackt überrumpeln zu lassen. Angesichts ihres zarten, warmen, leidenschaftlichen Körpers würden die Männer verstummen... hierin täuschte sie sich nicht.

In der Küche bereitete sie die beiden Frühstückstabletts (je eines fürs Hinter- und fürs Vorderzimmer). Zu dieser frühen Morgenstunde war sie allein, die Mutter noch im Schlafzimmer. Später am Tage konnte sie sich keine Sekunde mehr aufhalten, ohne bei allem Tun lauernd beobachtet zu werden durch einen Blick, den sie verabscheute. Sie liebte ihre Mutter nicht, so glaubte sie, aber im Grunde fürchtete sie nur diesen Blick, der zuviel erkannte. Vom Studenten und Herrn Vis hatte die Mutter natürlich nie etwas geahnt, jedoch ihr heimlich beobachtendes Hinschauen voller Furcht, zu großes Mitgefühl zu zeigen, war wohl ein Beweis dafür, daß sie wußte, wie unglücklich ihre Tochter war.

Allerdings... unglücklich. Weit unglücklicher als sie je durch eine unglückliche Liebe wäre. Aber sie war sogar noch nicht einmal richtig verliebt gewesen, das hatte sie im Innern noch nie riskiert. Ein in ihren Augen begehrenswerter Mann schien ihr sofort ein total unerreichbares Wesen; ein solcher Mann überstieg vollends ihre Chancen und Möglichkeiten. Darum hatte sie nie im entferntesten an das wirklich Begehrenswerte gedacht, nein nicht einmal an weit Geringeres. Nur der Student und Herr Vis waren es gewesen, die mehr oder weniger zufällig nach ihr gegriffen hatten, weil eben sie es waren, die sie morgens und abends bediente; so hatten sie sich zugleich ihrer bedient.

Die beiden Frühstückstabletts also: morgens zirka halb acht das Frühstück servieren, war bislang nur im Vorderzimmer ohne Gefahr gewesen. Der Mann, der dieses Zimmer bewohnte, war nicht nur zu anständig, sondern auch zu krank, ihr nachzustellen. Er hatte ein schleichendes Leiden, das ihn vorzeitig verbrauchte und alt machte. Dies ließ sich deutlich an dem grauen Gesicht mit den dunklen Lippen, an seinem lustlosen Spitzbauch, seinem wesenlosen Phlegma ablesen. Er war nicht nur kein Mann, sondern nicht einmal ein Mensch mehr. Er war wie erstickt im Lebendig-Totsein.

Würde es einmal richtig ans Sterben gehen, so dürfte es ihm kaum noch auffallen. Daß sie immer ihm als letztem, also nach den durchstandenen Gefahren im Hinterzimmer, sein Frühstück brachte, war genau überlegt: nach der Gefahr die Fluchtinsel, der Ruhepunkt. Obwohl... sobald sie es betreten hatte, jenes reinliche Zimmer im stillen Morgenlicht, unzweideutig und ohne Heimlichkeit, mußte sie immer feststellen, wie sehr sie sich verrechnet hatte. Sein Bewohner bot keinerlei Zuflucht, bei ihm war weder Fluchtinsel noch Ruhepunkt. Wann auch immer sie dort eintrat, saß er untätig, in sich versunken da, eingetaucht bis auf den Grund seines einsamen kranken Daseins, auf nichts wartend, das Nichts erwartend. Und so schien denn das Leben im Hinterzimmer sie in eine ekle Sackgasse hineinzuzwängen und im Vorderzimmer ihr nur eine aussichtslose Sicht auf den Tod geboten zu werden, der sich hier in Hilflosigkeit und mangelndem Mitempfinden manifestierte.

Sie richtete die Frühstückstabletts, das heißt, sie verrichtete eine Reihe automatischer Handlungen, wobei ihre Gedanken weiter zäh und bekümmert Klage führten. Wenn sie nun überlegte, daß der Student und Herr Vis die einzigen und zugleich die letzten Emotionen in ihr Leben gebracht hatten, und wenn sie ferner überlegte, daß diese Art von Emotionen ihr nicht einmal erwünscht gewesen war, wenn sie sich ihnen auch nicht hatte entziehen können... Ihr ging es um Liebe, um Zärtlichkeit. In Gedanken sah sie noch, wie der Student sich hier, in der Küche, von Mutter und ihr verabschiedete. Auf seinem langen, müden Gesicht (sie hielt ihn nicht für fähig zu studieren) lag kein Schimmer heimlichen Einverständnisses, heimlicher Dankbarkeit, nein – nichts, gar nichts war zwischen ihnen gewesen. Und Herr Vis! Er hatte sich gedrückt, als sie gerade nicht da war, hatte sie grüßen lassen, und Schluß. – Nie, nie würde ihr das wieder passieren.

Sie richtete also als erstes das Frühstück für das Hinterzimmer. Sie war sich zwar noch nicht ganz sicher, es wäre also besser noch zu zweifeln, denn auf keinen Fall dürfte es sie überrumpeln, aber der Nachfolger vom Studenten und von Herrn Vis, das heißt, ihr Nachfolger als Zimmerbewohner, schien ein ordentlicher Mensch zu sein, fast so wie der Mann im Vorderzimmer, wenn auch in ganz anderer, in gesünderer Weise. Wenn sie ihm gegen Abend sein Essen brachte, saß er bei Tisch, als hätte es nie eine gefährliche Situation gegeben; in seinem mächtigen Schädel, kahl wie eine Billardkugel, schien noch nie auch nur der geringste zweideutige Vorsatz entstanden zu sein. – Aber morgens! Nie war er auf, wenn sie hereinkam. Entweder lag er noch im Bett oder saß im Pyjama auf dem Bettrand. Sie war es, die die Vorhänge aufziehen mußte. Sie wußte nicht, in welcher Art, mit welchem Blick und in welcher Absicht er all ihr Tun verfolgte, denn sie schaute nicht zu ihm hin, aber sie spürte deutlich, daß er sie keine Sekunde aus den Augen ließ. Sie hatte das Gefühl, als läge oder säße dort eine angekettete Dogge, ein schweres und gefährlich verspieltes Tier. Sie trug Sorge, daß er sie nicht erreichen konnte. Am Tage, am Nachmittag dann, konnte sie denken, daß sie eine Beute der eigenen Phantasie gewesen sei. Er war dann nur auf nüchterne, freundliche Weise korrekt, und das war auch wirklich alles. Er hätte ebensogut in einem Restaurant sitzen können, gleichgültig gegen die Umwelt und gegen sie. Sie könnte meinen, daß er geradezu demonstrierte, nichts mit ihr zu tun zu haben – was ja auch stimmte. Aber möglich war es, daß er sich genauso betragen würde, wenn sie am Morgen je nachgäbe... Oh, sie wußte ganz sicher, niemals würde sie es tun! Während der Zeit mit dem Studenten und später mit Herrn Vis hatte sie schon mal zu phantasieren versucht, daß endlich Liebe daraus wurde. Der Student machte sein Studium zu Ende und heiratete sie; Herr Vis ließ sich von seiner Frau scheiden und heiratete sie. Fortan hausten sie wegen Wohnungsmangel in seinem Zimmer zusammen. Morgens ging sie dann kurz hinunter, um das Frühstück zu holen, und wenn sie dann wieder hinaufkam, verlief alles auch total anders als ehedem. Aus war's mit den heimtückischen Griffen des Studenten, mit der schweigenden Gewalttätigkeit von Herrn Vis. Statt dessen war Liebe. Beide verfolgten mit zärtlichen Blicken ihr Tun und Treiben; beide legten schützend den Arm um sie und beide mußten, während sie ihr Butterbrot aßen, sie unbedingt ab und zu umarmen. Es war eine völlig unsinnige Phantasie, denn es war ja nur die Rede gewesen von schmierigem Betragen und von Gewalt. Nie mehr würde es ihr passieren.

Sie klopfte an. Sie trat ein und stellte aufs Geratewohl das Serviertablett auf einen Stuhl. Die Vorhänge waren noch zu, er lag noch im Bett. Sie knipste das Licht an, schob die Vorhänge weg und machte das Licht wieder aus. Es war natürlich wieder wie sonst: Er schlug die Bettdecke zurück, setzte sich auf den Bettrand und schaute unentwegt zu ihr hin, ohne sie eine Sekunde aus den Augen zu lassen. – »Gut geschlafen?« fragte er. Der lauernde Blick des Studenten fiel ihr ein, und sie erwiderte spitz: »Natürlich, warum nicht?« – Obwohl sie nicht hinschaute, sah sie doch, wie er eine Hand hob und sich träge über den Schädel fuhr. Und als sie dann das Tischtuch über den Tisch breitete, riskierte sie doch mal einen Blick in seine Richtung. Er strich sich noch immer sinnend über den Kopf, hielt immer noch den Blick auf sie gerichtet – einen müden Blick ohne Lächeln, nicht spöttisch und gewiß nicht zweideutig. Da sagte sie: »Ich schlafe immer gut.« – Er gab nicht gleich Antwort, blickte ihr gutmütig interessiert ins Gesicht, auf ihre Hände. Und sagte: »Ich habe gefragt, weil ich meinte, Sie heute nacht zu hören.« Sie stellte den Frühstücksteller vor ihn hin und stand also in diesem Augenblick ziemlich in seiner Nähe und sagte nun ihrerseits, natürlich wieder reichlich spitz: »Damit habe ich nicht zu tun, daß ich nicht schlafe, dafür arbeite ich am Tage zuviel.«

Und er, beschwichtigend: »Freilich, Sie sind ein braves Mädchen.«

Das ging gerade noch an. Jetzt tat er aber, was er bis dahin noch nie getan hatte: Er streckte seine klobige Hand nach ihr aus und machte eine Bewegung, als wollte er sie streicheln. Er berührte sie nicht, und hätte er sie berührt, so hätte es noch durchaus nur freundlich gemeint sein können. Aber sie wich ihm so heftig aus, als hätte er auf ihre Ehrbarkeit, auf diese höchst fragwürdige Ehrbarkeit, einen Anschlag vorgehabt.

Während sie das zweite Frühstückstablett nach oben trug, erfuhr sie ihr Elend würgend in der Kehle. Das einzige, was sie noch gut fertigbrachte, war diese täglich sich wiederholende Arbeit – alles übrige tat sie grauenhaft falsch. Sie war unsicher, ängstlich, pikiert um nichts und wieder nichts. Sie war nur lächerlich, stümperhaft. Es könnte nur eine Befreiung sein, wenn ihre dumme Ahnung Wirklichkeit würde, wenn es wahr wäre, daß es ihr ans Leben ginge… Ob die Bilanz nun stimmte oder nicht, sie würde ja doch nichts Gescheites mehr zustande bringen. Am besten würde es für sie sein, krank zu werden und zu sterben, je eher desto besser.

Und wieder klopfte sie, jetzt an die Tür des Vorderzimmers. Es wurde ihr nicht einmal bewußt, daß keine Antwort kam. Auch fiel ihr beim Eintreten nicht auf, daß auch hier die Vorhänge noch zu waren, so ungewöhnlich es auch war. Automatisch tat sie das gleiche, was sie im vorigen Zimmer getan hatte: Sie stellte tastend das Tablett auf einen Stuhl und machte Licht.

»Guten Morgen«, sagte sie und bemerkte erst jetzt, wie still es im Zimmer war.

Er war da, er lag im Bett, ohne hinzuschauen hatte sie das schon gesehen, aber irgend etwas fehlte. Einen Augenblick stand sie reglos in einer Totenstille. Sie hörte ihn nicht… Sie tat einen Schritt auf das Bett zu und schaute. Unmöglich konnte sie einen klaren Eindruck von ihm bekommen haben, sie sah aus einer ziemlichen Entfernung zu ihm hin und nur ganz kurz… Aber völlig besinnungslos, ohne zu wissen was sie tat, riß sie das Serviertablett vom Stuhl und stürzte auf die Tür zu und schrie.

Am anderen Gangende öffnete sich eine Tür, so prompt, als ob er wartend dahinter gestanden hätte. Er ging auf sie zu, der schwere Körper bewegte sich sehr schnell, ganz zielsicher, er wußte genau, was es für ihn zu tun gab. Er nahm ihr das Tablett aus den Händen, stellte es auf die Erde und lief in einem weiter auf das Zimmer zu, dessen Tür noch weit offen stand. Da schrie sie schon nicht mehr, stand nur noch leise wimmernd da, die Knöchel ihrer Hände an den Mund gepreßt. Sie sah, wie er das Vorderzimmer betrat und auf das Bett zuging. Sie sah, wie er sich darüber beugte und schaute, andächtig, lange, wohl eine halbe Minute lang. Und dann richtete er sich wieder auf und lief zurück, direkt auf sie zu. »Komm«, sagte er, nahm sie am Arm und zog sie mit sich. In seinem Zimmer drückte er sie auf einen Stuhl und sagte: »Das war wohl ein Schrecken, wie? Bleib nur einen Augenblick ruhig sitzen.«

Nun lief er zu seinem Waschbecken, um ihr ein Glas Wasser zu holen. Mit sonderbar kehliger Stimme sagte sie: »Ist er tot?« Er sah sich nach ihr um und sagte stirnrunzelnd: »Das weißt du doch – mausetot.« Aber sofort war er schon wieder an ihrer Seite, denn mit einem wilden Schnarchlaut sog sie plötzlich ihren Atem ein und wäre wieder in Geschrei losgebrochen, wenn er sie nicht daran gehindert hätte. Er legte einen Arm um sie, ganz fest, zerdrückte ihr fast die Schultern und sagte schroff: »Nein, nicht heulen! Hier, trink!« – Es ging vorüber, sie heulte nicht, sie trank. Ihre Zähne schlugen an das Glas, aber sie trank. »Recht so«, sagte er dann, und seine Stimme hatte einen herzlichen Klang. Mit unbeholfen nervösen Schlückchen trank sie das Glas ganz leer und lehnte sich dann erschöpft an ihn. Sein Griff um ihre Schulter lockerte sich, jetzt tat er ihr nicht mehr weh, hielt nur noch schützend den Arm um sie – schützend.

Mittags nach dem Essen legte sie sich ein Stündchen hin, sie hatte es nötig und war es auch gewohnt. Manchmal gelang ihr auch ein kurzer Schlaf, der ihr dann besonders wohltat, aber heute würde es wohl nicht dazu kommen, sie war viel zu gespannt. Sie konnte den Kopf nicht ruhig auf dem Kissen halten, und in Armen und Beinen kribbelte es wie von tausend Ameisen. Zwar wußte sie, was sich dagegen tun ließ:

Sie mußte ganz allmählich den eigenen Körper loslassen, so wie man etwas aus den Händen fallen läßt, zuerst die Beine, dann den Rumpf, die Arme und zuletzt den Kopf. Aber heute wollte es nicht gelingen. Immer wenn sie glaubte, den Kopf in Ruhe auf dem Kissen liegen zu haben, begannen die Beine ihr zu prickeln und sich krampfhaft zu spannen. Wenn sie diese dann zur Ruhe gebracht hatte, sprang von neuem Spannung in ihre Nackenmuskulatur. Es war ihr gleichgültig, daß es nicht gelang, sie konnte ja doch nicht zu denken aufhören. Manchmal war auch Denken ein Mittel, zur Ruhe zu kommen: der Körper, dem Bewußtsein entronnen, bleischwer geworden und in einen Schlafrausch gesunken, zog einen dann unversehens mit in den Schlaf. Aber die Gedanken, die sie jetzt beschäftigten, waren zu aufregend dazu, sie war zu sehr von allem Erlebten erfüllt. Es war, wie wenn ein Sturm in ihr wütete, kein vernichtender, sondern eher ein sommerlicher Sturm, der die Natur nicht in den Griff bekam, sondern nur die Schwermut weniger dürrer Blätter aus ihrem Innern verwehen ließ.

Auf dem Rücken liegend, mit geschlossenen Augen, horchte sie in sich hinein. Sie hatte immer gewußt, wie enorm empfindsam und emotionell sie war. Noch hatte sie ihr eigenes Schreien im Ohr, wie sie da im Vorzimmer gestanden hatte, schreiend mit einer Stimme, die sie nicht erkannte. Grauenhaft hatte es geklungen, es war aber ein Urlaut, Notschrei des Weibes. Und so war es auch: Die Not war am höchsten, die Rettung nahe gewesen. Bevor es ihr bewußt geworden, war sie von einer aussichtslosen Stätte an sicheres Gestade gelotst worden. Wäre sie heute früh allein gewesen, allein mit der Mutter wäre sie verloren gewesen... Denn wenn der Urschrei der Angst ohne Widerhall bleibt, ist man verloren – unwiderruflich.

Sie aber war errettet worden.

Jedoch, hinter wie vielen Masken liegt eigentlich eines Menschen wahres Wesen? Hätte sie sich je vorstellen können, daß er so wäre? Was alles muß geschehen, bevor ein Mensch auf diese Weise in Erscheinung tritt? Sie sah es noch vor sich: wie er im Gang auf sie zukam, wie er sie ergriff, sie mitführte, sie tröstete und beruhigte. Er hatte alles genau gewußt, genau richtig getan; schützend hatte er den Arm um sie gelegt.

Auch wußte sie absolut sicher, daß sie ihm alles überlassen konnte: den Anruf zum Büro, den Bescheid an die Familie, die Überführung zum Bestattungsinstitut. So ein Glück! Das alles schaffte er, es tat ihm nichts. Wohl eine halbe Minute hatte er über dem Bett gebeugt gestanden. Was konnte er mehr gesehen haben als sie? Sie schlug die Augen auf und sah sich in ihrem Zimmer um. Es war ordentlich, die Tür verschlossen.

Sie hatte kaum hingeschaut heute morgen und hatte doch alles gesehen. Er lag hoch in den Kissen, als hätte er sich wieder aufrichten wollen, aber es war ihm nicht gelungen. Tot bleibt tot. Er war in erschreckender Weise tot. Sie hatte noch nie einen Toten gesehen, hatte es aber sofort gewußt. Aber warum hatte sie denn danach gefragt mit ihrer widerlich kehligen Stimme? Vielleicht hatte sie damit den letzten Rest ihrer Angst erbrochen – so etwa konnte es gewesen sein –, vor allem, weil sie nachher, als sein Arm schützend um sie lag, gar nicht mehr bange gewesen war.

Sie machte jetzt die Augen nicht mehr zu, schlafen konnte sie ja doch nicht, wollte es auch nicht. Hellwach schaute sie um sich. Unterdessen wollte sie gerne denken an seine Güte und an die vernünftige Art, in der er sie errettet hatte – vom Tod errettet hatte. Sie versuchte seine Erscheinung in ihrer Vorstellung zu erfassen. Hatte er nicht dunkelgraue Augen? Bisher hatte sie nie gewagt, richtig hinzuschauen, sie kannte ihn fast gar nicht. Aber jetzt hatte sie zum erstenmal in ihrem Leben den Blick eines Toten gesehen, den sah sie noch vor sich. Schluß jetzt, sie wollte sich jetzt nur noch mit seiner Erscheinung befassen. Sie fand nur mühsam Gefallen daran. Also dunkelgraue Augen hatte er, ein gelbliches, schadhaftes Gebiß, einen dicken Leib, der über die Hose hervorquoll. Und er bewegte sich auffallend schnell. Auffallend schnell hatte er sie den Fängen des Todes entrissen.

Aber außer jenem Blick war noch etwas anderes dagewesen, was sie fürchterlich erschüttert haben mußte. Ob es wohl jene halb aufgerichtete Lage des Toten gewesen war, als hätte er aufstehen wollen? Nicht doch... sie wollte sich ja an seine Erscheinung halten, und dann sah sie noch etwas: wie er sich mit gerunzelter Stirne nach ihr umwandte und sagte: »Das weißt du doch – mausetot.« – Er war nüchtern, steinhart, und das war ihr zuwider, aber er mußte wohl so sein, um sie erretten zu können. Er könnte hundert Leichen sehen und ihr dann noch mit fester Hand ein Glas Wasser reichen, den Arm schützend um sie gelegt.

Sie hielt die Augen jetzt also nicht mehr geschlossen, sondern sah aufmerksam ins Zimmer, das ordentlich war, die Türe verschlossen. Die Tür verschließen, das war eine Gewohnheit von ihr, das tat sie immer. Nicht nur jetzt etwa, aus Angst vor dem Lebenden, vor dem Steinharten, der sie aber errettet hatte, noch auch vor dem Toten, der in einer Haltung dalag, als wollte er zurück. Tote erheben sich nicht, und jener schon gar nicht. Mit absoluter Sicherheit wußte sie, daß sie sich nicht irrte: Dieser Tote hatte das Leben kampflos aufgegeben. Für ihn war es wertlos gewesen, sein ganzes Leben. Solange er jenes Zimmer bewohnte, hatte sich nie etwas ereignet. Er saß nur da, Tag für Tag, und nie war etwas geschehen, wodurch er glücklich hätte sein können, daß er lebte. Sie irrte sich nicht, denn hier kannte sie sich aus. Auch in ihrem Leben ereignete sich nichts, auch sie starb bereits seit Jahren, Tag um Tag rakkernd und schuftend, den Tod im Herzen.

Eine Zeit war gewesen, sogar noch die Zeit mit dem Studenten und mit Herrn Vis, in der sie von Liebe träumte. Beide schauten ihrem Tun und Treiben gerührt und zärtlich zu; beide legten schützend den Arm um sie, zu trösten, zu besänftigen, nicht eines einzigen Schreckens, sondern des ganzen Lebens halber, das bis dahin nur ein einziges Sterben gewesen war. Sie hatte von der Liebe geträumt, die aussöhnt mit dem Tod.

Aber dann war die Zeit gekommen, da sie mittags auf ihrem Bett lag und zu leer war, um den Traum der Liebe zu träumen. Versuchte sie es dennoch, so sah sie immer wieder den Studenten, wie er in Wirklichkeit war mit seinen glupschen Händen, und Herrn Vis, wie er war, mit seiner gefühllosen Vergewaltigermaske.

Und es grauste sie vor dem Dasein.

Und schließlich war es so am Nachmittag, wenn sie auf dem Bett lag ohne zu schlafen, mit offenen Augen ohne zu sehen, als begänne ihr Herz langsam, mit saugenden Schlägen zu zaudern, als ob ihr der Atem stockte und Schwindel sie erfaßte. Dann durchfuhr sie ein Schrecken, sie japste nach Atem, preßte beide Hände aufs Herz und fuhr in die Höhe. Eines Tages würde das wieder geschehen, sie würde hochfahren... und es nicht schaffen. Dann wäre auch sie gestorben und würde in ihren Kissen hochsitzen, als wollte sie aufstehen, um zu leben, denn das hatte sie versäumt und verpaßt und hätte doch gerade so gerne, so furchtbar schrecklich gerne leben wollen. Sie hätte leben wollen mit Leib und Herz, lieben wollen mit Blut und Schweiß und Tränen, mit Leiden und mit Darben... nur lieben!

Wann es angefangen hatte, wußte sie nicht; plötzlich bemerkte sie, daß sie weinte, leise wimmernd. Sie hatte sich aufrecht hingesetzt und blickte weinend in ihrem aufgeräumten Zimmer umher, diesem ordentlichen Zimmer, in dem sie nie gelebt hatte, aber in dem sie jeden Nachmittag und jede Nacht aufgebahrt lag. Nun kam sie hoch und stand einen Augenblick verzweifelt und verloren da, denn es war ihr, als hätte sie nur noch die Wahl zwischen einem furchtbaren Tod und einem furchtbaren Leben. Wie zufällig stand sie vor dem langen Spiegel ihres Garderobenschrankes; sie schaute sich an, sie sah sich selber in ihrer ganzen Gestalt. Sie ging auf ihr Spiegelbild zu und betrachtete ihr Gesicht. Sie war wohl zerbrochen, denn von dem unzufriedenen Blick und dem harten Zug um die dünnen Lippen war nichts mehr übrig; eher staunte sie über die Wehrlosigkeit, die es verriet. Und zugleich ging ihr auf, daß sie wohl dieses wehrlose Gesicht gezeigt hatte, als da einer gekommen war, der sie vom Tode fortholte, sie tröstete und beruhigte, den Arm schützend um sie gelegt... Und so geschah es, daß sie zu ihm ging.

Sie ging also zu ihm. Er saß am Tisch und war dabei, Aufträge auszuschreiben, denn er war Vertreter, und erledigte zugleich Korrespondenz. Er saß da in Hemdsärmeln, ohne Krawatte und hatte Hausschuhe an. Sobald sich die Tür seines Zimmers öffnete und er sie sah, begriff er, was vor sich ging. Da kam eine vorzeitig verblühte Frau, durch den hohen, unerbittlichen Besuch des Todes aufgeschreckt. Sie wollte leben, sie suchte den Beweis, daß ihr das Blut noch nicht in den Adern geronnen war, sondern unter ihrer einsamen Haut heiß und heftig klopfte. Nun – er wollte ihr diesen Beweis erbringen.

Er stand auf, wortlos. Der Instinkt sagte ihm, daß er nicht brutal vorgehen durfte. Er ging auf sie zu und legte seinen schützenden Arm um sie. Er sah sie mit einem treuherzigen Lächeln an und staunte noch kurz über ihren Blick – wahrhaft den Blick eines Menschen in Todesnot. Noch nie hatte er in den Augen einer Frau einen solchen Blick gesehen...

Dann drängte er sie aufs Bett und küßte sie. Willenlos, angstvoll, die Augen geschlossen, ließ sie es geschehen. Und dann griff er nach ihr, wie es der Student getan hatte. Und dann machte er kurzen Prozeß und wurde Herr Vis. Es tat ihr weh. Keine Liebe spürte sie, keine Wollust, nichts. Das einzige, was in ihr vorging, war die Todesangst, daß sie weinen würde. Es geschah auch nicht; ihre Miene blieb kalt und starr wie ihr Körper und ihr Herz.

Ein Tag in Amsterdam

I

Ich stand morgens beim alten Gebäude der Heilsarmee und sah ziellos zum Ij hinüber. Da kam ein großer, völlig mit Kalk bespritzter Kerl im Overall auf mich zu und stellte sich neben mich. Er dachte, daß ich etwas Bestimmtes beobachtete, und wollte es auch sehen. Doch nach einer Weile begriff er, daß es dort nichts gab.

»Meinen freien Tag nehme ich immer dienstags«, sagte er ohne Einleitung.

Ich musterte ihn von der Seite und nickte höflich, aber aufmerksam. Er hatte ein gutmütiges, rundes Gesicht, aber in seiner Stimme und in seinen Augen lag das Explosive eines jähzornigen Mannes, der sehr schnell aus der Haut fährt.

In beherrschtem Ton fuhr er fort: »Jetzt gehe ich dienstags immer ein bißchen in die Stadt. Was soll ich sonst machen? Ich bin allein. Wenigstens zur Zeit. Ich war zwar verheiratet, aber nun bin ich geschieden...«

Er lächelte, als wollte er sich entschuldigen.

»Tja«, sagte er, »war dumm von mir. Aber du weißt ja, wie das ist. Zuviel Temperament, und...«

Den Rest des Satzes fegte er mit einer Handbewegung in das Ij, und er schwieg eine Weile. Aber ich spürte, daß dies noch nicht alles war.

»Nun habe ich dienstags meinen freien Tag«, sprach er und geriet dabei ohne ersichtlichen Grund in Eifer. »Ich gönne mir ein Bierchen, ich gönne mir ein Schnäpschen. Du weißt ja, wie das so geht, wenn man allein ist... Niemand fragt zu Hause: Warum kommst du so spät? Was dich erwartet, ist bloß die Zeitung auf dem Fußabtreter und ein ungemachtes

30

Bett. Na schön. Nun ist meine Frau, meine gewesene Frau, mit einem zusammen, und der hat ein Café. In West. In Alt-West. Nicht in Neu-West. In Alt-West.«

Er blickte mich prüfend an, ob ich es auch glaubte und nicht etwa darauf beharrte, es sei doch in Neu-West. Aber das tat ich nicht. Ich lächelte ihn nur an. – Nun ja, Sie haben ihn nicht gesehen.

»Was soll ich auch in Alt-West«, sagte er, »da habe ich nichts zu suchen, oder? Aber weil ich nun dienstags meinen freien Tag habe, gehe ich dort abends immer hin. Und danach, wenn ich schon ziemlich benebelt bin, in das Café. Und dann ärgere ich diese Person. Oder ich schlage diese Person. Und das darf ich nicht. – Weißt du, warum ich das nicht darf?«

»Nein«, sagte ich.

»Weil es unfair ist, darum«, rief er aus. »Was vorbei ist, ist vorbei. Das muß ich einsehen. Aber ich gehe jedesmal wieder hin. Jeden freien Dienstag. Und das ist verkehrt...«

Seine Miene wurde sorgenvoll.

»Also, was habe ich mir letzten Montag gedacht?« fragte er. »Ich dachte: Kees – ich heiße nämlich Kees – ich dachte: Kees, du hast morgen deinen freien Tag. Und weißt du, was du dann machst? Dann gehst du nicht nach Alt-West. Dann fährst du raus aus der Stadt. Dann fährst du nach Oldenzaal zu deiner Schwester. Bißchen spielen mit den Kindern deiner Schwester, bißchen erzählen mit deinem Schwager. Kleines Schläfchen machen vielleicht. Schön ruhig...«

Er sah mich wieder so seltsam an. Ich hielt die Luft an und wartete auf den Rest. Und da war er: »Na schön, ich hab's so gemacht, Frühzug genommen. Ich war um elf in Oldenzaal. Und Oldenzaal ist schließlich auch eine Stadt, oder? Also, ich trink ein Bier und trink einen Korn, denn so früh kann ich bei meiner Schwester nicht aufkreuzen. Und dann kam ich ins Erzählen. Also abends um zehn tanz ich bei meiner Schwester an. Mit Spielzeug für die Kinder. Das hatte ich gekauft und nirgends liegenlassen. Nun ja – aber ich war ganz schön blau.«

Er schüttelte düster den Kopf und sagte zum Schluß: »Und dann hab ich meinen Schwager doch so verprügelt...«

2

Am Nachmittag mußte ich mit meiner Frau in die Innenstadt, weil sie einen Mantel kaufen wollte. Meine tiefe Abneigung gegen das Einkaufen ist ihr bekannt, aber wenn ein Kleidungsstück angeschafft werden muß, bin ich als Nicker oder Kopfschüttler unentbehrlich. Auf diesem Gebiet fehlt ihr das gesunde Selbstvertrauen nämlich völlig, mit dem andere Frauen die anfechtbarsten Kleidungsstücke und Hüte kaufen und in der deutlich sichtbaren Überzeugung davonschreiten, daß sie nun entschieden besser aussehen. Ihr Zweifel sitzt so tief, daß sie eine Stunde nach jedem mehr oder weniger wichtigen Textilkauf in Panik gerät und mich braucht, um mir zuzurufen: »Aber du hast gesagt, es steht mir!«

Wir begaben uns in ein großes Warenhaus, wo ein ganzes Stockwerk der Damenmode vorbehalten war. Einer Mode, die eigentlich schon überlebt und darum letztlich nichts war als eine Sammlung von Ladenhütern, von blindlings nach dem großen Geschäft tastenden Kreationen von Modeschöpfern am Rande des Nervenzusammenbruchs. In dem großen Raum ging es sehr lebhaft zu, und es war feuchtwarm wie in einem Hallenbad, in dem man sich völlig bekleidet aufhalten muß, weil sich die Kinder freischwimmen. Ich mußte dann auch hart gegen die Versuchung ankämpfen, dem ersten besten Mantel, den sie anprobieren würde, mein bejahendes Nicken zu geben, nur um alles hinter mir zu haben.

Während meine Frau im Gestell wühlte, fühlte ich, daß ich ganz und gar keine gute Figur machte, denn in dieser typischen Damenwelt ist ein Mann überflüssig. Er steht immer genau vor einem Spiegel, in den jemand schauen will, oder genau vor einer Kabine, in die jemand hinein will, und er wird dann auch mit der herablassenden, spöttischen Freundlichkeit behandelt, die Schwestern in der Entbindungsstation für junge Väter übrig haben.

Meine Frau hatte einen Mantel, der recht vernünftig aussah, vom Gestell genommen und angezogen. Nach einigem Suchen fand sie in der Ferne einen freien Spiegel, stellte sich davor und drehte sich kokett um ihre Längsachse. Endlich sah sie mich mit einem Blick an, der »Na?« bedeuten sollte.

»Sieht sehr gut aus«, rief ich.

»Meinst du wirklich?« ertönte es neben mir.

Die Bemerkung kam von einem schwerfälligen Mann mittleren Alters, der ein Gesicht machte, als wäre er lieber angeln gegangen.

»Ja, das meine ich«, sagte ich.

»Na, ich finde die Farbe abscheulich und den Schnitt total verrückt«, stellte er, seiner Sache sicher, fest.

»Ich nicht«, erwiderte ich.

Natürlich kam auch der Gedanke »Was geht den das eigentlich an?« in mir auf, aber ich unterdrückte ihn augenblicklich als ein übles Rudiment meiner Den Haager Herkunft. In Amsterdam kümmern wir uns nun einmal um alles, und wir leben in der Überzeugung, daß unter dem Westerturm die Welt regiert wird.

Der Mann hielt nun die Hände wie ein Sprachrohr vor den Mund und rief: »Meiner Meinung nach ist es ein Fetzen. Aber er sagt, er steht dir.«

Erst jetzt bemerkte ich, daß er mit einer kleinen, kugelrunden Frau sprach, die sich neben meiner Frau vor einem anderen Spiegel drehte und die einen Mantel anhatte, den der Satan persönlich in einer sehr bösartigen Laune erfunden hatte, um die Frauen lächerlich zu machen. Es war ein violett und grün kariertes Zweimannzelt mit großen Schleifen an den Hüften, die sie noch breiter machten, als es der Natur sowieso schon geglückt war.

So kostümiert trat sie näher an ihn heran und sagte: »Mir gefällt er.«

»Mir nicht«, antwortete er, »aber ich verstehe nichts davon. Und der Mann hier sagt, daß er dir gut steht.«

»Wirklich, Meneer?« fragte sie.

Ich hätte eigentlich sagen müssen: Mensch, wenn der Karneval vorüber ist, kannst du das Ding wegschmeißen, aber ich konnte es nicht über die Lippen bringen, denn in ihren Augen stand deutlich zu lesen, daß sie den Mantel hübsch fand und mit einem andern tief unglücklich gewesen wäre. Was sollte ich tun? Ich bin nicht meines Bruders Hüter – und der ihre schon gar nicht. Darum sagte ich: »Ich glaube, daß er ganz Ihrem Geschmack entspricht.« Denn diese Formulierung war in ihrer Deutbarkeit genausoweit wie der Mantel.

»Gut, einpacken, bezahlen, raus hier«, rief der Mann.

Später hatte ich deshalb noch ein paar Gewissensbisse, aber ich sehe die Frau bestimmt nie wieder. Amsterdam ist groß.

3

Am frühen Abend saß ich in der Straßenbahn und fuhr durch die Innenstadt, die einen menschenleeren Eindruck machte, obwohl, soviel ich wußte, nichts mit einer abnorm hohen Einschaltquote im Fernsehen lief. Bei unserer Fahrt mußte die Stadt auch zuzahlen, denn es war nicht viel Volk an Bord, einige Pärchen, ein paar junge Mädchen und dieser Mann. Ende Dreißig schätzte ich ihn. Er war von magerer Gestalt und trug eine hellgraue Sportjacke, an der in Höhe von Brust und Hüfte Stoffstückchen in einer dunkleren Farbe angebracht waren, ein verkaufsfördernder Einfall der Modeschöpfer, der die Vermutung nahelegte, daß der Mann schon während der ersten Anprobe beim Schneider vor Ungeduld weggelaufen war. Sein schmales, empfindsames Gesicht war sehr bleich. Er blickte böse drein, als er mit schriller, gehetzter Stimme sprach: »Wie können Sie nur so dumm sein, die Menschen? Wenn sie rechtzeitig nach Hause gekommen wären, hätte ich noch in aller Ruhe essen und bequem hingehen können. Aber nun ist alles wieder versaut. Da kann ich nur noch schlafen gehen.« Aus seinem Tonfall sprach maßlose Verärgerung. Zuerst dachte ich, daß er auf die Frau, die vor ihm saß, einredete, aber als sie an der nächsten Haltestelle ausstieg, fuhr er fort: »Was hilft es? Der Abend ist sowieso versaut. Das sogenannte Amüsieren ist einfach wertlos! Es ist besser, man liegt im Bett und macht die Augen zu. Dann vergißt man den ganzen Mist. Wenn man wenigstens schlafen könnte…«

Es war nun völlig klar, daß er mit sich selbst sprach. Ich bin davon auch nicht ganz frei, aber ich führe meine Selbstgespräche wenigstens nicht so laut, und auf der Straße gehe ich rechtzeitig in Singen und Summen über, wenn mich jemand erstaunt ansieht. Es ist so eine Art innerer Monolog vom Tonband, und man hat immer recht. In Cafés und öffentlichen Verkehrsmitteln nehme ich mich zusammen. Aber mit diesem Mann stand es schon schlimmer als mit mir, und er gab in der mäßig besetzten Straßenbahn mit normaler Lautstärke einen Augenzeugenbericht von seinem Innenleben zum besten.

»Und die Wahlen, das ist auch die reinste Bauernfängerei«, fuhr er wütend fort. »Wenn man sie so gackern hört, versprechen sie uns goldene Eier. Lügen! Was ist denn draus geworden, aus dem Wohlfahrtsstaat? Daß ich nicht lache. Guck zu Hause bloß nicht in den Briefkasten. Da liegt deine Entlassung drin. ›Zu unserem Bedauern‹. Ja, sie bedauern. Die Schufte. Ist sowieso bald aus mit der ganzen Schweinerei. Braucht nur irgend so ein Idiot aufs Knöpfchen zu drücken – bums, ist alles vorbei. So ist’s richtig.«

Sein bleiches, verzerrtes Gesicht drückte große Ratlosigkeit aus, und er spickte seinen heruntergerasselten Monolog mit unserer populärsten Gotteslästerung, ersetzte aber die O durch A, wodurch der Fluch viel fetter klang. Ich fand den Mann sehr aufregend. Er war aus Glas. Man konnte durch ihn hindurchsehen, bis ins Innerste seiner bedrängten Seele. Das wäre ein wunderlicher Sprechchor geworden, wenn alle

Fahrgäste ihre Gedanken so laut geäußert hätten. Der Schwerfällige mit der karierten Mütze hätte gesagt: »War nie im Leben Hand. Ich saß doch, verdammt noch mal, ganz dicht dran. Der Junge hat den Ball direkt an den Arm gekriegt. Aber der Schiedsrichter war ja parteiisch, darum kam er gleich mit der gelben Karte. Vielleicht war er bestochen. Wer weiß...«

Das unförmige Fräulein auf der nächsten Bank würde sagen: »Ich glaube, ich muß es ein bißchen länger auf kleiner Flamme schmoren lassen, natürlich nicht zu lange. So, daß die Flamme man gerade nicht ausgeht.«

Von dem ergrauenden Ehemann, der verbittert neben seiner Frau saß, würden wir hören: »Na, warum geht er dann nicht nach Ostdeutschland, wenn hier alles verkehrt ist? Aber der wird sich hüten. Da kann er nicht so 'n großes Maul haben. Da muß er arbeiten und wird nicht gefragt, ob es ihm paßt. Nein, der bleibt hier, um zu stänkern. Dafür kriegt er auch obendrein noch ein Stipendium. Und dabei taugt doch hier alles nichts...«

Und das schöne, etwas kräftige Mädchen neben dem lamentierenden jungen Mann: »Und wenn er nun denkt, daß ich mit einmal Scheißkino, mit Schmerzen und 'ner Tasse Kaffee zufrieden bin, dann hat er sich schwer geirrt. Ich will auch mal was genießen...«

Aber sie schwiegen alle und schauten überlegen auf den gläsernen Mann, der mit den wütend hervorgestoßenen Worten: »Die Welt stinkt mich an, die Welt stinkt mich an« ausstieg.

Das gab ein großes Gelächter. Nur das Fräulein, das es noch ein wenig schmoren lassen wollte, sagte leise und mitleidig zu mir: »Damit wirst du dich wohl abfinden müssen.«

Gegen zehn trieb mich ein heftiger Regen in eine mir unbekannte Kneipe, die sich in einer kleinen Gasse zwischen zwei Grachten befand. An der Theke stand ein alter Mann, der seine Brille in der Nasenwurzelgegend notdürftig mit Leukoplast zusammengeflickt hatte. Der Wirt hatte offensichtlich alles satt. Ein eingeduselter junger Mann saß an einem Tischchen unter dem antiquierten Fernsehapparat, der schon vor zehn Jahren alle möglichen Ergötzlichkeiten hervorgeflimmert hatte. Der junge Mann war in Gesellschaft einer dicken, angemalten Frau, die mit heiserer Stimme in Richtung Büfett rief: »Hör mal, ich habe das Leben kennengelernt. Ich habe das Schönste vom Schönen gesehen. Ich bin in den feinsten Dingern der Schweiz gewesen. Mit richtigen Herren. Und in Deutschland und in Italien. Das Schickste vom Schicken. Und genauso fröhlich trink ich nun hier mein Gläschen. So 'n Typ bin ich.«

Der Wirt reagierte nicht. Er betrachtete ein Stück Papier, das er aus einem Briefumschlag geholt hatte, und sagte düster: »Mein Lotteriebrief. Auch alles Betrug. Nur wer Beziehungen hat, kriegt die Preise. Minister und so. Aber die Nieten sind für unsereinen.«

»Zeig mal«, bat der Alte. Und nachdem er einen Blick darauf geworfen hatte, sagte er: »Das ist eine sehr schöne Nummer.«

»Was soll denn daran schön sein?«

»Ich seh das«, sagte der andere, »ich verstehe zufällig was von Zahlen. Ich habe mich damit beschäftigt.«

»Er hier«, rief die Frau und wies auf ihren schlafenden Gefährten, »er hier. Schläft grad. Soll er. Er hat heute seinen freien Tag. Und nun schläft er. Aber er ist nicht auf den Mund gefallen. Ich meine, sonst.«

»Noch nie von der sogenannten Zahlenmystik gehört?« fragte der Alte und legte den Lotteriebrief auf die Theke. »In Ägypten, sagen wir zweitausend bis dreitausend vor Christus, da gab's Priester, die konnten vielleicht rechnen!«

»Das können sie immer noch«, entgegnete der Wirt.

»Sonst ist er nicht auf den Mund gefallen«, beharrte das Fräulein.

»Und Geld verdienen kann er auch. Und rechnen erst! Er fährt große Lkws. Ins Ausland. Der Junge kommt überallhin. Ist ein lieber Junge. Aber jetzt schläft er. An seinem freien Tag. Soll er, oder?«

»Nimm zum Beispiel Pythagoras«, sagte der Alte, »alles Zahlenmystik.«

»Woher weißt du das?«

»Ich habe mal ein dickes Buch darüber gelesen. Das habe ich im Haus von einem Professor gefunden, das ich ausräumen mußte, weil er gestorben war. Daher. Darum weiß ich, daß du mit deinem Brief gut dran bist. Da ist eine Sieben dabei. Das Jahr ist auf ein Sechzigersystem aufgebaut. Da paßt die Sieben nicht rein. Aber sieben Tage sind eine Woche. Das ist klar. Denn die Sieben ist eine heilige Zahl. Und so geht es immer weiter. Das hat alles tiefere Ursprünge. Und es hängt mit dem menschlichen Körper zusammen. Nehmen Sie nur die Fünf. Die römische Zahl Fünf ist ein V. Und was ist ein V? Das Zeichen der menschlichen Hand. Und so geht es immer weiter. Eins greift ins andere.«

Der Wirt legte den Umschlag in die Schublade.

»Ich wußte nicht, daß du ein Homopath bist«, sagte er. Er knallte die Schublade zu.

Der junge Mann wurde wach, gähnte gewaltig, schlug der Frau mit der flachen Hand auf den Hintern und rief: »Komm, wir verschwinden aus dieser Rattenfalle. Wir gehen in ein Restaurant mit Spiegeln.« Er erhob sich.

»Was hab ich zu zahlen?« fragte er.

»Siebenfünfzig. Und da ist noch was offen von voriger Woche.«

»Dann schreib's dazu. Ich hab es nicht eilig«, sagte der junge Mann.

Die Frau lachte.

Aber der Wirt entgegnete feindselig: »Wenn Kraaykamp auf-
hört, kannst du für ihn weitermachen.«

»Hier, du Sabbelkopp«, rief der junge Mann und warf einen
Geldschein auf die Theke. »Zieh nur alles ab. Ich bleibe keinem etwas schuldig.«

Als er zusammen mit der Frau gegangen war, sagte der Wirt:
»Niemandem bleibt er was schuldig! Wenn der keinem begegnen will, dem er was schuldet, muß er über die Dächer
nach Hause gehen.«

Die Nacht der Süßigkeiten

Es ist mir verdammt verhaßt, wenn sie Kirschbäume um-
hauen. Alte Bäume, die so auswachsen, daß die Menschen
die Kirschen nicht mehr mit Netzen vor den Staren schützen
können, bringen nicht genug Ertrag, nehmen Licht weg, und
dann geht es mit der Axt drauflos. An dem Morgen, an dem
ich beschloß, mein Studium aufzugeben, ließ meine Vermie-
terin zwei alte Bäume fällen, und ich hatte das Gefühl, nicht
länger im Zimmer bleiben zu können, weil zuviel Licht hereinfiel. Zu meinem Vater wollte ich nicht, das wäre eine Nie-
derlage gewesen, und mein Freund Edu wohnt zu einfach auf
seinem undichten Hausboot; ich könnte es da nicht länger als
zwei Tage aushalten. Er redet nicht viel und geht nur aus dem
Haus, wenn er Wasser an der öffentlichen Pumpe holt, die
Butangasflaschen auswechseln muß oder um Einkäufe zu er-
ledigen. Kochen kann er gut. Er interessiert sich für Beweise,
daß Gott existiert, und er glaubt, daß ein intelligentes Wesen
existiert, das alle Dinge beherrscht und zu ihrem Ende führt,
also auch Bäume und Hausboote.
Ich stand mit meinen Taschen und dem Rucksack auf seinem
Laufsteg und rief: »Sie hacken die Bäume um!« Eine solche
Erklärung genügt ihm, um Leute einzulassen.
»Wo gehst du hin?« fragte er.
»Ich verreise«, sagte ich.
Er ging Kaffee kochen, und ich lauschte der Stimme aus dem
Mikrophon eines Rundfahrtbootes, die auf Deutsch, Eng-
lisch und Französisch etwas über ein und dieselbe Sehens-
würdigkeit erzählte, alle fünfundzwanzig Minuten kommt
so ein Boot vorbei: sechzehnmal am Tag.
»Du mußt den Kahn fester an die Trossen legen«, riet ich
ihm.

»Es stört mich nicht, und wenn ich lese, finde ich das Schaukeln ganz angenehm.«

Edu friert nie, wenn sein Ofen glüht, fängt er an zu zittern und zu beben, so daß man die Ölzufuhr sperren und warten muß, bis das Mistding abgekühlt ist.

Seit anderthalb Jahren wird das Institut für Niederlandistik von Studenten verwaltet, die für das Grundstudium den Namen »Flottenparade« eingeführt haben. Ich hatte eine Liste mit fünfzig Büchern vorbereitet, und dann schafften sie die Prüfungen ab und führten die Anwesenheitspflicht für ihre Versammlungen ein, hingen Transparente auf und riefen Losungen durch Megaphone. Ich blieb in der Tür stehen; sie saßen auf dem Boden, Stühle wollten sie auch nicht mehr, und die Prüfer hatten sich im Gebäude versteckt, es war genug Kaffee da. Das Studienprogramm hatten sie auf den olympischen Gedanken gegründet, mitmachen sei wichtiger als siegen. Und das war das einzige Thema, über das sie in den Versammlungen redeten. In unerwarteten Momenten sprang einer auf, um »Eberhard Erdbeerquark« ins Mikrophon zu brüllen, was mit Jubel begrüßt wurde.

Mir taten die Kantinenangestellten leid, die einem früher Mohnkuchen verkauften und darauf achteten, daß man die Zigarettenasche nicht in die Geranientöpfe abklopfte; sie waren immer nett zu mir gewesen. »Wenn ich nicht Niederländisch studieren kann, mache ich damit Karriere«, sagte ich übermütig zu meinen Freunden. Meiner ersten Erzählung gab ich den Titel »Bis in die Pflaumenzeit«.

In der Kneipe, in der gelesen, geredet und geschrieben wird, versuche ich zu arbeiten. Mein Stuhl steht an der Flanke eines ausgestopften Pferdes, in dessen Geschirr ein Spiegel eingelassen ist, der sich an der Wand rechts von mir nach vorne neigt, so daß ich die meisten Gäste darin widergespiegelt sehe. Auf dem runden Tisch liegen Zeitungen und Zeitschriften ausgebreitet, darunter ist ein Wagenrad montiert, das als Fußstütze dienen kann. Die Kneipe hängt voller Räder, die zu Leuchtern umgebaut oder an die Wand gehängt sind. Der Kellner in einer langen Schürze trägt an einem Griff ein Tablett, auf dem in runden Aussparungen Gläser mit Bier stehen. Er bedient schweigend und macht Striche auf Bierdeckel von Stella Artois. An einem Tisch links von mir redet eine alte Dame leise mit sich selbst, schreibt etwas auf kleine Kärtchen, steckt sie weg und holt sie erneut hervor. Als der Ober ihr ein Glas Bier bringt, macht er eine Verbeugung dabei. Sie trägt zwei Eheringe am Zeigefinger, nichts Besonderes; trotzdem sehe ich hin. Sie ist so alt, denke ich. Ich kenne sie nicht.

Ich werde eine Geschichte schreiben über eine Mutter, die mitten in der Nacht ein ernsthaftes Gespräch mit ihrer Tochter führen will, während die Tochter einen Pflaumenkern ausspuckt, der in der stillen Küche gegen das Fenster knallt...

In der niederländischen Literatur ist schon oft über Jungen geschrieben worden, die sich in eine Mitschülerin verlieben, der sie ihre Liebe nicht zu gestehen wagen, weil sie Angst vor ihren mächtigen Vätern haben, mit dem Ergebnis, daß sie ihre Mütter und die Dienstmädchen glorifizieren. Ich will zeigen, daß die ersten Schritte des Mädchens nicht zur Mutter hin, sondern von ihr weg über den Vater nach draußen führen. Und daß die Entfremdung zwischen einer Mutter und der Tochter durch das klickende Geräusch eines Pflaumenkerns endgültig werden kann, der in einem Bogen gegen die Fensterscheibe gespuckt wird.

Das ausgestopfte Pferd riecht nach Leder und nach etwas, das stark an Öl erinnert; ich lege die Hand auf seine gegerbte Haut. Die alte Dame zahlt und nimmt ihre Einkaufstasche, aus der gelbe, verwelkte Bleichsellerieblättchen hängen; ihr eines Bein ist kürzer als das andere. Unter dem Schuh hat sie einen orthopädischen Absatz. Aus Bleichsellerie kann man Salat machen, mit Äpfeln und Nüssen, Edu kennt sich da besser aus; er lehrte mich, das Gemüse so klein wie möglich zu schneiden, Öl und Essig zu mischen und Pfefferkörner zu mahlen, denn kochen kann ich nicht.

Ein Kongolese hält den Türvorhang für sie auf, die Tür fällt zu; er bleibt mit ausgestreckten Armen in der Öffnung stehen und hebt den Vorhang wie in einem Puppentheater. »Guten Abend«, sagt der pechschwarze Mann und macht einen hastigen Schritt nach vorne. Ein Besucher sieht von seiner Zeitung auf und grüßt. Es wird still; die Gäste verharren in ihrer Gesprächshaltung, und der Kellner bewegt sich unbeirrbar zwischen den Tischen. Der Mann aus dem Kongo nimmt ein Glas Bier vom Tablett, als er vorbeikommt, bringt einen Toast aus und zieht an der kupfernen Glocke bei der Theke. »Jean, schenk noch mal aus!« Ich glaube, daß Immigranten, die Dialekt sprechen, doppelt benachteiligt sind. Der Kellner geht ungeduldig zur Theke und füllt Gläser. Der Neger geht, während er trinkt, zum Pferd und streichelt seine Blesse, klopft leise gegen den Hals, der hohl klingt. Ich lese die letzte Zeile in meinem Notizbuch. Er redet laut mit niemand bestimmtem, aber vielleicht mit dem Pferd, weil sie die gleichen Augen haben.

»Sie nehmen es mir weg, sie reißen es raus!« Er greift sich weinend an die linke Brustseite und leert sein Glas. Ich schlage das Notizbuch zu, weil Biertropfen die Tintenbuchstaben verlaufen lassen. »Du hast auch kein Herz mehr«, streitet er mit dem Pferd. Er dreht sich um und beugt sich zu mir. Ich kann die Risse in seinen violetten aufgesprungenen Lippen sehen. »Sie wollen mir mein Herz stehlen, Mademoiselle.«

Ich stehe auf und sage, um ihn zu beruhigen: »Ihr Herz, mein Herr, das gehört Ihnen, das darf niemand anrühren.«

Er nickt zögernd, als ob er es noch nicht ganz glauben könnte, dann wirft er Geld auf die Theke, geht mit steifen Schritten zur Tür und ruft: »Ihr dürft es mir nicht abnehmen!« Er verschwindet hinter dem Vorhang, die anderen Besucher sehen jetzt zu mir... »Die Rechnung, Mademoiselle?«

Er zählt die Striche auf einem durchweichten Bierdeckel, und ich gebe ihm zwei Hundertfrancscheine.

»Madame, diese Scheine kann ich nicht annehmen!« Und er schaut schnell um sich, während ich mir den Mantel anziehe.

»Wieso?«

Das Geld ist ungültig, die Umtauschfrist ist abgelaufen, und ich muß einen Scheck über zweihundert Francs ausstellen. Als ich ihm den Kugelschreiber zurückgebe, steckt er ihn hinters Ohr und macht neckend eine Verbeugung. Ich gehe verärgert hinaus. Die Nacht ist klar, die Sterne sind ruhig und leuchten hell über der Stadt.

Das Haus, in dem Multatuli in einer Dachkammer den *Max Havelaar* schrieb, kann ich dank der »Flottenparade« finden. Früher war es ein Hotel, jetzt ist dort ein Spitzenladen, in dessen Schaufenster kleine Deckchen liegen, die man auf die Kopfstützen von Sesseln in der guten Stube zu legen pflegt; kleine Spitzenkragen, mit denen ich die letzten zehn Jahre keinen Menschen mehr gesehen habe, und Püppchen in Trachten, die in ihrem Rock einen Reißverschluß haben, hinter dem ein kleines Taschentuch steckt. Man kann sie wie ein Täschchen tragen. Mein Vater, der Modeschöpfer ist, schenkte mir so ein Ding, er hatte es als Werbegeschenk bekommen.

Seit ein paar Tagen überlege ich, meine Versuche als Schriftstellerin aufzugeben; die Welt funktioniert schlecht... Ich hatte gedacht, daß ich die Adresse meiner Mutter in Brüssel leicht finden würde, daß ich nur in das Viertel hinter dem Bahnhof zu laufen bräuchte, um ihre Vorhänge, Pflanzen und Bilder wiederzuerkennen, aber ich kann sie nicht finden. Kein Belgier kann mir ihre Straße zeigen; hilfsbereit wie sie sind, begleiten sie mich ein ganzes Stück, kratzen sich am Kopf, um mir dann zu sagen, daß alles anders geworden ist. Allmählich geht mir das Geld aus, und ich frühstücke an einem Tisch mit einer Decke voller Marmelade- und Kaffeeflecken, und es wird jeden Morgen ein weißes Tuch, das vor dem Waschbecken liegt, auf dem klebrigen Linoleum zurechtgerückt. Nachts ist dort ein Höllenlärm, und seit meiner Geburt kann ich Lärm nicht ausstehen.

In meiner Kneipe schaut das ausgestopfte Pferd über meine Schulter mit auf den Stadtplan, der sich nach Gebrauch kaum noch zusammenfalten läßt. Auf den Platz vor der Kneipe dürfen keine Autos, die Fensterläden der restaurierten Gebäude sind rot und weiß gestrichen; dann und wann jagt ein Fußgänger eine aufdringliche Taube weg. Ich fange an, mich an die Stadt zu gewöhnen und mein Studium zu vergessen. Die alte Dame schreibt auf ihre kleinen Kärtchen.

»Entschuldigen Sie«, sage ich, »wissen Sie vielleicht, wo meine Mutter wohnt?«

Unter ihrer pfefferfarbenen Perücke sieht sie mich schalkhaft an. »Sie wollen einen Spaß mit mir treiben, Mademoiselle, das wissen Sie selbst.« Und sie singt: »Weder Straßen noch Namen habe ich vergessen, unendlich viele andere nicht, drum sing ich hier mein trauriges Lied. Alle Straßen haben einen Namen, nur die meine kennst du nicht.« Eine Verrückte... und nicht zu bremsen. In ihrer Einkaufstasche liegen Orangen, von denen einige mit einer grünen Schimmelschicht bedeckt sind. Die Menschen im dritten Lebensalter bekommen auf alles Ermäßigung in der Stadt; Kaffee mit Kuchen; die zweite Tasse ist kostenlos.

Der Kellner wartet geduldig auf Bestellungen. »Mein Herr... wie heißt die... Straße jetzt?« Er geht auf mich zu und schaut sich meine Jeans an, den blauen Lambswool-Pullover mit den lederenen Ellbogenflicken.

»Im Rathaus können Sie Einsicht in die Sanierungspläne bekommen... Es ist so lange her, hinter dem Bahnhof war es, glaube ich.«

Ich danke ihm und bestelle ein Bier für die alte Dame, die irgendwelche Zettel in ihrer Handtasche sucht. Als ich zahle, wischt er sich die Hände trocken und nimmt den Kugelschreiber hinter dem Ohr hervor. »Ein Vetter von mir«, sagt er freundlich, »hilft jungen Leuten wie Ihnen, neu anzufangen, wenn Sie Referenzen haben...« Er gibt mir einen Notizzettel, auf dem eine Biermarke steht und eine Adresse. Draußen brennt der saure Nieselregen mir in die Augen.

»DU«, lese ich auf einem Plakat hinter einer Schaufensterscheibe einer Chocolaterie. »Was machst DU für die Nacht der Süßigkeiten?« Es ist eine riesige Hand darauf abgebildet, die mit einem Finger auf mich zeigt. Ich gehe in das Geschäft und kaufe eine kleine Schachtel mit sechs Negerküssen, weil ich sie früher gern aß.

»Haben Sie ein Teilnahmeformular für mich?« frage ich die Chefin und deute mit dem Kopf auf das Plakat.

»Nein, das kann ich Ihnen nicht geben, das ist für die Einzelhändler.«

Sie packt die kleine Schachtel ein, und ich erkläre ihr, daß ich meine Mutter verloren habe, daß sie im Süßwarenbereich arbeitet und an der Organisation beteiligt ist.

»Mein Mann hat es abgeschickt, er selbst kommt nicht, das Herz, verstehst du.«

Als sie nach hinten geht, sehe ich durch den Türspalt eine Zierpuppe auf dem Sofa und lausche dem Herausziehen und Hineinschieben von Schubladen. Sie kommt mit dem übriggebliebenen Formular zurück und stützt sich treuherzig auf den Ladentisch. »Sag mal ehrlich, schmeckst du einen Unterschied?«

Ich nehme aus den beiden kleinen Schalen eine Weinbrandkirsche und schüttle den Kopf, als mir der zähflüssige Likör in den Gaumen rinnt; ich mag keinen Zucker.

»Meine Mutter hat mehr Ahnung davon.«

»Die Cote d'Ors sind um die Hälfte billiger.«

Ich nicke ernsthaft, und während ich zur Tür gehe, ruft sie: »Meine Empfehlung an die Frau Mutter!«

Auf dem Formular steht: »Stellen Sie Ihre Produkte vor. Bieten Sie Kostproben an: Und vor allem... seien Sie präsent!«

Abergläubisch bin ich nicht, aber ich überquere den Platz, biege in die Straße neben dem Historischen Museum ein und streichle die liegende, bronzene Frau, wo schon Tausende sie berührt und geküßt haben, weil man sich dann etwas wünschen darf. Ihr Schenkel ist glänzend glatt gerieben, der Rest des Körpers ist grün verwittert. Ich bin innerlich ruhig, die Straßen und Passagen wirken vertraut, wie sie es schon vor drei Jahren waren. Bei einem kleinen Menschenauflauf dränge ich neugierig Leute zur Seite. Ein Geiger gleitet mit dem Bogen über die Saiten, und ein Mann in einem zu großen Wintermantel singt: »Kleine Maus, zieh dich aus, komm zu Papa, komm zu Papa ins große Himmelbett...« Ich lasse einige Münzen auf den roten Samt des Geigenkastens fallen und stolpere über einen Jungen, der mit einem Migränegesicht auf dem Bordstein sitzt und den Passanten einen weißen Schuhkarton entgegenstreckt. Er hat ein Schild um den Hals gebunden: »Ich bin nicht versichert. Muß mich dringend einer Gehirnoperation unterziehen.«

Meine Mutter ist der Meinung, daß Frauen mit Verstand es im Leben weit bringen können. Sie wollte nicht zu Hause sitzen und verließ meinen Vater und mich, als ich drei Jahre alt war; sie wurde Dolmetscherin im Ausland. Ich habe jahrelang gedacht, sie sei tot. Sie scheint im belgischen Fernsehen gewesen zu sein, um ein Streitgespräch zwischen zwei Politikern zu übersetzen. Zur Zeit ist sie Chefredakteurin des *Wochenblattes Süßwaren* und hat die belgische Staatsbürgerschaft angenommen. Als sie verschwunden war, sagte mein Vater, sie sei an einem Morgen ›einfach so‹ vorne im Garten in den Boden versunken. Ich wagte kaum mehr, dort hinzugehen, ich hatte Angst vor ›Erdmännchen‹, die einen an den Beinen durch das Gras nach unten ziehen konnten.

Vor dem ›Sofitel‹ in Diegem, ganz in der Nähe der Stadt, steht eine Bimmelbahn mit Luftreifen. Es regnet, die bejahrten Festgäste schütteln die Tropfen ab, rücken ihre Mäntel zurecht und machen einander Platz auf den Bänken in den kleinen Wagen, die keine Türen haben, sondern nur Ketten, damit man nicht hinausfallen kann. Unter einem gestreiften Leinendach sitzen sie trocken. Es ist die Generation, die wegen ihres Durchhaltevermögens auf dem großen Fest ›Die

Nacht der Süßigkeiten‹ geehrt wird. Um ihrer Ehrenrunde Bedeutung zu verleihen, stehen dort unter Regenschirmen Herren in grauen Anzügen; sie heben die Arme und rufen »Hurra!« Hurra!«. Der Auspuff des Traktors bläst Benzinwolken in die Luft, die ›Menschen im dritten Lebensalter‹ werden durcheinandergeschüttelt.

Es ist noch hell, die ›Nacht der Süßigkeiten‹ hat schon beinahe begonnen, ich habe mich schöngemacht, laufe aufgeregt zwischen den Tischen und Stühlen herum und verleihe, wie es in dem Faltblatt verlangt wird, »meine Teilnahme und Animation«. Ein Empfangschef mit Goldtressen an seiner weinroten Jacke fragt: »Haben Sie ein Zimmer reserviert?«

»Nein, aber ich bin die Tochter von Madame...«

Es ist eine noble Herberge; in den weichen Teppichen sind wilde Blumenmuster eingewebt, an den Wänden hängen Spiegel über Möbeln im Louis-quatorze-Stil.

»Würden Sie so freundlich sein, Mademoiselle, mir Ihre Teilnahmenummer zu geben, dann können Sie Ihr Gepäck in der Garderobe hinterlassen.«

Die Orgel der »Gebrüder von Antwerp« wird zusammengeschraubt, sie strahlt leuchtendgrün, darauf glänzen orangefarbene Sterne. Es ist eine elektrische Maschine; Mechaniker holen Schaumgummipolster hinter den Instrumenten hervor, schrauben mit Schlüsseln an Muttern und Bolzen, schieben Stecker in die Verstärker und kontrollieren Zeiger hinter Glas. Ein Schalter wird betätigt, und das Gerät setzt sich in Gang; Stöcke wirbeln auf Trommeln und Becken nieder, die Tasten einer automatischen Harmonika gehen auf und nieder, eine Trompete bläst *Il Silenzio*. Es sind Drehorgelklänge, gemischt mit Orchestermusik aus Tanzlokalen, mir wird ganz schlecht davon. Verzaubert wird man davon, so wie die Untertanen in dem Märchen ›Des Kaisers neue Kleider‹: »...und alle Menschen bejubelten ihren Kaiser, priesen sein mit Gold und Silber besticktes Gewand, das am Kragen mit echtem Hermelin abgesetzt war...« Mein Vater hatte es mir vorgelesen. Die Mädchen hinter der Theke klatschen begeistert Beifall, als die Orgel zur zweiten Nummer ansetzt.

Ich beschließe, auf der Toilette mein Make-up aufzufrischen, die Kleidung zu kontrollieren und den guten Rat aus dem Programmheft zu befolgen: »Pflegen Sie Ihre Zähne, bürsten Sie Ihre Zähne. Sie, die Sie zum Süßwarensektor gehören. Bieten Sie niemandem die Gelegenheit, Sie wegen Zuckerprodukten anzugreifen.« Der Gottesbeweis ist in Diegem erbracht, und zwar durch die Gebrüder von Antwerp, es würde Edu sicher interessieren. Auf dem Frisiertisch der Damentoilette steht ein Telefon; ich erfrage die Telefonnummer meiner Freundin Bella, sie muß gerade aus dem Krankenhaus zurückgekommen sein, wo sie ihre Nase weiblicher operieren ließ.

»Ist sie schön geworden?«

»Klaartje, bist du es, du klingst so weit weg«, sagt sie mit einer Stimme, als hätte sie eine Wäscheklammer auf der Nase.

»Du klingst so näselnd.«

»Es ist ein Verband herum, mit einer Schleife auf der Spitze, wie ein Osterei. Wo hast du die ganze Zeit gesteckt?« fragt sie ausgelassen.

»Ich bin in der Nähe von Brüssel auf einem Fest für Süßwarenfabrikanten und...«

»Du wetterst doch nicht mit deiner Mutter, hoffe ich.«

»Ich werde sie gleich treffen.«

»Immer noch nicht genug Lehrgeld bezahlt?«

»Du solltest doch wissen, daß ich mich nicht so leicht abwimmeln lasse.«

»Ich weiß. Aber keine nächtliche Heulpartie am Telefon, klar.«

Ich erzähle ihr von dem Gottesbeweis, wie die Frauen gekleidet sind und von meinen Plänen.

»Aber du bist doch vorsichtig, ja?« Bella ist mütterlich und besorgt.

»Mach dir mal keine Sorgen, ich bin dagegen gewappnet. Paß du auf dich selber auf, denn es fängt mit einer Nasenkorrektur an und endet mit einer Silikoninjektion in die Titten.«

Wir machen Witze und erkundigen uns gegenseitig und ausführlich nach dem Gesundheitszustand. Telefongespräche mit Bella bauen mich auf; sie ist eine eigenwillige Frau, sie hat ihren Freund in Prag verloren...

Der Saal ist voll und die Orgel spielt, zu meiner Erleichterung sehe ich auf einem Plakat, daß »die Band ›Happening‹ mit Live-Musikern den Saal bis in die Morgenstunden erfreuen wird, für Sie engagiert von General Biscuits«. Die Gäste sind fröhlich, rücken auf, um Platz zu machen. Eine Dame, den Mund voller Goldzähne, hält mir eine Schale mit Mini-Mars entgegen. »Dieselbe Firma spendiert auch den Champagner«, sagt sie. Keine Anstrengung ist ihr zuviel, um mir ein Glas zu besorgen, sie rempelt andere Festgäste dafür an. Die Public Relations sind perfekt und sehr aufdringlich; Mädchen meines Alters tragen violette Kostüme, sind anziehend wegen der großen Tabletts, die sie vor dem Bauch tragen, und auf denen allerlei Süßigkeiten drapiert sind. Sie verschenken alles und werden vom Publikum umschmeichelt wie seltsame Beuteltiere. Frauen und Männer essen Rumkugeln, Java-Sticks und Lady Lus. Ich kann nicht alles überblicken und fürchte, daß ich meine Mutter im Gedränge nicht finden werde. Die Matrone mit den Goldkronen ruft mir »Prosit!« zu. Auf der leuchtend grünen Orgel zerplatzen die Sterne, schummrig und ein bißchen flau im Magen versuche ich, meine Augen zu schonen, indem ich versuche, sowenig wie möglich auf die gemeine Farbe zu sehen. Ich achte auf das Podium, wo die Musiker der Band gelangweilt dasitzen und die Gäste betrachten. Die Orgel wird ausgeschaltet. Ein Mann klopft gegen das Mikrophon: »Messieurs... Mesdames, im Namen der Direktion heiße ich Sie alle herzlich willkommen!« Er macht eine ausladende Geste zum Saal hin und sagt: »Hommage an die Würdenträger der Arbeit!«

»Hurra! Bravo!« reagiert das Publikum.

»Die folgenden Firmen haben unablässig ihre Unterstützung zum Gelingen der ›Nacht der Süßigkeiten‹ gegeben... der Süßwarenhändler ist – wir hoffen, daß niemand das vergißt – ein Förderer bis zum letzten Tage seiner Berufstätigkeit, sein Tätigkeitsfeld ist schon begrenzt...«

Die Essenz seiner zu langatmigen Einleitung ist: Qualität ist Frische, Frische ist Umsatz und Umsatz ist Gewinn.

Als meine Mutter auf die Bühne kommt, bin ich die erste, die klatscht. »Mama, hier sitze ich«, rufe ich, aber das geht in dem überwältigenden Applaus unter.

»Notre nouveau Fourré Praliné, vous offert en degustation...«, sagt der Sprecher. Sie nimmt eine Schokoladenspezialität aus der Bonbonniere, die ihr der Dicke hinhält.

»Une bise et une friandise«, ruft er in den Saal und küßt meine Mutter.

»Eine Leckerei und ein Küßchen dabei«, übersetzt sie.

Der Trompeter der Band bläst die belgische Nationalhymne, und alle stehen auf. »Gemeinsam, Messieurs et Mesdames, trinken wir... trinken wir in die ›Nacht der Süßigkeiten‹ hinein.« Durch das Chaos, das darauf entsteht, kann ich sie kaum erreichen, die Tanzmusik übertönt alles. Meine Mutter trägt ein Deuxpièces und legt Süßigkeiten auf die Bauchläden der Mädchen.

»Mama!«

Sie sieht auf und läßt die Blicke über ihre Gastgeberinnen schweifen.

»Du, Klaar... ich hätte dich beinahe nicht wiedererkannt.«

Sie küßt mich auf beide Wangen, und ich spüre ihre Lippen nicht, sie hat kalte Finger. Sie winkt einem mit einer Fliege unterm Kinn und ruft: »Deux champagnes.«

»Auf so einen Tag lebe ich hin, es ist der Höhepunkt der Branche, danach kommt noch Weihnachten und Ostern. Du siehst gut aus, etwas voller in den Wangen.«

Andere Gäste betteln um ihre Aufmerksamkeit. Meine Mutter ist eine schöne Frau, schlank, ihr Perlencollier hat drei

Stränge, an den Fingern trägt sie Ringe aus Rotgold mit kleinen Diamanten.

»Meine Tochter Klara, sie hat gerade ihr Lizentiat gemacht.«

»Gratuliere«, sagt ein rosiger Mann. »Möchten Sie tanzen?«

Sie flüstert mir zu: »Es ist der Chef von Sugar.« An ihrem Abend ist Ablehnen undenkbar. Er reicht mir bis ans Kinn. In jeder Ecke des hölzernen Tanzbodens schwingen wir uns zu einem English-Waltz im Kreis. Ich überlasse mich seinem Watschelgang, man kann nichts dagegen tun.

»Eine bewundernswerte Frau, sie vergißt keine Gefälligkeit, wie klein sie auch sei.«

Er sieht empor; dadurch entstehen Falten auf seiner Stirn. Am Tisch meiner Mutter sitzen Herren in grauen Anzügen mit Weste und Hosen mit Aufschlag, ihre Jacken hängen nicht über dem Stuhl, die Ärmel haben sie nicht hochgekrempelt, wie die meisten. Sie lehnt sich vor, lacht und hält die Hand gegen das Perlencollier auf ihrer Brust.

»Eine Tochter wie Sie, das muß eine Stütze sein.« Und er bringt mich zu meiner Mutter, weil ein flämischer Troubadour uns mit seinen Liedern »vor lauter Lachen zum Weinen bringen wird«.

Sie legt die Hand auf meinen Nacken. »Was für eine hübsche Bluse du anhast.«

»Hat Vati entworfen.«

»Geht es ihm gut?« Sie streicht mit einem Finger über ihre Augenbraue, zündet eine Zigarette an und wedelt den Rauch vor meinem Gesicht weg. Der Sänger zupft mit einem Plektron an seiner Gitarre, summt vor sich hin und beginnt mit einer Stimme zu singen, mit der man Steinkohle brechen könnte. Ich wage es nicht, sie zu stören, sie schaut mit erschreckten Augen zu dem Troubadour und stützt das Kinn auf den Handrücken, hält die Finger gespreizt, so daß ihre Ringe und die lackierten Fingernägel gut zu sehen sind. Sie muß Ende Fünfzig sein; ihre Stirn ist glatt, auf den Wangen ist das Make-up mit Sorgfalt dick aufgetragen und mit Abdeckstiften korrigiert, sie hat den Hals gepudert, und um die Falten zu verdecken, trägt sie einen teuren Seidenschal, weil die Haut dort das Alter einer Frau verraten kann wie Jahresringe im Stamm eines Baumes. Ihre Augenlider sind goldgrün,* und den Mund hat sie auf ihr Gesicht gezeichnet.

Ich fühle mich fehl am Platze, aber scheinbar findet sie meine Anwesenheit ganz normal. Sie seufzt und tut so, als ob sie von dem Sänger gefesselt sei. Zu Hause wurde sie totgeschwiegen, mein Vater war erfüllt von seiner zweiten Frau. Die Ansichtskarten, die sie mir schickte, waren die einzigen Lebenszeichen. Sie muß an mich gedacht haben, weil sie anfing, sie zu schicken, als ich Lesen gelernt hatte. Ich stecke einen Lady Lu in den Mund und renne aus dem Saal heraus, um draußen farbig zu erbrechen... Ich wische mir den Mund ab, und als ich aufblicke, sehe ich, wie die weißen Augäpfel des Kongolesen sich gegen die Dunkelheit abheben. Er sitzt in der Bimmelbahn und winkt mir zu. Ich gehe, um mir den Mund zu spülen, und denke an meine Mutter, an die Likör-Mignonetten, an den Salat aus frischen Schalentieren und an Java-Sticks.

Beherrscht esse ich Rahmsuppe mit Porree, löffle von mir weg, wie ich es gelernt habe und versuche, mich abzuschirmen; es kostet mich Mühe, zwischen vielen Leuten zu essen, die kauen, schlürfen und den Mund nicht abwischen.

»Schmeckt's? Letzte Woche haben einige Vorstandsmitglieder und ich verschiedene Gerichte ausprobiert, ich habe eine Art Sinn dafür.«

»Mama, ich will mit dir über früher reden.«

»Nicht an meinem Abend.«

Sie tupft vorsichtig den Mund mit einem Kleenex ab, hält das Papier zwischen den Lippen und betrachtet den Lippenstiftabdruck.

»Hör zu, Klaar, wen interessiert es denn, wie es war... Es geht darum, wie es jetzt ist... das Leben liegt vor uns.«

»Mama, bist du nie an unserem Haus vorbeigefahren?« Sie sieht mich verwundert an.

»Ich habe dich in einem roten Opel Kadett gesehen.«

»Einen solchen Wagen habe ich nie gehabt.«

Ein junger Mann bittet mich zum Tanz und lacht entschuldigend. Ich sehe, wie meine Mutter ein Gespräch mit dem Direktor des Süßwarenkonzerns anfängt. Als der ›Ententanz‹ gespielt wird, ahme ich die anderen Tänzer nach; wir halten die Zeigefinger in die Luft, klatschen dreimal in die Hände, gehen in die Knie und wiederholen das Ritual.

Nach dem Abendessen verkaufen die Mädchen Lose für die Tombola, es wird ein Glücksrad auf die Bühne gestellt, meine Mutter nimmt ihre Lesebrille. Das Rad rattert, als sie es anstoßen, der Pfeil sucht zögernd die Glückszahlen. Das Orchester tost, sie schlagen wild auf die Trommeln und Bekken. Manche gehen mit ihren Losen froh zur Bühne, und der Saal verwandelt sich langsam in eine Tauschbörse. Sie wollen um die Preise schachern.

»Nummer 78«, ruft der Gastgeber in das Mikrophon, und meine Mutter drückt mir das Los in die Hand. Sie geht lachend hinter mir her, weil ich eine Schirmlampe mit vergoldetem Fuß abholen muß. Am Schirm befindet sich ein Samtband mit kleinen Stoffkugeln, die weiterschwingen, als ich mich wieder setze. Meine Mutter rückt ihren Stuhl in meine Nähe, bevor der Fotograf ihres Wochenblattes abdrücken kann.

»Zwei Frauen, die mit verzogenem Mund über einer Schirmlampe sitzen, die ältere grinst« – der Blitz blendet mich.

Meine Mutter streicht sich das Haar aus den Augen; der Kellner bringt einen Eiskübel, aus dem ein Flaschenhals ragt, eine Frau fragt, ob sie den Korken haben kann, um sich später besser an das Fest erinnern zu können.

»Hast du keine Angst, dein Niederländisch zu verlernen durch all das Flämisch?« frage ich sie.

»Jede Sprache hat ihre Vorzüge.«

»Mein Lizentiat, wie du es nennst, bekomme ich nicht, Mama.«

»Was!«

»Ich habe mein Studium aufgegeben und will Schriftstellerin werden.«

»Hast du das mit deinem Vater besprochen?«

»Mit mir ist etwas Merkwürdiges geschehen.«

»Darüber haben wir doch schon vor drei Jahren geredet.«

»Das meine ich nicht. Bei mir ist es so, daß mein Vater mich meine Muttersprache gelehrt hat und...«

»Klaar, wenn du so anfängst...«, und sie sieht mich drohend an. »...alle wollen Schriftstellerinnen werden, wenn sie zu dumm oder zu faul sind, die Bücher anderer aufzuschlagen«, sagt sie laut zu dem Direktor von Sugar Inc.

»Frage deine Tochter doch mal, ob sie Noud Cuvelier kennt, er studiert Jura in Amsterdam. Er ist ein Neffe von mir, weißt du. Ein sehr netter Junge.«

Aus Höflichkeit denke ich kurz nach und sage freundlich: »Ich glaube nicht, daß ich ihn kenne, es wohnen ja auch so viele Leute dort.«

Meine Mutter lächelt verschmitzt und nimmt eine Zigarette von ihm an; er gibt ihr Feuer mit dem marmornen Tischfeuerzeug, das er gewonnen hat.

Ich befühle meine Stirn, an der Stelle, wo Grübchen beim Haaransatz sind, und denke an den Findlingsblock, der im Garten unseres Hauses liegt, an meine Oma, die in einem Pflegeheim wohnt und die immer noch friert. Sie hat in Niederländisch-Indien gewohnt und für meinen Vater gesorgt, als sie zusammen in einem japanischen Konzentrationslager waren. Meine Eltern haben sich in den Niederlanden kennengelernt, meine Mutter war älter. Ich kann es nicht ausstehen, wenn Leute über die Zeit vor meiner Geburt reden, es macht mich eifersüchtig. Als sie verheiratet waren, hat mein Vater unser Haus entworfen. Fast alle, die ich kenne, sind älter als ich, und sie sind weit gereist, nicht solche lächerlichen Strecken wie ich, nach Brüssel oder nach Vorarlberg... Peru, das soll ein schönes Land sein.

Die Lichter im Saal werden gedämpft, auf der Bühne springen zwei nackte Kerle aus dem Dunkeln ins Rampenlicht. Sie machen zuckende Bewegungen und halten Zylinder vor ihre Scham. Im Saal wird gelacht... mit geschickten Bewegungen halten sie sich gegenseitig die Hüte vor das Geschlecht. Sie tun es so schnell, daß man nichts sieht. Im Rhythmus der Musik tanzen sie über die Bühne, während sie immer die Hüte vertauschen. Der Auftritt von ›The Hats‹ reißt die meisten Anwesenden mit. Als sich am Ende – sie werfen ihre Hüte mit einer eleganten Geste in die Kulissen – herausstellt, daß sie fleischfarbene Anzüge tragen, lachen die Leute; meine Mutter und ich nicht.

Bei der Garderobe hilft ›Sugar‹ meiner Mutter in den langen Pelzmantel, der nach einem süßen Parfum riecht. Sie hat Probleme mit dem Verschluß und nestelt an den Clips herum. Es ist kalt draußen, und ich sehe, daß sie ungeduldig wird. Ich habe ihr erzählt, daß mir das Geld ausgegangen ist und ich keinen Schlafplatz habe. Ich will ein offenes und gefühlvolles Gespräch mit ihr führen, das lange dauern soll, damit wir müde werden und unsere Verteidigungstaktiken nicht mehr funktionieren. Wenn dann die Sonne allmählich aufgeht, werde ich ihr sagen, daß sie mir all die Jahre gefehlt hat, daß ich dauernd mit der Angst gelebt habe, sie sei krank oder tot.
Ich sage ihr, daß es noch nicht spät ist. Sie scheint meine Anwesenheit nicht mehr zu bemerken. Sie fummeln immer noch an dem Verschluß herum und plaudern miteinander.
»Du solltest einen neuen einsetzen lassen.«
»Aaah, dieser blöde Mantel.«
Ungeduldig stelle ich mein Gepäck auf die Stufen des Treppenaufganges und zünde eine Zigarette an. Der Neger trägt eine bunte Pudelmütze aus Wolle, fast bis über die Augen gezogen. Er kommt zögernd auf mich zu.
»Ich habe auf Sie gewartet«, und er klopft sich stolz auf die Brust, an die Stelle, wo sich das Herz befindet. Ich sehe, wie meine Mutter zu ihrem Freund ins Auto steigt, sie winkt mir

zu, als der Motor anspringt. Im Festsaal dröhnt die Musik, ich höre Männer johlen und Frauen kreischen. Der Neger und ich schauen durch die Fenster hinein. Und er flüstert ängstlich: »Sie wollen es mir stehlen. «

Das Arschloch, dein Herz gehört nur dir, da kann niemand dran, aber so etwas sage ich nur einmal, dann müssen sie es wissen... ein für allemal.

Der blinde Fotograf

Ich arbeite schon drei Jahre bei einem Elitewochenblatt, für
das ich jede Woche eine Reportage schreibe. *Paradoxe Persönlichkeiten* heißt meine Rubrik.

Unter ›Persönlichkeiten‹ verstehe ich nicht Schuhputzer, die
Direktor einer Schuhcremefabrik geworden sind, Kultus-
minister, die niemals eine Schule besucht haben, oder hohle
Fässer, die nicht klingen, sondern ursprüngliche Geister, rät-
selhafte Spiele der Natur.

Einen gewissen, in der Zeitungsbranche so seltenen Idealis-
mus kann man mir nicht absprechen, und deshalb ist mein
Erfolg als Verfasser dieser Rubrik unbeständig. Der Leser verlangt Persönlichkeiten, ich dagegen suche das Paradoxe. Nur
das Ungereimte und Unerwartete ist, finde ich, lesenswert,
aber die Leser begreifen das meistens nicht. Natürlich gebe
ich, wie jeder Journalist, dem Publikum recht, aber trotzdem
fällt es mir jede Woche wieder schwer, eine geeignete Figur für
meine Rubrik zu entdecken. Die Ansprüche, denen sie genü-
gen muß, sind allzu zahlreich und mannigfaltig. Darum war es
ein Glücksfall für mich, als der Chefredakteur mit dem blinden Fotografen herausrückte.

Unser Wochenblatt erscheint freitags. Am Montagmorgen
sitzen wir meistens zusammen und schwatzen: die Kritiken
über die Premieren sind schon fertig, für die politischen Artikel ist es noch zu früh. Plötzlich sagte der Chefredakteur:
»Du, Barry, ich habe etwas für dich, einen blinden Fotografen. «

Sofort verschwand er unter seinem Schreibtisch und zog eine
Schublade heraus. Er kramte eine Weile herum, endlich
tauchte er wieder auf. Sein Gesicht hatte sich völlig verändert. Es war violett angeschwollen, doch das war nicht das

schlimmste: so gutgelaunt es gewöhnlich aussah, so ver-
drießlich sah es jetzt aus, als habe er plötzlich erkannt, was
sein Leben hätte sein können, wenn er nicht den Fehler gemacht hätte, den jeder macht.

»Ich kann das Foto nicht finden«, sagte er, während es offensichtlich war, daß er log. »Es macht aber nichts. Man bekommt Gänsehaut, wenn man es betrachtet. Wir können es
unmöglich abdrucken. Schreib eine Geschichte über diesen
Kerl, wir illustrieren sie mit Bildern von einem anderen, das
merkt er ja doch nicht, er ist ja blind. «

Ich ging noch am selben Nachmittag hin.

Jener blinde Fotograf wohnte, wie sich herausstellte, im
schmalsten Haus der Stadt, das zwischen zwei riesigen, hohen Patrizierhäusern lag. Ich sah sofort, daß es das schmalste
Haus war, schmäler noch als das Haus, das alle Touristenfüh-
rer den Amerikanern zeigen. Das war an sich schon eine Entdeckung. Ich notierte es mir und musterte das Haus sorgfältig, ehe ich klingelte. Es bestand eigentlich nur aus einem
Ladenfenster und einer Ladentür daneben. Das war die ganze
Vorderseite, Stockwerke gab es nicht, ich erblickte nicht einmal ein Dachgesims.

Hinter dem Ladenfenster saßen sich ein alter Mann und eine
alte Frau gegenüber. Blendendweiße Gardinen machten sie
fast unsichtbar. Der Mann saß aufrecht da, die Frau zum
Licht gebeugt, denn sie häkelte. Zwischen ihnen stand ein
niedriger Tisch mit einem großen Topf aus Metall, das an
manchen Stellen wie Messing aussah. Die Gardinen waren so
hochgebunden, daß unten in der Mitte ein Stück Scheibe in
der Form eines Pik-As freiblieb.

Mein Gaffen erweckte die Aufmerksamkeit der alten Leute
und die Köpfe zueinander geneigt, belauerten sie mich durch
den schwarzen pikförmigen Ausschnitt zwischen den Gardinen. Der Mann trug einen grauen Ringbart, so dick wie ein
Autoreifen. Ich grinste und trat ans Fenster. Ich beobachtete,
daß die Frau den Mann am Knie schubste. Da erhob er sich,
um mir die Tür aufzumachen.

»Wohnt hier der blinde Fotograf?«

»Ich bin sein Vater.«

»Ist er zu Hause?«

»Er ist immer zu Hause. Was sollte er im Freien anfangen, wo er doch nichts sehen kann?«

»Kann ich ihn bitte sprechen?«

»Wollen Sie sich fotografieren lassen?«

»Nein, ich bin von der Presse. Ich möchte über ihn schreiben.«

»Dann kommen sie nur herein.«

Ich ging hinein, direkt ins Zimmer. Die Stühle, auf denen die Leute saßen, waren sogenannte Voltaires. Ein dritter Voltaire stand hinter dem Tisch.

Ich wollte der alten Frau die Hand geben, aber sie nickte, daß ich mich gleich setzen sollte.

»Fragen Sie nur, was Sie wissen wollen«, sagte der Vater.

»Ich möchte alles wissen, alles ist interessant. Ein Gespräch mit Ihrem Sohn führen, ihn sehen. Ich will über den Menschen hinter seiner Arbeit schreiben, verstehen Sie, den Menschen.«

»Kennen Sie denn seine Arbeiten?«

»Natürlich. Wer kennt sie nicht? Ich bewundere sie.«

Der große Metallgegenstand auf dem Tisch war eine vernikkelte Suppenterrine, wie sie in manchen Restaurants gebraucht wird, aber das Nickel war größtenteils abgestoßen. Der Vater räusperte sich.

»Ein Gespräch mag noch hingehen, aber ihn sehen ist eine andere Sache. Warum wollen Sie ihn sehen? Er ist ja blind. Warum sollen Sie, wenn er Sie nicht sehen kann, ihn sehen dürfen. Sie müssen zugeben, Herr Pressefloh, daß darin eine gewisse Unredlichkeit steckt, und darüber können wir uns nicht ohne weiteres hinwegsetzen.«

»Sie können mir die Augen verbinden.«

»Nein«, sagte die alte Frau, die weitergehäkelt hatte, als ich ihr die Hand geben wollte, »der Tarif beträgt zweifünfzig.«

Ich holte eine Silbermünze heraus. Sobald sie diese erblickte, legte sie ihre Häkelarbeit in den Schoß, nahm den Deckel der Suppenterrine ab, grapschte mein Silberstück, warf es aus einiger Entfernung hinein und schmetterte den Deckel wieder wie ein Becken darauf.

»Bravo, gute Mutter! Bravo! Vielen Dank«, wurde aus dem Hinterhaus gerufen.

Ich sah mich um und erwartete, daß der Sohn jetzt erscheinen werde. Aber es erschien niemand, und ich hörte nichts mehr. Auch gelang es mir nicht recht, hinten ins Zimmer zu schauen, denn das einzige Licht fiel durch Ladenfenster und -tür herein. Und der Raum hatte mindestens die Ausmaße eines Eisenbahnwagens. Er enthielt, soweit ich es sehen konnte, nur die Möbel beim Fenster. Diese standen auf einem verschlissenen Teppich. Die hintere Wand des Zimmers lag im Dunkeln, ich konnte nicht einmal feststellen, wo der Teppich aufhörte. »Kommt er?« fragte ich.

»Wie können Sie nur denken, daß er kommt? Er ist Fotograf, das wissen Sie doch. Ein Fotograf sitzt in seiner Dunkelkammer. Dort ist er in seinem Element, deshalb ist er blind. Sie verstehen noch nicht sehr viel vom Leben, Herr Presseparasit, ich sage es ganz offen. Ich begreife sehr gut, warum Sie für eine Zeitung schreiben.«

»Es steht sowieso nur Unsinn in den Zeitungen«, sagte die Frau. Obgleich sie keinen Ringbart hatte, konnte ihr Doppelkinn wirklich nicht als Doppelkinn bezeichnet werden, denn kein anderes Kinn befand sich darüber.

»Ist schon einmal jemand von der Presse hier gewesen?« fragte ich.

»Was meinst du, Mutter«, sagte der Mann, »sollte schon einmal jemand von der Presse hier gewesen sein?«

»Nein, so schlimm ist es auch wieder nicht, aber es ist schlimm genug.«

»Wie soll ich über Ihren Sohn schreiben, wenn ich ihn nicht kennenlerne?«

»Wir können Ihnen alles von ihm erzählen. Die erste Eigentümlichkeit ist dieses Haus. Eigentlich ist es kein Haus. Es ist ein Seitengang, verstehen Sie, ein Seitengang zwischen den beiden Häusern nebenan. Durch eine Laune des Schicksals weiß keiner mehr, zu welchem Haus dieser Seitengang gehört. Die eine Familie behauptet, er gehöre ihr, die andere: Nein, er gehört uns. Darüber streiten sie sich schon seit dreihundert Jahren, denn die Häuser nebenan sind dreihundert Jahre alt und werden seit dreihundert Jahren von denselben Familien bewohnt. Auch das Grundbuch gibt keinen Aufschluß. Die gemeinsamen Prozeßkosten, einschließlich Miete und Zinsen, beliefen sich Anfang dieser Woche und in den Geldwert von heute umgerechnet auf dreizehn Milliarden achthundertdreiundachtzigtausendfünfhundertsiebenundsechzig Komma dreiundzwanzig. Der Nachbar dort« – er zeigte auf seine Frau, meinte aber das Haus hinter ihrem Rücken – »führt wöchentlich Buch. Und noch immer ist die Sache nicht geklärt worden. Das einzige, was bekannt ist, sind die Prozeßkosten. Wir tragen unser Scherflein dazu bei! Und wir sind stolz darauf.«

Er zeigte auf die vernickelte Suppenterrine..

»Wir haben allerdings kein Interesse daran, daß eine der beiden Familien den Prozeß gewinnt. Denn, wissen Sie, wir wohnen hier umsonst. Die Idee stammt von meinem Vater. Er hat einfach ein Fenster im Seitengang angebracht und ihn überdachen lassen. Das konnte ihm keiner verbieten, solange nicht entschieden war, zu welchem Haus der Seitengang gehörte. Es war der klügste Einfall seines Lebens.«

»In der Tat«, sagte ich, »aber dadurch haben Sie nur ein einziges Fenster im Haus!«

»Das denken Sie... kommen Sie einmal mit.«

Er stand auf, ich ebenfalls, in der Hoffnung, daß er mich zu seinem Sohn bringen werde.

Ich mußte ihm im Dunkel bald die Hand geben.

»Sie haben vermutlich schon einmal den Ausdruck gehört: ›Dem dreht man nicht so leicht einen Strick.‹ Nun, so einer bin ich.«

Am Geräusch unserer Schritte hörte ich, daß der Teppich zu Ende war; wir gingen jetzt über kahlen Holzboden. Etwas später fühlte ich sogar Steine unter meinen Sohlen. Und immer noch spürte ich nicht die Nähe der hinteren Zimmerwand.

»Unser Haus ist weder breit noch hoch, aber es ist tief«, sagte der Mann, »oder genauer, nicht unser Haus ist tief, sondern die Häuser rechts und links von uns sind tief.«

Wir gingen immer weiter. Ich sah mich um. Das Ladenfenster war nur noch ein undeutlicher weißer Fleck, nicht größer als eine Briefmarke.

»Ich habe beobachtet, daß Sie sich umgesehen haben«, sagte der Vater des Fotografen, »nachher sagen Sie sicher, daß es so dunkel ist, daß man nicht mehr die Hand vor den Augen sehen kann, und bitten mich, das Licht anzuknipsen. Aber ich sage Ihnen gleich: das Stromnetz reicht nicht einmal so weit, wie wir jetzt sind.«

Meine Hand, die er die ganze Zeit festhielt, drückte er dabei nicht ohne Herzlichkeit.

»Haben Sie Vertrauen«, sagte er, »zusammen werden wir es schon finden. Wie gesagt: mir dreht man nicht so leicht einen Strick.«

Ich hörte, wie er eine Tür öffnete, und erblickte in der von oben kommenden Dämmerung ein Ehebett. Ich schaute in die Höhe. Im Dach befand sich ein Fenster aus Gitterglas, durch das jenes graue, übrigens sehr schwache Licht hereinfiel.

»Der Staub von Jahren hat sich auf dem Glas angehäuft«, sagte der Vater, »und mag es auch zweifelhaft sein, ob ich das Recht habe, hier zu wohnen, noch zweifelhafter ist es, ob ich das Recht hätte, aufs Dach zu klettern, um das Fenster zu putzen. Außerdem ist es weit weg. Und bedenken Sie, soll ein alter Mann wie ich sein Leben riskieren, um Licht in seinem Schlafzimmer zu haben, während sein einziger Sohn immer in einer Dunkelkammer wohnt, weil er von Beruf Fotograf ist?«

Ich zog meine Hand aus seiner zurück und suchte Halt am Bett, das quer zur Längsrichtung des Hauses stand. Ich sagte:

»Ihre Logik ist unwiderlegbar, kann jedoch nichts an den Tatsachen ändern. Tatsache ist, daß hier kaum Licht ist, und zwar mitten am Tag, wenn Ihre Frau und Sie nicht im Schlafzimmer sind. Denn es ist jetzt erst drei Uhr nachmittags, und das Licht ist so schwach, daß man fast gar nichts mehr sehen kann.«

»So, so. Was glauben Sie denn: daß wir nachts Licht nötig haben, um, alt wie wir sind, zu schlafen? Sie sind ein richtiger Naseweis von der Zeitung, wenn Sie mich fragen. Allerdings gebe ich zu, daß Sie mich nicht gefragt haben. Noch weitere Bemerkungen?«

»Und ob.«

»Was denn?«

»Noch immer dasselbe. Wo ist Ihr Sohn? Ich möchte ihn gern sehen und sprechen.«

»Was hält Sie zurück? Er ist im Zimmer, das sich hinter diesem befindet. Immer geradeaus!«

»Wie weit ist dieses Zimmer noch von hier entfernt?«

»Viel weiter, als das Licht dieses Dachfensters reicht.«

»Gibt es kein zweites Dachfenster?«

»Nein.«

»Können Sie mir vielleicht eine Taschenlampe leihen?«

»Wenn Sie eine Taschenlampe haben wollen, so müssen Sie sich die schon selbst kaufen. Wir besitzen keine Taschenlampen, und darauf sind wir stolz. Aber ganz in der Nähe, an der Ecke der Gracht, ist ein Fahrradhändler. Bei dem können Sie bestimmt für wenig Geld eine Taschenlampe kaufen.«

»Sie scheinen nicht zu begreifen«, sagte ich, während ich wieder neben dem Vater auf den viereckigen weißen Fleck zuging, der allmählich so groß wie ein Briefumschlag wurde, »daß ich nicht aus dummer Neugier oder aus Sensationslust hierhergekommen bin, sondern weil mein Beruf es verlangt. Ich habe eine Frau und zwei Töchter, für die ich sorgen muß.

Jeden Tag bin ich für die Zeitung, in der ich schreibe, unterwegs. Ich kann meine Zeit nicht einfach vergeuden. Sie hätten mir wirklich gleich sagen können, daß es kein Licht gibt und daß Sie mir keine Taschenlampe leihen können.«

»Sie haben völlig recht«, sagte der Vater, »aber wenn das ›hätte‹ kommt, ist es fürs ›haben‹ zu spät. Nicht wahr, Mutter?«

Wir waren beim Fenster angelangt. Es dauerte ein Weilchen, ehe sie antwortete. Draußen war es inzwischen auch viel dunkler geworden, dunkler als gewöhnlich zu dieser Stunde. Die Frau hatte so wenig Licht für ihre Häkelarbeit, daß sie die Stirn an die Scheibe legen und ihre Hände direkt vor die Augen halten mußte, um überhaupt noch etwas sehen zu können.

»Haben ist Haben, und Bekommen ist eine Kunst«, antwortete sie.

»Du hast unser Gespräch nicht verfolgt«, sagte der Mann, während er Anstalten machte, sich wieder hinzusetzen, »was du sagst, hat nichts damit zu tun.«

»Jedenfalls ist es ein guter Spruch, und gute Sprüche können gar nicht oft genug wiederholt werden. Es gibt schon genug Schlechtigkeit auf der Welt.«

Sie richtete sich mit einem Seufzer auf, der fast wie ein Schrei klang, und ließ sich in ihrem Voltaire zurücksinken.

»Hast du dem Herrn erklärt, wo es ist?«

»Er wird es schon selbst finden. Wenn Sie aus der Tür kommen, rechts. An der Ecke. Der Fahrradhändler an der Ecke.«

Ich öffnete die Ladentür und bog rechts ab, in meiner Nase den Duft von Muskat.

Wäre es nicht besser, einen anderen Beruf zu wählen als diese Journalistik, die mich zwingt, harmlose Schwachsinnige zu belästigen, nur um den Bürgern am Samstagabend etwas Außerordentliches aufzutischen?

Ich dachte an Kakebeen, einen Quadrateur des Kreises, der, nachdem er meinen Artikel über ihn gelesen hatte, auch noch tollkühn vor Stolz geworden war und einen Mathematikprofessor, dem er öfter geschrieben hatte, ohne je eine Antwort zu erhalten, mitten auf der Straße überfallen hatte: zwei Jahre Gefängnis.

Ich dachte an Doktor Delorme, den paradoxen Wunderheilkundigen, der, weil ein Wunderheilkundiger mehr verdient als ein Arzt, seine Patienten nach ganz gewöhnlichen medizinischen Methoden behandelte, außerdem brauchte er keine Krankenbesuche mehr zu machen, denn die Leute kamen zu ihm, dreimal in der Woche eine kleine Sprechstunde, sonst nichts. Nach meinem Artikel liefen ihm die Patienten davon, und er bekam genau wie andere Quacksalber eine Strafe wegen unbefugter Ausübung der Heilkunde, denn er hatte mir nicht erzählt, daß er nur ein ausländisches Arztdiplom besaß, das in unserem Land nicht gültig war.

Wieviel hatte ich mir von meinem Artikel über den berühmten Filmstar Anda Nevermore versprochen, eine der höchstbezahlten Anatomien, die das Cinemascope zergliedert. Nach einem Reklameagenten eine Frau, die Nacht für Nacht zwölf Männerleben verwüstete, und nach einem anderen eine eigenhändig Eier bratende Familienmutter mit drei Kindern. Es hängt davon ab, für welches Blatt der Beitrag bestimmt ist.

Aber sie ist weder das eine noch das andere. Die Kinder sind adoptiert, das heißt gekauft. Die Männer, die mit ihr fotografiert werden, sind auch bezahlte Kräfte, was freilich nicht besagt, daß sie niemals Männerleben verwüstet, aber dann streng inkognito. Denn eingeweihte Anatomen können schwören, daß derjenige, der die echte Anda kennenlernen will, bloß eine nackte Schaufensterpuppe aufmerksam zu betrachten braucht.

Ich beschrieb diese fleischlichen Tatsachen in einer Reportage, die den unauffälligen, aber hintergründigen Titel hatte: DAS GEHEIMNIS DES SCHAUFENSTERDEKORATEURS.

Es trafen zweitausend Protestbriefe mit drei Motiven ein,

manchmal alle drei im selben Brief. Erstes Motiv: *Obszöne Lektüre! Wir haben keine krankhaften Interessen, wir sehen uns nie Schaufenster an, wenn die Puppen umgezogen werden. Der Verfasser ist der Pubertät noch nicht entwachsen.* Zweites Motiv: *Wir können nichts Paradoxes in dieser Geschichte entdecken. Was will der Verfasser?* Drittes Motiv: *Bravo Anda Nevermore. Gerade in ihre Filme gehen wir gern mit unseren Männern und Verlobten.*

Ich schrieb, um mich zu wehren, einen zweiten Artikel PUPPENSPEKTAKEL, aber ich hätte beinahe meine Stellung verloren.

An der Ecke war tatsächlich ein Fahrradgeschäft, denn es hing ein Schild davor: LUFT 5 Pfennig. Fahrräder konnte ich eigentlich nicht entdecken. Das ganze Schaufenster war voller Taschenlampen, flachen, runden vernickelten. Taschenlampen ganz aus Gummi und andere aus Kork, die, wie zu lesen stand, nicht untergehen, wenn sie ins Wasser fallen.

Ich ging hinein und sagte, daß ich eine Taschenlampe kaufen wolle. Inzwischen sah ich mich um und erblickte noch mehr Taschenlampen.

»Natürlich, eine Taschenlampe«, sagte der Fahrradhändler. »Sie wollen sicher den blinden Fotografen besuchen.«

»Ja. Kommen denn häufiger Leute zu Ihnen, die eine Taschenlampe kaufen wollen?«

»So ist es. Wovon sollte ich sonst mit einem solchen Vorrat an Taschenlampen leben?«

Er zeigte auf die Bretter an der Wand: lauter Taschenlampen.

»Fahrräder sind in dieser Gegend nicht zu gebrauchen. Ich bin auf die Taschenlampen angewiesen.«

Er legte fünf verschiedene Taschenlampen vor mich auf den Ladentisch. »Groß und klein, billig und teuer. Glauben Sie vielleicht, daß Leute in diese abgelegene Gegend kommen würden, um Taschenlampen zu kaufen? Ich sollte lieber umziehen, wenn es nicht die Besucher des blinden Fotografen gäbe.«

Ich probierte ein paar aus, keine brannte. Ich sagte: »Sie müssen wahrscheinlich den Eltern des Fotografen Prozente geben, weil sie die Besucher zu Ihnen schicken?«

»Ganz im Gegenteil! Sie geben mir Prozente, weil niemand mehr kommen würde, wenn kein Geschäft in der Nähe wäre, das Taschenlampen verkauft.«

»Wie ist das möglich! Keine einzige Taschenlampe brennt!«

Ich hatte schon drei oder vier auseinandergeschraubt.

»Das ist nichts Besonderes«, sagte der Fahrradhändler, während er die Achseln zuckte, »das ist immer so, wenn die Batterie leer ist.«

»Also die würde ich nehmen« – ich hatte eine aus blauem Plastik in der Hand – »aber nur unter der Bedingung, daß Sie mir eine neue Batterie geben.«

Er lachte: »Danach müßte ich eine Ewigkeit suchen. Übrigens würde es überhaupt nichts nützen. Schwarzes Licht ist mehr als ausreichend für denjenigen, der den blinden Fotografen besucht.«

Das Geschwafel über schwarzes Licht, das gerade en vogue war, ödete mich schon längst an. Ich knallte die Taschenlampe auf den Ladentisch.

»Ich danke bestens! Ich verplempere hier meine Zeit, oder genauer: Sie verplempern hier meine Zeit! Noch nie in meinem Leben habe ich soviel Umstände wegen des Kaufs einer Taschenlampe ohne Batterie gemacht! Ich habe drei zu Hause, unten in der Schublade. Und außerdem ist es fraglich, ob ich sie auf die Spesenrechnung setzen darf.«

Ich verließ den Laden und schlug die Gasse ein, an deren Ecke der Laden lag. Sicher würde ich gleich auf ein Café stoßen, von wo ich die Redaktion anrufen könnte. Ich überquerte zwei kleine Grachten. Endlich erblickte ich ein Café. Ich bestellte einen Genever und fragte, ob ich einmal anrufen dürfe. Die alte Frau, die das Café führte, holte Telefon und Geneverflasche unter dem Ausschank hervor und bedeutete mir, daß ich mir selbst einschenken sollte. Ich drehte die Nummer, nahm ein Glas aus dem Spülbecken und schenkte mir ein, während ich auf die Verbindung wartete.

»Hallo Dina, hier ist Barry! Ist Menschaar da?«

Menschaar ist der Chef der Expedition, die immer zu Hilfe eilt, wenn etwas schiefgeht.

»Servus, Menschaar, hier ist Barry, ich muß einen Artikel über einen blinden Fotografen schreiben, aber er hockt in einer Dunkelkammer ohne Licht!«

»Hol ihn doch heraus.«

»Unmöglich! Seine Eltern wollen nicht, daß er herauskommt, denn es gibt nur ein Fenster im Haus, das gerade für sie beide genügt.«

»Wie macht der Kerl denn Aufnahmen?«

»Vermutlich macht er keine. Ich glaube, er entwickelt nur.«

»Er ist also sozusagen kein Komponist, sondern nur Dirigent.«

»Was weiß ich. Gut möglich. Aber hör zu: kannst du mir nicht schnell eine Taschenlampe bringen?«

»Wo bist du?«

»Momentan in der Schirngasse.«

»Und wo wohnt dieser Fotograf?«

»An der Martergracht.«

»Du lieber Himmel! Die Gegend kenne ich.«

»Ja, alle Grachten sind so schmal, daß keine zwei Leute aneinander vorbeigehen können, ohne ins Wasser zu fallen.«

»Dann kann ich nicht mit dem Wagen kommen. Weißt du was? Geh die Schirngasse bis zu Ende, dann kommst du von selbst auf den Taubnesselplatz. Warte da auf mich. Ich bin gleich da.«

Ich schenkte mir noch ein Glas ein, erkundigte mich, in welcher Richtung der Schirngasse ich zum Taubnesselplatz gelangen würde, und machte mich auf den Weg. Es war nicht weit: nach der nächsten Gracht verbreiterte sich die Gasse sogleich zu einem Platz, auf den Straßen von normalen Ausmaßen stießen. Ich sah auf. TAUBNESSELPLATZ, und wartete. An der letzten Gracht war jedes Haus eine Kneipe, und der Gestank des Grachtwassers war vom Schnapsgeruch völlig verdrängt worden.

Vor den Kneipeneingängen standen rauchende Frauen. Die mir am nächsten stehende kam auf mich zu und sagte: »Kommst du mit auf mein Zimmer?«

Eine mütterliche Frau gegen fünfzig mit gebleichtem Haar, einer blitzsauberen weißen Bluse und prallsitzendem Rock über einem schweren Korsett.

Ich sagte: »Mit dir gehen habe ich gerade nötig, aber es läßt sich leider nicht machen, denn ich warte hier auf jemanden, und den verfehle ich sonst.«

Sie zog nachdrücklich an ihrer Zigarette, so daß ich ihre Hand gut sehen konnte, eine mollige, weißglänzende, ich möchte fast sagen eine römische Hand, obwohl ich nicht weiß, warum.

Sie blies den Rauch aus dem offenen Mund und sagte: »Für einen Fünfer tu ich dir hinter einem Baum einen Gefallen.«

Ich gab der Frau das Geld und ließ mich hinter einen Baum mitziehen, das heißt in den Zwischenraum zwischen dem Baum und dem hohen Steingeländer der Brücke. Über dieses Geländer hinweg konnte ich den Platz beobachten, während sie tat, was sie versprochen hatte.

Sie legte dabei ihren linken Arm vertraulich um meine Schulter, die Hand dicht bei meinem Mund, ich fuhr mit geschlossenen Lippen auf ihrem Handrücken hin und her. Friede und Behaglichkeit nach der ganzen Abrackerei für nichts und wieder nichts. Golden friction! Die Straßenlaternen gingen an und spiegelten sich im Grachtwasser. Ich dachte zärtlich an meine Frau und meine beiden Töchter. Zum Glück war es inkonsequent, daß sie im Leben eines rücksichtslosen Philosophen wie ich existieren, eines echten Jüngers von Diogenes, der gesagt hat: »Ich wollte, ich könnte, indem ich meinen Bauch reibe, den Hunger vertreiben...«

Wunderbare Gedanken kamen mir in den Sinn, während

meine Augen über den Platz irrten, ohne wirklich nach Menschaar Ausschau zu halten, und der römische Griff fester wurde. Die Gedanken kamen ganz von selbst, fix und fertig in schönen Phrasen, als befände sich in meinem Kopf ein Bandgerät. Gesegnet müssen die Ketzer gewesen sein, die der römische Griff erwürgte. Weisheit, die kein anderer Sterblicher erlangen kann, muß ihnen in ihren letzten Augenblicken offenbart worden sein. Weder Keuschheit, Fasten, Kasteien noch Verscheiden können es in dieser Hinsicht mit dem Martertod aufnehmen. *Römische Wonne!* Ein vorübergehender Tod kroch in meinen Lenden empor. Ich ließ die Augen zufallen und fühlte, wie mir der Schweiß auf dem Rücken ausbrach.

Dann gab ich der Frau einen Abschiedskuß, knöpfte Hose und Mantel zu und schlenderte auf den Platz.

Unser Kleinomnibus brauste heran. Menschaar saß selbst am Steuer und hielt vor meinen Füßen.

Ich steckte den Kopf durch die heruntergedrehte Scheibe und sagte:

»Ein Glück, daß du so schnell gekommen bist. Ich habe schon den ganzen Nachmittag durch diesen verdammten blinden Fotografen verloren.«

Inzwischen schaute ich hinten in den Wagen, in dem immer alles zu finden ist, was in Notfällen gebraucht wird: ein Verbandskasten, konzentrierte Nahrungsmittel, falsche Schnurrbärte und Pässe, ausländisches Geld, das Reservegebiß des Chefredakteurs, der oft Probefahrten neuer Überseedampfer mitmacht, Schmiergelder, kurzum alles, was in der Zeitungsbranche nützlich sein kann. Ich sah, daß Menschaar absichtlich eine Extraladung Lampen mitgebracht hatte.

Er stieg aus und öffnete die Hintertüre. Da waren Karbidlampen, Petroleumlampen, Suchlichter mit umhängbarer Batterie, elektronische Blitzlichter.

»Nein, gib mir lieber eine gewöhnliche Taschenlampe«, sagte ich, »oder ist keine dabei?«

Menschaar ergriff eine Pappschachtel, in der sicher zwanzig

lagen. Zufällig auch eine aus blauem Plastik, genau dasselbe Modell, das ich beim Fahrradhändler hatte kaufen wollen. Ich drückte auf den Knopf. Ein greller Lichtstrahl schoß zur Ecke des Platzes in den Zwischenraum zwischen Brücke und Baum, wo die Frau immer noch stand. Sie schirmte mit ihrer weißen Hand die Augen ab.

»Die ist prima«, sagte ich und knipste das Licht aus. »Vielen Dank, Menschaar, und viele Grüße.«

Ich beschloß, etwas Dampf hinter die Sache zu machen, und eilte fast im Laufschritt durch die Schirngasse zurück. Die Frau kam auf mich zu, aber ich starrte vor mich hin. Beim Vorbeigehen streifte sie mich. Ich sah mich um: sie unterhielt sich mit Menschaar. Wenn sie ihn dort den ganzen Abend in eine Unterhaltung verwickelte, dann stünde er immer noch da, wenn ich meinen Besuch beim blinden Fotografen hinter mir hätte. Oder vielleicht brauchte ich ihn schon früher. Was für neue Schikanen hatten sich die alten Leute wohl wieder ausgedacht?

Als ich zur Ecke der Gracht kam – es brannte eine Birne von höchstens 15 Watt in dem sogenannten Fahrradgeschäft –, erkannte ich, was ich am besten hätte tun sollen: zu Menschaar einsteigen und schnellstens diese Gegend verlassen. Ich hatte eine Liste mit mindestens zwanzig anderen Opfern, obgleich mir in diesem Augenblick keine einzige Persönlichkeit einfiel, die so paradox war wie diese. Paradoxe Persönlichkeiten! Warum schrieb ich über paradoxe Persönlichkeiten? Ich möchte einmal wissen, wo ich eine völlig paradoxe Persönlichkeit hätte finden können! Ach was, das weiß jeder. Keine Philosophiererei. Eigentlich müßte meine Rubrik heißen: Paradoxe Persönlichkeiten, das heißt solche, die wehrlos genug sind, um hier von mir bloßgestellt zu werden. Denn meine Artikel sind alle genauso geistreich, das ist selbstverständlich. Die betreffenden Personen sind die einzigen, die das nicht merken, dafür sind sie Wahnsinnige, und wenn sie es merken, ist es schon zu spät!

Es war inzwischen so dunkel geworden, daß ich nicht einmal

mehr sehen konnte, ob die Eltern des Fotografen noch am Fenster saßen. Ich ergriff mit der einen Hand die Türklinke und trommelte mit den Fingern der anderen Hand gegen das Ladenfenster. Als von der anderen Seite zurückgetrommelt wurde, fuhr ich zusammen. Danach machte der alte Mann die Tür auf.

»Haben Sie eine Taschenlampe? Sie haben lange dazu gebraucht.«

»Hier ist meine Taschenlampe.«

»Darf ich sie mir einmal ansehen. Ja, das ist so eine, wie sie alle kaufen.« – Er befingerte das Ding eher, als er es betrachtete. – »Eine, die schwarzes Licht gibt«, sagte er, »genau das, was Sie haben müssen. Gehen Sie nur gleich nach hinten. Sie kennen ja den Weg, aber passen Sie auf, daß Sie sich nicht stoßen.«

Er setzte sich wieder vor sein so gut wie dunkles Fenster.

Ich ging geradeaus, die Taschenlampe in der einen Hand, mit der anderen mich an der Wand entlangtastend. Natürlich machte ich die Taschenlampe nicht an. Ich mußte die alten Leute im Wahn lassen, daß es eine von denen war, wie der Fahrradhändler sie verkauft, eine mit einer leeren Batterie. Erst wenn ich in der Dunkelkammer sein würde, konnten sie von mir aus merken, daß ich sie überlistet hatte.

Ich fühlte, wie der Teppich unter meinen Füßen aufhörte, danach der Holzboden. Schrittchen für Schrittchen schob ich mich über die unregelmäßig liegenden Steine weiter.

»Geradeaus! Immer geradeaus«, rief der alte Mann hinter meinem Rücken. »Kommen Sie gut vorwärts? Die meisten Leute drehen sich im Kreis, sobald sie nichts mehr sehen können. Das ist ein schon oft nachgewiesenes Naturgesetz. Alle Dinge, die nicht sehen können, drehen sich im Kreis: die Planeten, die Elektronen, alles, was blind ist, dreht sich im Kreis.«

Ich blieb stehen und schaute mich um, aber ich sah seine Silhouette nicht vor der Scheibe. Die Mutter hatte kein Lebenszeichen von sich gegeben. Die Scheibe war übrigens nur so schwach sichtbar, daß ich sie besser sehen konnte, wenn ich die Augen schloß. Ich ging weiter und glaubte, nun auch vor mir einen hellen Fleck zu sehen. Aber das war doch unmöglich? Das kleine Dachfenster konnte doch so spät am Abend kein Licht mehr durchlassen? Hatte ich vielleicht unbewußt kehrtgemacht und lief ich, ohne es zu wollen, wieder zum vorderen Teil des Hauses? Vor Wut schlug ich mit der Faust gegen die Wand. Aber da sah ich, daß es tatsächlich das Dachfenster war, durch das das Licht eindrang, erstaunlich viel heller, es fiel schräg auf das große Bett, das jetzt wesentlich höher gedeckt war als am Nachmittag.

»Psst, mein Herr, psst«, flüsterte die alte Frau. Sie lag im Bett. »Reden Sie leise, sonst hört er uns, und er darf nicht wissen, daß es hier um diese Zeit noch so hell ist.«

Ich schlich zum Bett, ich konnte es jetzt ohne weiteres sehen. Die Frau winkte mir, ich sah zumindest, daß sie ihren Arm schwenkte, sonst sah ich nichts, außer den Riesenblumen, die auf die Überdecke gestickt waren und die sich dermaßen deutlich vom Dunkel abhoben, daß sie zu phosphoreszieren schienen.

»Im Haus nebenan muß ein Seitenfenster sein, nicht weit über dem Dachfenster. Dreimal in der Woche brennt Licht hinter diesem Seitenfenster, abends, ungefähr anderthalb Stunden lang. Dieses Licht fällt bei uns herein. An diesen Tagen gehe ich früh ins Bett. Aber er darf es nicht wissen, verstehen Sie. Wenn er ins Bett geht, ist das Licht wieder aus. Er will nichts von den Nachbarn annehmen, er will keinem etwas schuldig sein. Wenn er es wüßte, würde er das Dachfenster zumauern. Er ist genau wie mein Sohn. Denken Sie daran: mein Sohn ist genau wie er. Eigentlich hätte Ihnen ein Gespräch mit meinem Mann genügt, und Sie müßten nicht so weit bis zur Dunkelkammer gehen. Denn, wie gesagt, es kommt aufs selbe heraus. Und außerdem, hätten Sie sich dann die Unkosten einer Taschenlampe gespart, mit der Sie meinen Sohn sowieso nicht sehen können. Ich überlege mir, wie Sie es anstellen wollen, ihn für Ihre Zeitung zu beschreiben. Hören Sie auf meinen

Rat, mein Herr, und beschreiben Sie, wenn Sie über den Sohn schreiben, den Vater. Ihn haben Sie gesehen, das ist doch schon etwas. Und jetzt, gute Reise, es liegt noch viel weiter hinten, Sie müssen es selbst wissen. «

Die rostigen Sprungfedern knarrten, die Masse auf dem Bett geriet in heftige Bewegung. Die Frau hatte sich umgedreht und sagte kein Wort mehr.

Ich ging weiter, manchmal über Steine, manchmal über Holz. Wenn ich über Holz lief, klangen meine Schritte hohl, wie Schritte auf einer Brücke. Da begriff ich es: ich überquerte tatsächlich kleine Brücken, das Haus mußte parallel zur Schirngasse liegen und dehnte sich bis über die Grachten aus. Mit wieviel Stolz erfüllte mich diese Entdeckung! Ich war ein echter Berichterstatter, wirklich talentiert für meinen Beruf. Ich zog vernünftige Schlüsse aus kleinen, scheinbar unbedeutenden Tatsachen; ich konnte meinen Weg in tiefster Finsternis finden; nichts wurde mir zuviel. Reporter haben einen besonderen Instinkt, einen sechsten Sinn, einen Riecher – wie wir das in der Zeitungsbranche nennen. Oft verkündete, aber in meinem Fall *bewiesene* Wahrheit. Sogar wenn ich mit der Hand nicht mehr die Wand fühlte, ging ich, ohne mich zu stoßen, geradeaus.

»Mein Herr! Ich glaube, es ist besser, wenn ich Ihnen noch etwas sage!«

Die Stimme klang ganz in der Nähe.

»Wo sind Sie?« rief ich.

»Ich liege im Bett, genau wie eben«, antwortete die Mutter des Fotografen, »warum sollte ich aufgestanden sein?«

»Wie ist es nur möglich, daß ich Ihre Stimme so gut hören kann? Vor einer Viertelstunde habe ich Sie in schnurgerader Linie verlassen.«

»Ich kann Sie deutlich vor mir sehen«, antwortete die Mutter, »entweder ist es keine Viertelstunde her, oder die Linie ist nicht schnurgerade. Beides ist schon häufiger vorgekommen. Aber darum handelt es sich jetzt nicht. Passen Sie auf! Stoßen Sie sich nicht am Bett!«

Ich streckte die Hand aus und fühlte tatsächlich das hölzerne Kopfende des Bettes. Ich sah in die Höhe, aber die Nachbarn hatten das Licht ausgemacht. Konnte ich das Dachfenster noch sehen? Ich meinte ja, aber ich konnte es mir auch einbilden.

»Sehen Sie, es handelt sich um folgendes, mein Herr, ich möchte, daß Sie auch etwas von der Vorgeschichte wissen, ehe Sie sich ein Urteil über uns bilden. Wir haben ihn nicht immer in die Dunkelkammer eingeschlossen. Früher fotografierte er nicht einmal. Früher machte ich Ausflüge mit ihm, ich erinnere mich noch genau, daß ich mit ihm ins Grüne fuhr, mit der Straßenbahn. Wir saßen nebeneinander, er hatte einen Feldstecher umhängen. Natürlich war er blind, aber er trug keine dunkle Brille. Ein Professor hatte eine Spezialbrille mit hellen Gläsern für ihn anfertigen lassen, aber die Gläser waren so geschliffen, daß kein Licht eindringen konnte. Also wirklich eine Brille für einen Blinden. Aber die Leute in der Straßenbahn dachten, daß Guibal noch recht ordentlich sehen könne. Von Zeit zu Zeit machte er das Futteral des Feldstechers auf und holte ihn heraus.

Wir unterhielten uns dauernd über das, was draußen zu entdecken war. Deshalb fiel es den Leuten nicht auf, daß er mir den Feldstecher reichte und daß ich ihm erzählte, was es zu sehen gab. Sie dachten: der Junge hat etwas an den Augen, er trägt eine Spezialbrille, aber er kann noch recht ordentlich sehen. Er redet mit seiner Mutter über die Kühe und Mühlen im Polder, er kann ohne weiteres seinen Feldstecher herausholen. Manche nickten mir zu und sagten: Die Wissenschaft kennt heutzutage keine Schranken mehr. So gescheit, wie die Professoren heute sind, waren sie noch nicht in unserer Jugend. Sie erzählten von ihren Großmüttern, die wahrscheinlich nicht ihr Augenlicht verloren hätten, wenn sie später geboren worden wären.

So war das, mein Herr, das war der Eindruck, den mein Sohn und ich auf die Umwelt machten! Wir beiden in der Straßenbahn ins Grüne! Ich hatte einen gebratenen Fisch in Butterbrotpapier für unterwegs mitgenommen. Guibal machte sich mit den Gräten die Zähne sauber, ohne sich dabei weh zu tun. Ich erzählte ihm alles, was ich sah: neugeborene Lämmer auf der Weide, Apfelblüten im Baum. Aber es schien, daß wir nur Gedanken austauschten, niemand hatte den leisesten Verdacht, daß ich im Grunde die einzige war, die sah. Wo ist jene Zeit geblieben? Auch die Straßenbahn fährt nicht mehr. Ich bin inzwischen zu alt, um mit meinem Sohn Ausflüge zu machen.

Und jetzt müssen Sie gut begreifen, wie er zum Fotografieren gekommen ist. Das ist nämlich gar nicht ganz deutlich. Erstens war der Feldstecher recht schwer. Nach einem Tagesausflug war sein Hals ganz wund gescheuert vom Riemen, an dem der Feldstecher hing. Ich mußte ihn jeden Abend mit Perubalsam einreiben. Darum schien es uns besser, ihm statt des Feldstechers einen Fotoapparat zu geben, einen kleinen, leichten Fotoapparat. Die Wirkung würde dieselbe sein. Wenn eine Aufnahme gemacht werden mußte, könnte ich das tun, genauso einfach, wie ich für ihn durch den Feldstecher geguckt habe. Das würde kein Mißtrauen erregen. Denn die Leute würden sagen: der Junge hat etwas an den Augen, aber er sieht noch genug, um fotografieren zu können. Ja, noch stärker: sie würden sagen: vielleicht sieht er in der Ferne nicht so deutlich, darum macht er Aufnahmen. Dann kann er zu Hause in aller Gemütsruhe das genau im richtigen Abstand aus der Nähe betrachten, was dort in der Ferne war.

So kam es, daß wir Sunlichtpunkte zu sammeln begannen, und für fünfzehntausend Punkte erhielten wir einen Fotoapparat umsonst. Ich kaufte jede Woche Extraseife, mein Mann durfte es nicht wissen, wir haben sie noch immer nicht aufgebraucht.

Aber jetzt müssen Sie gut begreifen, was geschah, als er diesen kleinen Fotoapparat hatte. Er sagte zu mir: Zum Fotografieren habe ich dich nicht mehr nötig. Ich halte mir einfach den Apparat vor den Bauch, und den Auslöser finde ich schon beim Herumtasten. Bei dem *Feldstecher* war die Sache anders, da konntest du mir unmittelbar erzählen, *was du durch den Feldstecher sahst*. Aber wenn ich *fotografiere*, so kommt es aufs gleiche heraus, ob ich es tue oder du, denn du kannst mir ebensowenig erzählen, was auf den Aufnahmen ist, wie ich es sehen kann. Du mußt, wie jeder, warten, bis das Foto entwickelt und abgezogen ist, und wer weiß, vielleicht ist es dann zu spät, höchstwahrscheinlich hast du bis dahin vergessen, was es darstellt. Du bist ja so dumm. Gib mir also den Fotoapparat und laß die Finger davon, ich tue es selbst!

So sprach er, manchmal wenn alle dabei waren.

Ich hatte viel für Guibal übrig, sein Vater unter uns gesagt auch. Wir ließen ihm seinen Willen. Jeden Nachmittag ging ich mit ihm spazieren, und er fotografierte, daß es eine Freude war. Deshalb ist es, wie gesagt, nicht sicher, ob er dem Feldstecher Ade sagte, weil der Riemen seinen Hals wund scheuerte, oder ob er es getan hat, weil er es leid war, daß ich ihm erzählte, was es zu sehen gab. Wie dem auch sei, er war glücklich, er fotografierte, daß es eine wahre Wonne war! Hier und da hielt er den Daumen vor die Linse, aber das spielte keine Rolle, solange er glücklich war.

Fotografieren ist sehr teuer, es ist ein Sport für reiche Leute. Aber das machte uns nichts aus, verstehen Sie, wir hatten alles für sein Glück übrig. Wir sagten: ein echter Fotograf sitzt in seiner Dunkelkammer! Darum überließen wir ihm den hinteren Teil des Hauses, wo es wirklich stockfinster ist.

Das ist also seine Vorgeschichte, mein Herr. Ich höre, daß mein Mann kommt, um ins Bett zu gehen. Sie sind nun auf dem laufenden, ich hoffe, Ihnen und Ihrem Leserkreis einen guten Dienst geleistet zu haben.«

»Gute Nacht«, sagte ich, während ich einen Schritt zum Bett machte, allerdings nicht, um ihr die Hand zu geben.

Ich war gut orientiert, ich war nicht zur anderen Seite des Bettes gegangen, das wußte ich genau. Ich fühlte das Kopfende, darum wußte ich auch, wo sich das Seitenbrett befand, das zum hinteren Teil des Hauses gewendet war. Das Bett stand im rechten Winkel zur Längsrichtung des Hauses. Ich preßte den Rücken gegen das Seitenbrett, so mußte ich mit dem Gesicht in der Richtung der Dunkelkammer stehen. Dann spannte ich die Muskeln, stieß mich ab, auch mit den Händen, und sauste schnurstracks in die Finsternis. Ich mußte jetzt hingelangen, und zwar schnellstens. Oder ich mußte an einer der Seitenwände zerschellen, falls meine Bahn keine gerade, sondern eine krumme Linie beschrieb. Es kam mir nicht darauf an. Mein Atem pfiff, ich beschleunigte das Tempo. Ich dachte an meine Frau und meine Töchter, für die ich alles übrig hatte, und wenn ich auch vielleicht nicht *immer* alles für sie übrig hatte, wie das bei Familienvätern öfter der Fall ist, in Augenblicken, da ich mich für sie einsetzte, wollte ich mich auch bedingungslos für sie einsetzen. Ohne mich zu schonen! Ohne Kleinbürgererwägungen! Ohne Hintergedanken, daß ein Familienvater ein lächerliches Geschöpf ist! Ich rannte über die Steine, ich rannte über die Brückchen, drei, vier, mehr Brückchen, als es in der Schirngasse gab, es mußten Grachten unter den Häusern hindurchführen, aber nicht bis zur Schirngasse. Der Stadtplan dieses Viertels mußte demnach wie ein Stück Torte aussehen. Die Schirngasse lag im schmalen Teil, diese tiefen Häuser im breiten. Ach! Quatsch, das weiß jeder! Nicht einmal für meinen Artikel zu gebrauchen, oder vielleicht gerade deshalb, leichtverständlich... Noch war ich gegen nichts geprallt.

»Halt! Knipsen Sie Ihre Taschenlampe an! Sonst rennen Sie mir noch meine Apparate über den Haufen! Halt!«

Ich bremste.

»Bist du das, blinder Fotograf?«

»Ja, hier bin ich, ganz in Ihrer Nähe. Halt!«

Ich knipste die Taschenlampe an und sagte:

»Ich kann meine Taschenlampe zwar anknipsen, wie du sagst, aber es ist eine Lampe, die schwarzes Licht gibt. Kein Sehender kann dabei sehen!«

Nicht oft in meinem Leben habe ich mir eine derartig scheinheilige Antwort ausgedacht.

Er antwortete:

»Jeder, der hierherkommt, tut, was ich sage, und keiner bedauert es.«

Das Lichtbündel fiel genau auf den Fotografen, der in einem kaputten Korbsessel lag und mit einer grauen Decke bis zum Kinn zugedeckt war. Es war ein sehr dunkler Junge, er sah wie ein Inder aus. Er hatte einen langen schmalen Schädel und glattes schwarzes Haar, so dicht, daß die Haarmenge allein schon genausogroß war wie das übrige Gesicht. Er trug keine Brille, aber seine Augen waren geschlossen. Trotzdem wagte ich es nicht, ihn allzulange mit meiner Taschenlampe anzustrahlen. Ich tastete mit dem Licht die Umgebung ab und knipste es dann aus. Ich hatte gesehen, daß das Haus hier an einer Hinterwand, einem Holzverschlag übereinandergenagelter Bretter endete. Eine Alpenlandschaft war darauf gemalt, aber der verdorrte Efeu, der darüber hing, war echt. Sonst ein Chaos von kaputten Möbeln, Podesten, Korbflaschen, Stativen, aufeinandergestapelten Kisten, ausgeleierten, zerrissenen Bälgen, groß wie Ziehharmonikas, und Kupferringen, die von riesigen Fotoapparaten stammen mußten. Weiße, pitschnasse Kartonstücke, vielleicht Fotografien, klebten überall.

In meiner Nähe stand zum Glück auch ein Stuhl. Lautlos setzte ich mich hin. Wie lange war es schon her, seit ich gesessen hatte!

Ich fragte: »Arbeitest du Tag und Nacht in diesem Studio?«

»Ja, Tag und Nacht. Ich muß schon sagen, daß Sie gescheite Fragen stellen. Und weil Sie so gescheit sind, möchte ich Sie meinerseits etwas fragen. Wie sind Sie hierhergekommen?«

»Ich bin immer geradeaus gegangen, von vorne nach hinten in einer geraden Linie, vom Bett deiner Mutter bis hierher.«

»So, so, in einer geraden Linie. Aber, mein dummer Berichterstatter: Es gibt überhaupt keine geraden Linien.«

O je! schon wieder ein Mathematiker! Gleich stellt sich noch heraus, daß er den Kreis quadratiert hat! All die Mühe... und was fand ich: schon wieder einen meschuggenen Mathematiker! Keinen blinden Fotografen, sondern einen Quadrateur des Kreises! Aber wenn er glaubte, er könnte mich übertölpeln, dann war er an die falsche Adresse geraten! Ich wußte, was ich in solchen Fällen zu erwidern hatte!

»Ganz richtig, junger Herr, was ist eine gerade Linie? Nur der Teil eines Kreises mit unendlichem Radius. Die Wissenschaft kennt keine Schranken!«

»Meinen Sie... Was aber ist ein Kreis außer dem geometrischen Ort aller Punkte, die von einem gegebenen Punkt, nämlich dem Mittelpunkt, gleich weit entfernt sind. Jeder Radius jeglichen Kreises endet auf einer Seite im Mittelpunkt. Wie können Sie also von unendlichen Kreisen reden, wenn es keinen Kreis ohne Mittelpunkt gibt und jeder Radius im Mittelpunkt endet? Niemand wird je imstande sein, den Mittelpunkt eines unendlich großen Kreises anzugeben, denn dann müßte die Unendlichkeit in zwei Teile geteilt werden, und das wäre nur dann möglich, wenn die Zeit stillstände. Aber die Zeit steht nicht still. Haben Sie noch mehr zu sagen?«

Ein Journalist ist ein Hansdampf in allen Gassen. Trotzdem fand ich es ratsamer zu sagen:

»Ich habe nicht die Absicht, dich etwas Bestimmtes zu fragen. Du bist ein großer Künstler. Mir ist es lieber, wenn du mir etwas von deiner Arbeit erzählst und nicht von deinen philosophischen Erkenntnissen, Guibal! Du bist ein begnadeter Künstler! Das Publikum steht voller Bewunderung vor deinen atemraubenden Aufnahmen! Es will wissen, wie es dir gelungen ist, dieses Werk zu schaffen, und zwar trotz des schlechten Zustandes deines Augenlichts!«

»Ich verdanke alles den ausgezeichneten optischen Geräten, die ich besitze«, antwortete er. Sein Ton hatte sich völlig geändert. So, wie er jetzt sprach, sprechen Berühmtheiten, gefeierte Filmschauspieler, die dreimal am Tage interviewt werden, zügellose Dirigenten, kaputtgelesene Schriftsteller. Ich hörte ihn herumtappen und machte Licht an. Ich sah, wie er sich halb aufrichtete und eine dicke Kupferröhre von einem Brett herunterholte. Die Decke hielt er mit dem Kinn fest, so daß ich seine Kleidung nicht zu sehen bekam.

»Hier, mein Herr! Sie dürfen es einen Augenblick in die Hand nehmen! Fühlen Sie nur, wie schwer es ist, lauter Kupfer und edle Glassorten. Dieses Objektiv wurde 1840 vom berühmten Petzval berechnet. Vor dem Auftreten des großen Petzval gab es auf diesem Gebiet nichts Brauchbares. Chevaliers Linsen und Wollastons Meniskus waren nicht imstande, ein hell definiertes Bild zu produzieren, außer bei Öffnungen von 1 : 14 und 1 : 16! Belichtungszeiten von über zwanzig Minuten bei strahlender Sonne waren keine Ausnahme! Es ist für jemandem in unserer Zeit schwierig, den ungeheuren Fortschritt zu erkennen, den diese Erfindung des genialen Petzval bedeutete.«

Ich knipste meine Taschenlampe wieder aus und betastete das Objektiv. Die Röhre war aus Kupfer und groß wie ein Papierkorb, enthielt aber kein Glas mehr.

»Machst du damit all deine Aufnahmen, Guibal?«

»Nein. Außerdem steht mir noch ein Periskop zur Verfügung, das in den Jahren 1865/66 von Steinheil berechnet wurde. Eine moderne Rechenmaschine würde das in achtzig Sekunden fertigbringen.«

Ich knipste das Licht an.

Er irrte herum, rückte Stühle und Stative beiseite und durchwühlte den Kram auf den Wandbrettern.

»Ich kann es im Dunkeln nicht so schnell finden«, sagte er, »aber das macht nichts.«

Er setzte sich wieder hin, zog die Decke gerade und plauderte weiter:

»Was ich nicht alles Petzvals Objektiv zu verdanken habe! Was sollte ich ohne die enorme Lichtstärke dieser Linsen anfangen, die die Belichtungszeiten zu einem Bruchteil der bis dahin üblichen reduziert haben, ich, der ich blind bin und nicht in strahlender Sonne arbeiten kann, ich, der ich in der völligen Finsternis der Blindheit fotografiere!«

»Dein Interesse für Mathematik ist vermutlich durch deine Liebe zur Optik und durch deine Bewunderung für die genialen Berechnungen von Petzval und Steinheil erweckt worden?«

»Sie nehmen mir die Worte aus dem Mund! Haben Sie alles notiert? Ich lege Wert darauf, daß sie sämtlich in der Zeitung stehen.«

»Natürlich«, sagte ich, während ich mein Notizbuch auf die Knie legte, »ich gebe mir größte Mühe, im Dunkeln zu schreiben. Das fällt einem Sehenden schwer, aber es ist nicht unmöglich.«

»So, so, aber das betrifft nur die technische Seite der Sache. Über die künstlerischen Mittel haben wir überhaupt noch nicht gesprochen, und künstlerische Probleme sind die einzigen, die eine Art Anklang beim dummen Laienpublikum finden.«

»Es gibt viel Verständnislosigkeit auf der Welt«, sagte ich und schrieb, so schnell es ging.

»So, so. Glauben Sie das! Ich muß schon sagen, daß Sie wie meine Mutter sind, die hat auch immer eine Antwort parat. Wahrheiten, zu denen man nichts Rechtes sagen kann und die darum nicht oft genug wiederholt werden können. Aber wenn Sie meinen, daß ich nichts Rechtes darauf sagen kann, dann begreifen Sie nicht, wieviel Übung ich durch den Umgang mit meiner Mutter erworben habe! Ich bin ein Mann wie mein Vater, mir dreht man nicht so leicht einen Strick!«

Den Ton einer Berühmtheit, die interviewt wird, hatte er völlig fallenlassen. Ich erschrak dermaßen über diese Veränderung, daß ich das Licht auf ihn richtete, um zu sehen, ob noch derselbe Mann dort saß. Zweifellos war er es, nur hatte er die Augen, wenn dies möglich war, noch fester geschlossen als vorhin, und ich mußte ihn zum Weiterreden ermutigen.

»Was meinst du, Guibal? Du hast eben gesagt, daß man dir nicht so leicht einen Strick dreht?«

»Nein, denn sobald ich nicht über die technischen Aspekte spreche, werde ich von meinen Gefühlen allzusehr angegriffen. Natürlich haben Sie zuerst mit meiner Mutter gesprochen. Ehe Leute mit mir sprechen, bekommen sie erst die Geschichte meiner Mutter zu hören. Oft hören sie dann nicht mehr auf das, was ich zu sagen habe. Aber eines müssen Sie gut verstehen, mein Herr, alles, was meine Mutter erzählt, ist nicht wahr. Um damit anzufangen: Hat sie nicht gesagt, daß der Feldstecher meinen Hals wund scheuerte?«

»Ja, das hat sie gesagt.«

»Und auch, daß sie mich mit Perubalsam einrieb?«

»In der Tat.«

»Glauben Sie mir, mein Herr, das ist gelogen: Das war nicht der Grund, warum sie mir den Feldstecher abgenommen haben. Es war ein kleines Binokel, nicht einmal ein Prismenglas, sondern ein Operngucker mit schwachen Linsen und ganz leicht. Es konnte keine Rede davon sein, daß der Riemen meinen Hals wund rieb.«

»Nun gut... sie fügte hinzu, daß die Sache nicht ganz klar sei.«

»Also schön! Hat sie nicht erzählt, daß wir mit der Straßenbahn zusammen Ausflüge ins Grüne machten und sie den Feldstecher übernahm, nachdem ich so getan hatte, als sehe ich hindurch, und daß sie danach hindurchguckte und mir erzählte, was sie sah, wobei es den Eindruck erwecken sollte, daß wir nur unsere Gedanken austauschten über Dinge, die wir alle beide gesehen hatten: die Landschaft, durch die wir fuhren, die Kühe im Polder, neugeborene Lämmer auf der Weide, Apfelblüten am Baum?«

»Ja!«

»Es ist gelogen, mein Herr, schreiben Sie, daß es gelogen ist.«

»Ich glaube nicht, daß es meine Zeitungsleser interessiert.

Die Geschichte deiner Mutter war gerade so schön. Heilig ist die Muttergestalt in den Augen des Elitepublikums. Ich kann unmöglich schreiben, daß ihre rührende Geschichte erlogen war.«

»Über was schreiben Sie eigentlich, über eine Mutter oder über einen blinden Fotografen?«

»Wenn es sein muß, über keinen von beiden. Ich schreibe nur das, was das Publikum lesen will. Um wen es sich dreht, ist mir Wurst!«

»Sie müssen doch Mitleid mit mir haben, und auch wenn Sie kein Mitleid haben, so haben Sie mich immerhin nach meinen künstlerischen Grundsätzen gefragt. Wie können Sie etwas von meiner Kunst begreifen, wenn Sie nicht wissen, daß nicht ich das Binokel meiner Mutter gegeben habe, sondern daß sie es mir abgenommen hat!«

»Diesen Eindruck hat es vielleicht durch die Finsternis gemacht, in der du lebst. Sie dachte, daß du ihr das Opernglas gern gereicht hast, und auf dich machte es den Eindruck, daß sie es dir abnahm. Tatsache ist, daß sie dir erzählte, was es zu sehen gab.«

»Sie sind ein Dickkopf, aber ich habe Ihnen noch längst nicht alles erzählt. Sie werden auch gehört haben, wie ich zu meinem ersten Fotoapparat kam?«

»Ja. Deine Mutter sammelte fünfzehntausend Sunlichtseifen-Punkte, um dir den Apparat zu verschaffen. Sie hat deswegen Extraseife gekauft, und der Vorrat ist noch immer nicht aufgebraucht. Ich finde diese Geschichte ergreifend und habe nicht vor, sie zu streichen, auch wenn du mir vielleicht gleich enthüllst, daß das letzte Stück Sunlichtseife vorige Woche in den Mülleimer gewandert ist.«

»Hat sie Ihnen erzählt, was ich mit dem Apparat tat?«

»Ja! Du hast nach Herzenslust fotografiert und fandest den Auslöser beim Tasten.«

»Hat sie gesagt, daß es natürlich wieder sie war, die mir nachher erzählte, was die Fotos darstellten, nachdem sie entwickelt und abgezogen waren?«

»In der Tat, und ich habe keinen Grund, daran zu zweifeln.«

»Sie lügt. Was glaubten Sie denn! Daß Eltern eines blinden Künstlers aus bescheidenen Verhältnissen ihm wirklich ermöglichen zu fotografieren? Wenn ich einen Rollfilm verknipst hatte, nahm mein Vater ihn aus dem Apparat, wechselte die Spulen, spannte aber denselben Film wieder ein. Er dachte: Es kommt sowieso nicht darauf an. Er dachte: Rollfilme sind teuer, was geht es mich an, was der Junge aufnimmt! So war das, mein Herr. Jetzt kennen Sie das ganze Geheimnis meiner Kunst! Als ich später berühmt wurde – ich war schon berühmt, ehe irgend jemand ein Foto von mir gesehen hatte –, ist mein Vater auf die Idee gekommen, diesen Film doch entwickeln zu lassen. Diesen Film, auf dem alle Aufnahmen übereinander waren! Das hat er aus Gewinnsucht getan, aber da sie Angst hatten, daß ich einen neuen Film verlangen würde, haben sie mich im Dunkeln eingeschlossen. Darum kann ich keine neuen Aufnahmen machen und muß mich auf meinen Lorbeeren ausruhen.«

Das Licht, das ich dauernd über mein Notizbuch gehalten hatte, um besser schreiben zu können, richtete ich jetzt auf ihn. Er saß immer noch mit geschlossenen Augen da, den Kopf über den Korbsessel zurückgebeugt, die graue Decke bis zum Kinn hochgezogen.

Ich fragte: »Aber wie hast du denn gemerkt, daß sie dich zum Narren hielten, indem sie immer wieder denselben Film in den Apparat spannten?«

»Es war nicht die einzige List, die sie anwendeten. Ihnen war nicht leicht ein Strick zu drehen! Manchmal spannten sie überhaupt keinen Film ein, sagten aber: Paß auf! Mach den Apparat nicht auf! Du verdirbst den Film, wenn du den Apparat aufmachst, es ist ein Film darin, an den kein Licht kommen darf. Als ob ich das nicht selbst wußte! Aber sie zitterten, daß ich eines Tages den Apparat aufmachen und mit den Fingern fühlen würde, daß kein Film darin war. Natürlich verhinderten sie es, daß ich in die Dunkelkammer ging. Wenn ich mit großer Mühe schließlich und endlich doch in die Dunkelkammer gelangte, war allerdings ein Film im Apparat. Sie hatten Angst, daß ich ihren Betrug entdecken würde! Aber wissen Sie, was sie taten, solange sie keine Gelegenheit hatten, den Film später wieder herauszunehmen? Sie brachten mich nur an Orte, wo es dunkel war, so daß nichts auf der lichtempfindlichen Schicht erschien, wenn ich knipste. Und das alles einzig und allein, um die paar Groschen für einen neuen Film zu sparen! So wird ein Genie wie ich behandelt, aber das interessiert wohl kaum die Leser Ihres Eliteblattes.«

»Das glaube ich auch. Alles verliert das Publikum lieber als seine Illusionen. Wichtig für mich ist freilich, wie du diesen Betrug entdeckt hast. Du hast mir eine Menge erzählt, aber meine Frage immer noch nicht beantwortet.«

»Wie ich es entdeckt habe? Was denken Sie eigentlich? Daß ich stockblind bin? Wie ich dahinterkam? Ich habe es gesehen!«

»Du hast es gesehen?«

Ich fühlte, wie sich mein Gesicht höhnisch verzog, ich hatte Lust, ihm die Zunge herauszustrecken.

»Ich habe es gesehen!« brüllte er. »Es handelt sich nicht darum, daß ich nicht sehen kann! Erst hatte ich nichts, dann gaben sie mir eine dicke Brille, speziell geschliffen, aber ich konnte nicht hindurchschauen. Sie wollten, daß ich nichts sehen sollte, und deshalb gaben sie mir eine Brille, durch die ich nicht schauen konnte.

Später gaben sie mir ein Opernglas, aber dadurch konnte ich genausowenig schauen. Es geht nicht darum, daß ich nicht sehen, sondern daß ich nicht schauen kann. Wie soll jemand, der nicht schauen kann, fotografieren können? Gebrauchen Sie einmal Ihren Verstand, Herr Berichterstatter! Was meinen Sie – hat der Betrug lange genug gedauert?«

»Welcher Betrug?«

»Meiner. Aber Sie sind genausogut ein Betrüger wie ich und außerdem ein großes Rindvieh. Meinen Sie vielleicht, daß ich nicht gesehen habe, daß Sie eine elektrische Taschenlampe haben und daß Sie mich von Zeit zu Zeit betrachten? Eine Taschenlampe mit weißem Licht statt eine mit schwarzem, wie alle anderen Besucher sie mitbringen... Sie kaufen Ihre Taschenlampen beim Fahrradhändler an der Ecke, Luft für fünf Pfennig. Aber Sie haben sich Ihre Taschenlampe woanders besorgt. Wie kommen sie an das Ding?«

»Meine Zeitung hat selbstverständlich einen Lastwagen voll Lampen. Wie sollte die Presse sonst ihre aufklärende Aufgabe anständig erfüllen?«

»Helfen Sie mir, mein Herr, geben Sie mir Ihre Taschenlampe! Sie haben mir eine Brille, ein Opernglas und einen Fotoapparat gegeben, aber eine Taschenlampe haben sie mir nie gegönnt!«

»Nimm es dir nicht so zu Herzen, Guibal! Denke an den Philosophen Diogenes, der am hellichten Tag Leute mit einer Lampe suchte. Meinst du, daß er jemand gefunden hat? Er rechnete nicht einmal damit, darum tat er es eben, dieses Suchen mit einer Lampe am hellichten Tag, aber natürlich schien die Sonne dort in Griechenland stark genug. Er sagte...«

»Mir ist egal, was er sagte. Helfen Sie mir, mein Herr, geben Sie mir die Taschenlampe! Ich flehe Sie an, ich bin nicht blind!«

Er sprang von seinem Stuhl auf und warf die Decken ab. Er trug nur eine zerrissene Unterhose mit halblangen Beinen. Sein Oberkörper war nackt, schwarz vor Krankheit und so mager, daß die Haut in dicken Falten von seinen Rippen herunterhing.

Auch ich sprang auf, aus Angst, daß er mich schlagen würde, obwohl er die Augen noch immer geschlossen hatte. Er machte einen Schritt auf mich zu. Ich hielt ihm die Taschenlampe direkt vors Gesicht. Da sperrte er die Lider so weit auf, daß die Haut auf seiner Stirn sich krauste. Seine Augen quollen aus ihren Höhlen, und außerdem waren sie größer als normale Augen. Sie waren weiß wie Pingpongbälle, gleichmäßig weiß, eine Iris oder Pupille konnte ich nirgends entdecken, solange ich auch danach suchte, als ich dort stand, die Lampe hochhaltend, mit offenem Mund, unbeweglich.

Clara

Er hatte ihren Namen vergessen. Gerade als er um die Ecke biegen wollte in die Straße, in der sie wohnte, merkte er es. Wie angewurzelt blieb er stehen.

Drei Monate lang hatte er diesen Namen unaufhörlich geseufzt, geschrien, gesungen. Als Klage, Freudenschrei und Fluch gebraucht. Mit der Schuhspitze hatte er ihn auf den Boden unter seinem Schreibtisch buchstabiert, mit dem Zeigefinger in den Staub auf der Fensterbank geschrieben. Mehr als einmal hatte er sich dabei ertappt, wie er, müde vom Büffeln, seine Kladde mit langen, verschlungenen Zeilen vollschrieb, die nur aus diesem Namen bestanden. Noch vor ein paar Sekunden war ihm das liebe Wort von der Zunge geglitten, einfach so, ganz von allein. Wie konnte er es dann vergessen haben?

Hilflos tastete er in seiner Gedächtnislücke herum. Vielleicht hatte er ihren Namen zu oft auf der Zunge zergehen lassen, so daß er ihm schließlich im Mund zerschmolzen war wie ein buntes Bonbon. Ach, nein. Es mußten die Nerven sein. Ruhig stehenbleiben. Ein Blackout, weiter nichts. Woran hatte er gedacht, als er soeben noch im Park, auf dem Weg von seinem Zimmer hierher, von Blumenbeet zu Blumenbeet gegangen war und den stakigen, widerspenstigen Strauß zusammengestellt hatte, den er jetzt so verdattert in der Hand hielt? An sie natürlich, nur an sie. In ihrem Namen war ein o, ein langes o, das wußte er noch genau. Monica, Cora, Toos, Roos, Rosa. Oder so ähnlich. Ein neuer Versuch. Vielleicht half es, wenn er sich vorstellte, wie sie aussah, wenn er an ihren grazilen Körper dachte, an ihre graugrünbraun gesprenkelten Augen, die schmalen, kleinen Hände, das dunkle, lockige lange Haar, an den Flaum, der in ihrem Nakken sichtbar wurde, wenn sie die langen Locken in die schmalen Hände nahm, um sie dann wieder mit einer schnellen Kopfbewegung über die Schultern fallen zu lassen. Na schön. Wie aber hieß sie nun? Angenommen, gleich öffnete ein Mädchen die Tür, das dieser Beschreibung in jeder Hinsicht entsprach, ihr aber im Grunde doch nicht ähnelte, eine Schwester zum Beispiel, oder angenommen, sie hatte sich die Locken gefärbt oder abgeschnitten – würde er das dann sehen, würde er wissen, ob sie es war?

Am besten ging er einfach weiter und klingelte. An der Tür war bestimmt ein Namensschild. Aber sie hatte ihm ja erzählt, daß Frau Haagsma – diesen Namen entriß er seinem Gedächtnis zielsicher –, ihre Wirtin, es unnötig fand, auf die beschämende Tatsache, eine Untermieterin zu haben, auch noch an der Haustür hinzuweisen. Am besten ging er noch einmal nach Hause. An den Rändern des Exzerpts, daß er von Hilgards, Atkinsons & Atkinsons einschläfernder *Introduction to Psychology* gemacht hatte, mußte ihr Name sehr oft auftauchen. Aber das würde ihn mindestens eine Stunde kosten. Sie hatte für ihn gekocht, er konnte sie nicht eine Stunde mit dem Essen warten lassen.

Also nahm er sich ein Herz und bog, in der Hoffnung, daß in ihrem Zimmer ein Briefumschlag herumliegen würde, zugleich aber mit einer plötzlichen Unlust, als schlüge er eine neue Seite von Hilgard & Co. auf, um die Straßenecke.

Er war neunzehn und hieß Thomas. Manchmal kam ihm seine Name fremd und willkürlich vor, doch ihm fiel kein anderer ein, der besser zu ihm gepaßt hätte. Sie war bereits zweiundzwanzig und außerdem in einen anderen verliebt.

An Montagabenden schlüpfte sie in ein schwarzes, tief ausgeschnittenes Kleidchen und in schwarze Netzstrümpfe, steckte sich eine Rose ins Lockenhaar und sang dann im Lokal *De Sportcentrale*, das zu diesem Anlaß in *Club Rive Gauche* umbenannt wurde, von *amour*. Sie sang von Parisern, die die Liebe zu sehr geliebt hatten und an trüben Sonntagnachmittagen noch kurz ein wenig Fliederduft schnupperten, bevor sie sich an einem der Stadttore erhängten, von Liebenden für einen Tag, die, Hand in Hand, Körper an Körper, aus dem Dasein geschieden waren, und von Monsieur Lenoble, der es vorzog, den Gashahn aufzudrehen.

Als Thomas gerade drei Tage in der Universitätsstadt war, in der sich das hier Beschriebene ereignete, und sich ein wenig allein zu fühlen begann, war er dem studentischen Diskussionskreis *Armageddon* beigetreten, als einziges Erstsemester, wie sich später herausstellte. Ansonsten bestand die Gruppe aus ungefähr zehn Mitgliedern unbestimmten Jahrganges, auf jeden Fall jedoch alt genug, um in lebhaften Erinnerungen an den Existentialismus zu schwelgen. Der ahnungslose Frischling wurde mit so spontaner Herzlichkeit in die Runde aufgenommen, daß ihm der Mut fehlte, wieder auszutreten, als er dahinterkam, daß die Mitgliederzahl in letzter Zeit durch Begebenheiten drastisch geschrumpft war, die in vorsichtiger Umschreibung als eine tragische Serie gelungener Selbstmordversuche bezeichnet wurden. Diese seltsame Studentengruppe bildete das Stammpublikum der melancholischen Chansonette. Zwei Montagabende genügten, und Thomas war davon überzeugt, daß sie seine Chance war, dem Selbstmörderclub zu entrinnen. Mit Leib und Seele war er in dieses so *petite*, so *svelte* Mädchen vernarrt.

Der andere, der, in den sie verliebt war, hieß Johan Hoogstraten. Er war dreiunddreißig, angehender Magister der klassischen Philologie und konnte sich aufgrund seiner Stelle als Lehrer an einem der örtlichen Gymnasien einen Volkswagen leisten. Ihre *amour* beantwortete er nur dann, wenn seine feste Freundin für ein Wochenende verreist war. Die Hölle, das war in der Tat der ewig Andere.

Nun war es nicht so, daß sie Thomas völlig abgelehnt hätte. Nach der Vorstellung, wenn das Publikum gegangen war und sie ihr Akkordeon eingepackt hatte, durfte er sich oft noch kurz zu ihr setzen. Draußen, im kalten Licht der Straßenlaterne, gegenüber *De Sportcentrale*, stand dann, schon mehr Leiche als Mensch, der stille Junge, der sie auf dem Piano begleitete und ihm mit stets rührend zitternden Händen seine Biere brachte.

»Du bist soviel schöner als Johan«, seufzte sie dann, und der stille Junge beobachtete durch die weißen aufgemalten Buchstaben, die zusammen den Schriftzug *De Sportcentrale* bildeten, wie ihre schmale kleine Hand durch sein Haar glitt, »du hast so wunderschöne blonde Haare«, wie sie ihm in die Augen blickte, »...so leuchtendblaue Augen mit so langen Wimpern, und eine so aristokratische Nase...«, wie sie ihre Wange an seinen Oberarm schmiegte, »...breite Schultern...«, wie die kleine nervige Hand über seinen Oberschenkel strich »...lange, muskulöse Beine, viel schlanker als seine...«, und der stille Junge ging schließlich nach Hause, in der Hoffnung, daß zwischen heute und dem nächsten Montag ein Wunder geschehen würde. »Und doch«, sagte sie dann, während sie sich aufrecht hinsetzte und so tat, als merkte sie gar nicht, daß Thomas am ganzen Körper glühte, »du bist noch so jung mit deinen neunzehn Jahren, ich aber bin eine erwachsene Frau. Und ich liebe Johan nun mal.« Und mit einem zweiten Seufzer endete sie: »Ob ich jemals von ihm erlöst werde?«

War es der Volkswagen, der sie so an Hoogstraten fesselte? Der Mann hatte schütteres Haar, nikotingelbe Zähne, ein plumpes Bäuchlein. Er trug alte Nylonhosen, die von seinen dicken Knien ausgebeult waren, und speckige Sakkos, deren Taschen von Tabaksbeuteln, Pfeifen und Riesenschachteln mit extra langen Streichhölzern überquollen. Daß sie trotz der geballten Häßlichkeit, trotz der Tatsache, daß sie Thomas viel attraktiver fand, diesen Hoogstraten lieben zu müssen meinte, machte sie eigentlich nur noch interessanter. Durch das, was andere vielleicht schon eine Spur lächerlich oder altmodisch an ihr fanden, lernte Thomas eine gefährliche, ihm bis dahin völlig unbekannte Gefühlswelt kennen.

Dennoch war er nicht gerade davon begeistert, daß *amour* mit einer Menge *malheur* einhergehen mußte. Er begriff, daß sein eigentlicher Rivale diese exotische Leidenschaft war – der unsägliche Hoogstraten war nur ein Vorwand. Immer öfter versuchte er, sie zu einer bodenständigen Form des Liebeslebens zu bekehren, doch für all seine Argumente hatte sie nur ein überlegenes Lächeln übrig; Thomas übte sich also in Geduld und schrieb ihren Namen in lange Zeilen in seine Kladde, während er versuchte, sich auf seine Zwischenprüfung *Einführung in die Psychologie* vorzubereiten.

Er mußte erst bewußtlos zu ihren Füßen liegen, damit sie bereit war, ihn mit anderen Augen zu sehen.

Wochen vergingen, in denen zwischen ihnen nichts passierte. Sie liebte Johan Hoogstraten. Er liebte sie. Außer an Montagabenden mußte seine Liebe ohne ihre Gegenwart auskommen, und dennoch wuchs sie. Wucherte. Als sie eines Abends plötzlich unangemeldet vor seiner Tür stand, wirkte sie im Vergleich zu diesem Wildwuchs seiner Liebe sogar ein wenig blaß und unscheinbar. Trotzdem brachte er vor Aufregung kein Wort heraus.

»Du mußt mir einen Gefallen tun«, sagte sie. »Du darfst es mir nicht abschlagen, Thomas. Stell keine Fragen.«

Sie hatte eine Plastiktüte dabei. Er folgte ihr entlang der letzten Spuren von Jasminduft in jenem Jahr. Es war Anfang Oktober, noch warm zwischen den Häusern, doch auf den Plätzen schon kühl. Sie trug ein dünnes weißes Baumwollkleid und trippelte so eilig, daß er schnelle Zwischenschritte machen mußte, um mitzukommen. Ab und zu schluchzte sie und wischte sich mit dem Handrücken übers Gesicht. An der Ecke der Straße, wo Johan Hoogstraten wohnte, blieb sie stehen.

»Was...«

»Bitte, Thomas! Hier, halt mal.«

Sie reichte ihm die Plastiktüte. Eine Taschenlampe und ein langes Seil waren darin.

»Du wirst dich doch nicht...«

Schnell legte sie ihm die Finger auf den Mund. »Nicht wirklich«, flüsterte sie. »Ich will ihm nur angst machen. Darum nehme ich dich ja auch mit. Damit nichts schiefgehen kann. Ich bin so unglücklich, Thomas. Du *mußt* mir helfen.« Sie nahm die Finger weg und küßte ihn auf die Lippen. Es war ein Kuß voller Schmerz – salzig, naß, fiebrig. Nicht der Kuß, von dem er geträumt hatte.

Katzenaugen blickten ihnen kalt funkelnd nach, als sie ihn durch ein Labyrinth von Gartenpfaden zu einer Stelle führte, wo über einer abbröckelnden Gartenmauer eine Eiche wuchs.

»Weißt du, wie man eine Schlinge macht?«

»Komm«, sagte er, »laß uns von hier verschwinden.«

»Es braucht keine richtige Schlinge zu sein. Nur etwas, das so aussieht. Mit einem Knoten, der gleiten kann.«

Sie öffnete das Gartentor, zog eine Holzkiste mit Blumentöpfen auf den Aschenpfad und nahm die Töpfe heraus. »Ich muß irgendwo draufstehen«, erklärte sie, »um fallen zu können.«

Johan Hoogstraten wohnte im ersten Stock des Hauses am anderen Ende des Gartens. Zuerst brannte in der Küche Licht. Es erlosch, dann ging hinter einem der anderen Fenster das Licht an. Über die Falten des Vorhangs wellte sich ein Schatten. Der Schatten hatte eine Pfeife im Mund. Thomas machte einen Knoten, der gleiten konnte.

»Gut«, sagte sie, während sie den Knoten am Seil hin und her schob. »Jetzt mußt du in den Baum klettern und das Seil an einem starken Ast festbinden. Und wenn ich ›ja‹ sage, leuchtest du mich mit der Taschenlampe an.«

»Ich verstehe nicht...«, zögerte er. Er fühlte sich elend.

Sie legte die Hände um seinen Nacken und schmiegte ihre nasse, glühende Wange an die seine. »Wir tun doch nur so als ob«, flüsterte sie. »Ich will ihm nur einen Riesenschrecken einjagen. So geht es nicht weiter. Es muß was geschehen.«

Er tat also, was sie von ihm verlangte: kletterte auf die Mauer und schwang sich in den Baum. Doch er band das Seil nicht fest. Er schlang es einmal um einen dicken Ast und behielt das

Ende in der Hand. So wartete er. Wie kalt es war. In einem der Nachbargärten begannen die Katzen verliebt zu kreischen. Der Vorhang hinter dem erleuchteten Fenster im ersten Stock öffnete sich einen Spalt. Warum zog sie jetzt am Seil? Zum Glück hielt er es gut fest.

»Ja.«

Er knipste die Taschenlampe an und sah sie zum erstenmal im Leben nackt. Ganz bleich stand sie auf der aufgestellten Kiste, die Schlinge um den Hals, aufragend aus dem Kleid, das zusammengesackt zu ihren Füßen lag. Wie eine Statue, die man soeben enthüllt hatte, und die nun unbewegt den höflichen Applaus entgegennahm. Seine Hand zitterte, der Lichtkegel der Taschenlampe zitterte und berührte ihre Bleichheit. Im ersten Stock wurde das Fenster aufgerissen. Er spürte wieder einen Ruck am Seil. Was sollte das? Eine Idee zu spät ließ er los. In einem Regen dürrer Blätter fiel er von knarrendem Ast auf knarrenden Ast. »Verdammt noch mal!« ertönte die Stimme Johan Hoogstratens durch die klare Luft des Herbstabends. »Gottverfluchte Scheiße!« Thomas wunderte sich, wie hart der Rasen war.

Er war nur kurze Zeit bewußtlos. Als er wieder zu sich kam, stand Hoogstraten mit geballten Fäusten neben ihr. Sie hatte das Seil noch um den Hals und hielt das Kleidchen mit beiden Händen gegen die Brust gedrückt.

»So ruf doch einen Arzt«, weinte sie. »Steh doch nicht so rum, Johan. Vielleicht hat er eine Gehirnerschütterung!«

»Scher dich zum Teufel«, brüllte Hoogstraten. »Wenn du dich hier noch einmal blicken läßt, drehe ich dir deinen gottverdammten Hals um!«

Thomas stand auf und wankte zur Hecke. Abgesehen davon, daß ihm noch nie im Leben so elend zumute war, fehlte ihm nichts.

Oder war es ein a? Sara, Carla, Barbara, Babs? Oder Beps? Beppy, Bernadette, Bernardina? Erna, Dina, Dineke, Diny? Iny, Ina, Ine, Ineke? Tineke, Tiny, Riny, Rina? Marina, Trees, Maria, Marian oder Marja? Ria? Bunte Luftschlangen aus Mädchennamen entrollten sich vor seinem ratlosen geistigen Auge, während sich sein Zeigefinger langsam dem Klingelknopf näherte. Und wenn jetzt Frau Haagsma öffnete? Sollte er dann sagen: Ist... äh... äh... wie heißt sie noch... zu Hause? Oder: Ist Ihre Untermieterin da? Das Wort Untermieterin würde ihr nicht behagen. Mitbewohnerin?

Er klingelte. Dorothee? Désirée? Nicht Frau Haagsma öffnete ihm, sondern ein kleines, graziles Mädchen. Sie hatte graugrünbraun gesprenkelte Augen, schmale kleine Hände und lange dunkle Locken. Die Worte, die sie beschrieben, hatte er gut behalten – und sie paßten. Dennoch merkte er, daß er lediglich annahm, sie wäre es. Und er dachte: Das ist ein anonymes Mädchen, dieses Mädchen kenne ich nicht.

Er sagte: »Ich habe dir Blumen mitgebracht«, und betonte gerade noch rechtzeitig nach dem »mitgebracht« einen Punkt.

»Wie lieb von dir!« jubelte sie. »Astern!« Und als sie ihm zu ihrem Zimmer vorausging, sagte sie mit schelmischem Lächeln über die Schulter hinweg: »Ich glaube, du warst noch nie hier, stimmt's?«

Ich glaube! Wußte sie denn wirklich nicht, daß es sein allererster Besuch war? Sie bot ihm einen Stuhl an. Er setzte sich, stand aber gleich wieder auf, als sie in die Küche ging, um die Blumen abzuschneiden und in eine Vase zu stellen. Er ging auf und ab vor Postern mit hohlen Wangen und schwarzumrandeten Augen – Mistinguett, Barbara, Edith Piaf, Colette, leichenblasse Dienerinnen der *amour*. Das Zimmer war tadellos aufgeräumt. Wo er doch mit ziemlicher Sicherheit angenommen hatte, daß sie sehr schlampig war. Alles war so ordentlich, daß er sich nicht traute, etwas zu berühren, auch nicht den kleinen Stapel Briefe, der mit der Adreßseite nach unten auf der makellosen Schreibtischplatte lag. Vielleicht nicht einmal so sehr aus Angst, sie könnte seine Neugierde entdecken, sondern weil er befürchtete, feststellen zu müssen, daß auch der wiedergefundene Name sie nicht wirklich zurückbringen würde. Er haßte diese Ordentlichkeit, und ein Gefühl der Nostalgie überkam ihn, als ob seine Liebe für sie schon vorüber wäre. Sie kam mit den Blumen ins Zimmer, die sie alle auf die gleiche Länge gestutzt hatte, und schob die Vase so lange hin und her, bis sie, ausgesprochen häßlich und unangenehm, genau in der Mitte des Tisches stand. Sie ist bestimmt ebenso nervös wie ich, beruhigte er sich, deswegen macht sie alles falsch.

Sie tranken Cynar. Er war schweigsam und angespannt, hatte Angst, sie könnte seine Liebe zertreten, und war darauf bedacht, jedes Zeichen aufzunehmen, das seine so lange gehegten Gefühle bestätigen könnte. Sie redete. Entschuldigte sich für ihr unbesonnenes Verhalten. Sie hätte ihn nicht in die Sache hineinziehen dürfen. Sie sei aber so verzweifelt gewesen. Sie hätte eine Entscheidung herbeiführen müssen. Und vielleicht sei es Thomas ein Trost, daß ihr an diesem Abend die Augen aufgegangen wären. Hoogstraten sei in der Tat ein widerlicher Mistkerl. Er hatte ihr einen Brief geschrieben. Es war der oberste auf dem kleinen Stapel. Thomas war sich nicht sicher, ob er enttäuscht oder erleichtert sein sollte, als sie den Anfang wegließ und ihm nur den Schluß vorlas.

»›Ferner möchte ich Dich darauf hinweisen, daß eine Nachbarin, die unglücklicherweise nicht nur ein prominentes Mitglied des Schulvorstands, sondern auch eine unverbesserliche Klatschbase ist, vergangenen Freitag abend Zeuge Deiner waghalsigen Aktion war. In Anbetracht dessen, daß ich auf der Vorschlagsliste für den Nachfolger unseres Studiendirektors, Herrn Bruins, der im kommenden Jahr das Pensionsalter erreicht hat, ziemlich weit oben stehe, könnten die Folgen Deiner unüberlegten Handlung mehr als katastrophal sein. Um mich vor dem Risiko weiterer Exhibitionen zu schützen, sehe ich mich daher gezwungen, Dir künftig den Zugang zu meinem Haus zu verbieten. Zum Schluß habe ich noch das Vergnügen, Dich zu meiner Trauung, die am 28. Oktober d. J. vollzogen wird, nicht einzuladen.‹«

»Wenn ich jemals heirate«, so schloß sie, »lasse ich meine Trauung bestimmt nicht *vollziehen*. Das klingt ja wie ein Gerichtsurteil.«

»Verdammt, so ein Saftsack«, sagte Thomas. »Ein Blindgänger.«

»Mach weiter!« rief sie begeistert.

»Ein Lumpensammler. Ein Krauter in alten Sprachen.«

»O Thomas! Du kannst auch viel besser schimpfen als er.«

Er haßte Hoogstraten nicht wirklich, fiel ihm auf. Der Mann ließ ihn seltsam gleichgültig.

Es war Zeit zu essen. Sie holte zwei große Artischocken und ein Schälchen Sauce aus Kräuterbutter mit Knoblauch und Basilikum aus der Küche. Unter den ausgehungerten Blicken der Damen an der Wand zupften sie die Blätter von den Disteln, tunkten sie in die Sauce, zogen sie zwischen den Zähnen durch und errichteten jeder eine Mauer aus Blättern auf dem Tellerrand. Es erregte ihn, zuzusehen, wie sie mit behenden Bewegungen aß, ja fast schlang. Sie trank ausgiebig Wein. Nahm sich kaum die Zeit, kurz zu lächeln mit einem Blatt zwischen den feuchtglänzenden Zähnen. Auf ihrer Stirn standen Schweißperlen. Blitzschnell leckte ihre Zungenspitze die Lippen ab. Ja, so war sie Fleisch und Blut, so konnte er sie lieben. Fast hätte er es ausgesprochen: Hör mal zu, versprich mir, daß du nicht böse wirst, aber ich liebe dich so sehr, daß ich vor lauter Nervosität deinen Namen vergessen habe! Wenn sie doch bloß nicht geredet hätte. Gerade das aber tat sie. Sie biß ab, kaute, schluckte, redete.

»Ach, die Liebe, Thomas«, sagte sie, »das ist meine Lebenserfüllung, das ist plus fort que moi. Ich habe mich in Johan getäuscht. Fast wäre es mir zum Verhängnis geworden. Zum Glück warst du dabei«, – sie berührte ihn am Arm – »um es zu verhindern. Ich kann nichts dafür, es liegt an meiner leidenschaftlichen Natur. Kennst du das Lied von Barbara...«

»Nein«, brummelte er.

»Elle est morte au petit jour...« Sie summte kurz. »Elle est morte au petit jour, d'avoir trop aimé l'amour. Es würde mich nicht wundern, wenn man das auch von mir einmal sagen würde.«

Wie konnte sie sich unterstehen, von Liebeskummer zu reden, bevor sie überhaupt miteinander gingen? Was waren das für Manieren?

»O Thomas, du mußt mir versprechen, daß du mich nie im Stich läßt. Ich bin so dumm gewesen, so blind...«

Er hatte fast den Eindruck, als könnte sie es gar nicht erwarten, von ihm im Stich gelassen zu werden. Im Grunde war es ihre eigene Schuld, daß sie keinen Namen hatte. Sie flehte ja geradezu darum, vergessen zu werden. Er war für sie nicht mehr als eine lästige, aber notwendige Voraussetzung seiner eigenen Abwesenheit. Sich selbst schätzte sie allein um des Kummers willen, den andere nach ihrem Abgang aus diesem Jammertal empfinden würden. Erst als er bewußtlos am Boden lag, hatte er für sie zu existieren begonnen.

»Es ist immer das gleiche, Thomas. Les chagrins d'amour, ca tourne la tête. Es nimmt kein Ende. So bin ich nun einmal. Si un jour la vie t'arrache à moi... ich darf gar nicht daran denken.«

Thomas schnitt das borstige Toupet vom Artischocken-boden und sah die große Scheibe des bleichen Fruchtflei-sches. Blättchen für Blättchen hatte er abgenagt, und nun auf einmal diese dicke Scheibe. Widerlich. Das konnte er nicht essen. Sie aß das Zeug genüßlich auf, strich es auf Toaststückchen, bestreute es mit Salz und Pfeffer, leckte sich sogar die Finger ab.

Er stand auf. »Ich muß gehen«, sagte er.

Sie legte das Messer hin. »Hast du was? Fühlst du dich nicht wohl?«

»Nein, ich fühle mich prima. Ich muß wirklich gehen. Ich habe...«, ja, was sollte er jetzt sagen? »...ich habe noch eine andere Verabredung.«

»Aber Thomas, es ist doch viel mehr zu essen da! Dich bedrückt doch was. Sag es nur. Du wirkst schon die ganze Zeit so angespannt.«

Er schüttelte den Kopf, schob den Stuhl unter den Tisch und ging, mit der Bitte um Entschuldigung im Blick, rückwärts zur Tür. »Kennst du den Song«, stammelte er, »ich weiß nicht mehr von wem, ›Strange Fruit‹, über den Mann, der in einem Baum hängt? Ich bin sicher, du würdest ihn hinreißend finden.« Sie saß reglos da, Krümel auf der Unterlippe, die Hände schlaff auf der Tischplatte, völlig perplex über diese ungewöhnliche und abrupte Manier, im Stich gelassen zu werden.

Draußen fiel ihm ihr Name plötzlich wieder ein, aber er ließ ihn nun seltsam kalt. Er war kurz in Versuchung, zurückzugehen, doch ihr Name war schon jetzt nicht mehr als ein erinnerter Name, ein Name, den er gut aufbewahren würde, um ihm nur hin und wieder, in einer etwas irrealen, sentimentalen Stimmung, nachzutrauern.

Das Limonadengefühl

Cas und ich waren gut drei Jahre zusammen, ehe ich dahinterkam.

Nicht, daß wir überhaupt keine Geheimnisse voreinander gehabt hätten. Es gab genug Momente, in denen ich keine Antwort auf die Frage gegeben hätte: Woran denkst du? Ich hielt es nicht für nötig, von einem unbekannten, halb entblößten Arm auf einer Terrasse zu berichten. Daß ich hoffte, dieser Arm würde meinen berühren. Daß ich das metallene Uhrenarmband vom Handgelenk hatte lösen wollen, um mit den Fingerspitzen der Spur in der Haut zu folgen.

Über solche Sehnsüchte redeten wir kaum. Wohl über ihre Existenz. Ganz allgemein. Und, daß es geschehen konnte, daß so ein Arm beim Lieben auf der Netzhaut erscheinen konnte. Aber wann ich den Arm gesehen hatte, und in welchem Augenblick er wieder meine Gedanken beherrschte, darüber sprachen wir nie.

Cas wußte, wie ich, und ich wußte, wie er reagieren würde. Verzweifelt würde er seine Arme betrachten und sich fragen, was damit verkehrt war. Fand ich sie zu kurz, nicht braun genug, waren seine Handgelenke zu breit? Und wieso eine Uhr? »Soll ich auch eine tragen?«

Die ganze Zeit über ahnte ich nicht, daß es etwas geben würde, bei dem ich ihn ertappen könnte. Klopfte ich an die Tür seines Arbeitszimmers, so tat ich es aus Höflichkeit.

Zu Beginn unserer Beziehung hatten ihn die Umstände gezwungen, Fragen zu beantworten, noch ehe ich sie gestellt hatte. Wenn er damals nicht so viel geredet hätte, wären wir nie so lange zusammengeblieben.

Als ich das erste Mal zu einem Arbeitsgespräch zu ihm nach

Hause kam, dachte ich, daß er dort mit einer Frau wohnte. Im Flur standen weiße Schaftstiefel, und an der Garderobe hing eine rosa Strickjacke. An den Balken in der Küche hingen getrocknete Kornblumensträuße, und an den Wänden standen Einmachgläser mit Rumtopf. Während unseres Gesprächs erwartete ich jeden Augenblick, einen Kopf in der Tür auftauchen zu sehen, einen blonden Kopf, beschloß ich, wegen der Kornblumen und der pastellfarbenen Kissen auf dem Sofa.

Aber die Frau, die schließlich in der Tür erschien, hatte graues Haar und trug eine Plastikschürze. Sie schüttelte eine Flasche Chlorreiniger, deren Verschluß sie in der Hand hielt, und schaute Cas vorwurfsvoll an. Mea war erst ein halbes Jahr tot.

Ich wollte mich nicht in ihn verlieben. Ich hatte beschlossen, mich auf keine Beziehung mehr einzulassen, in der ich vor allem als Ablenkung diente. Ich wollte nicht mehr die jüngere Schwester sein, nie wieder dazu da sein, eine mir unbekannte Vergangenheit auszuradieren. Ich hatte keine Lust mehr auf einen Mann, der sich im Bett schluchzend von mir wegdrehte, sich weigerte, über seinen Kummer zu reden, oder über nichts anderes reden konnte. Ich war allzu häufig »etwas auf Zeit« gewesen, ein Ersatz.

Cas überzeugte mich in den Monaten, nachdem wir einander kennengelernt hatten, daß ich ihm mehr bedeutete, zwischen uns würde es anders laufen.

Es war unmöglich, Mea nicht zu begegnen. Sie existierte: in seinem Kopf, in den Köpfen seiner Familie, auf Fotos in Schuhschachteln und hinter Glas. Sie war seine Jugendliebe, aber bereits vor dieser Zeit gehörte sie schon quasi zur Familie. Mea war vierzehn, als sie zum ersten Mal Weihnachten in Cas' Familie feierte, ich dreißig.

»Wenn du, Mea, wenn du dich dorthin setzen könntest.« Oft geschah es, daß man mich plötzlich mit ihrem Namen ansprach. Ein Atavismus. Es brachte mich nicht aus der Fas-

sung. Auch über das Ritual mit dem bretonischen Teller –
von Cas' Großmutter jedesmal, wenn ich sie besuchte, so
plaziert, daß ich ein bestimmtes Gesicht auf dem Familien-
foto nicht sehen sollte – mußte ich lachen. Ich konnte darüber
lachen, weil dieses Foto bei uns einfach in Cas' Schreibtisch
lag, in einer nicht abgeschlossenen Schublade.
Cas tat nie geheimnisvoll, mit nichts. Er wollte verhindern,
daß ich mir wie eine zweite Mrs. de Winter vorkam, die Frau
in einem Hitchcockfilm, für die die Vergangenheit ihres
Mannes ein Spukhaus war.

Es war nicht diese Vergangenheit. Dort ließ er für mich immer ein Licht brennen. Die Gegenwart war es, in unserem
frisch renovierten Haus, wo es nach Zement und frischem
Holz roch, wo ›Das große Wunder‹, ein Buch mit Fotos von
der Eizelle bis zum Baby, aufgeschlagen auf dem Klavier lag.
Es war die Gegenwart, die ich allmählich gespenstisch finden
sollte.

Es muß ein dunkler Tag gewesen sein, denn wir hatten früh-
morgens während des Streichens Licht an. Cas strich die
Decke und ich, im sechsten Monat schwanger, die Wände.
Oder eigentlich halbe Wände, denn Cas hatte mir verboten,
auf einer Leiter zu stehen. Mir war ein bißchen übel vom
Farb- und Terpentingeruch. Es war kalt im Zimmer. Unter
dem Trainingsanzug, den ich meist anhatte, seit ich in meine
normalen Kleider nicht mehr paßte, trug ich mindestens zwei
Pullover und auf dem Kopf eine Wollmütze. Das Radio lief,
und wir redeten nicht.
Oder führten wir in dem Zimmer, das nicht länger Cas' Zimmer war und noch nicht ganz das Kinderzimmer, ein Gespräch über Kinderwiegen und Plüschkaninchen? Es kann
gut sein, daß wir den leeren Raum, aus dem wir nur noch das
Einzelbett entfernen mußten, mit Sätzen füllten, cremig wie
das Weiß der Decke.
Ich weiß es nicht mehr. Meine Entdeckung ließ, wie ein Glas

Wasser, das umfällt, alle Farben ineinanderfließen zu dem grauen Fleck, der dieser Tag noch heute in meinem Gedächtnis ist.

Das Bett mußte weg. Wenn es nicht umgestellt wurde, war Weiterstreichen unmöglich. Alle Wände waren gestrichen, bis auf den Teil, vor dem noch immer das Bett stand. Automatisch schaute ich zu Cas.

Er stand auf der obersten Sprosse einer Stehleiter und strich die Decke, den Kopf im Nacken, und merkte nicht, daß ich, seine schwangere Frau, fragend zu ihm aufschaute. Es schien, als läge er auf einer Wiese, kaute auf einem Grashalm, über sich echte Wolken, so versunken war er beim Fabrizieren einer Aussicht für sein Kind. Ich wollte ihn nicht stören. Diese Aufmerksamkeit, diese Gabe, in einer Tätigkeit ganz aufzugehen, war mir wichtig.

Ich ging zum Kopfende des Bettes, beugte mich vor, packte den eisernen Rahmen und zog das Bett von der Wand weg. Ich wollte mich umdrehen und zum Fußende gehen, als ich sie entdeckte.

Zwischen ihren hochgezogenen Beinen sah ich genau in ihre rosaschimmernden Schamlippen. Der lange rotlackierte Fingernagel, der in ihrer Leiste lag, wies wie ein Pfeil zur Klitoris.

Sie muß auch Arme gehabt haben, diese Frau, und Brüste, aber ich erinnere mich nur an ein Gesicht. Es drückte nichts aus, die Augen waren geschlossen, es war eigentlich ein Rahmen für das enorme Geschlechtsteil in ihrem Mund.

Ich schaute zu Cas. Nichtsahnend, strich er weiter. Ich sah auf das Foto auf dem Fußboden und sah mich selbst dastehen: ein schwitzender Knäuel Wolle.

Ich schob das Bett zurück, riß mir die Mütze vom Kopf und verließ das Zimmer.

Erst vor kurzem waren beim Aufräumen Fotos von Mea zum Vorschein gekommen. Auf einem saß sie mit nackten Brüsten in der Sonne. Bis zu diesem Augenblick hatte ich nie an sie gedacht als eine Person mit einem Körper, einem Körper, der von Cas berührt worden war. Wenn ich sie mir vorstellte, war das in allen möglichen Situationen, aber nie nackt im Bett. Die Brüste verursachten die gleiche Verwirrung wie damals die Entdeckung, daß Eltern nicht nur nebeneinander schliefen.

Dennoch hatten alle Fotos von Mea zusammen mich weniger in Verwirrung gestürzt als diese anonymen Körperteile. Ich rief, ich sei müde, zog mich aus und verkroch mich unter der Bettdecke.

Nicht die Abbildung hatte mich schockiert, sondern die Tatsache – Pornos unter diesem Bett. Männer, die Pornos zu Hilfe nahmen, waren arme Schweine. Masturbierende Junggesellen, ohne Kontakte und mit mangelnder Phantasie. Oder verheiratet, aber zu schüchtern, um ihre Vorlieben zu bekennen, oder aber mit einer Frau behaftet, die jede Abweichung vom Urpuzzel ablehnte.

Als so eine sah ich mich nicht, sah Cas mich nicht. Zumindest dachte ich das. Aber zu welcher Kategorie von Konsumenten gehörte er dann?

Wenn er meinte, was er über mich und über unsere Ehe sagte, was machte dieses Foto dann unter seinem Bett? Wie paßte das zusammen? In bestimmten Erzählungen, die ich meist nicht zu Ende lese, weil sie so simpel sind, geht der Mann vor oder nach der Geburt seines Kindes fremd. War das vielleicht Cas' Art und Weise, diesem Impuls nachzugeben und trotzdem dem Klischee zu entkommen?

Eigentlich wußte ich es bereits, als ich das Foto sah. Es war kein Zufall, keine einmalige Anschaffung, aus plötzlicher Neugier heraus oder weil ich schwanger war. Alles, was er je über Pornographie gesagt hatte, sogar die Pausen, die er gemacht hatte, hörte ich wieder. Als ob mit dem Wegziehen des Betts gleichzeitig die Taste eines Tonbandgeräts gedrückt worden wäre.

Cas war auch an dem Abend dabei, als wir den Film sahen. Ein ungefähr fünfzehnjähriger Junge entdeckt, als er in der Dunkelkammer seines Vaters eine Schublade mit Negativen aufzieht, Pornohefte. Heulend schmeißt er sie seinem Vater vor die Füße und verläßt das Haus. Als seine Mutter dazukommt und ihren Mann fragt, was denn los sei, weist er gelassen auf die Hefte. Die Frau ist entsetzt, geht aber sofort dem Sohn nach: »Dein Vater ist kein Schuft, nicht pervers, er ist auch nur ein Mensch.«

Wir, meine Eltern und ich, fanden den Film sehr gut, vor allem mein Vater, er war regelrecht begeistert. Ich denke nicht, daß meine Mutter und ich uns wirklich mit der Frau identifizierten. Die Bewunderung, die wir für sie empfanden, war wie für eine Missionsschwester, die umringt von Urwald und Ungeziefer gegen Beriberi kämpft. Ich glaube nicht, daß wir uns fragten, wie wir in so einer Situation reagieren würden. Der Urwald war fern.

Cas nickte zustimmend, als wir den Film lobten, aber zum Thema selbst äußerte er nichts, auch nicht, als wir wieder allein waren.

Was sagte der Mann zu seiner Frau, später, als ihr Sohn im Bett war? Wie erklärte er sein Bedürfnis nach Pornographie? Gerade an diese Szene erinnere ich mich nicht. Wie endete der Film? Versprach der Mann, die Hefte zu verbrennen? War, jetzt, wo sie es wußte, der Spaß weg? Wie lebten sie weiter unter einem Dach miteinander, mit den Kindern und den Heften?

»Als kleiner Junge von ungefähr vierzehn schnitt ich B.H.-Anzeigen aus und die Beine von Marilyn Monroe«, hatte er gesagt, als eine Freundin bei uns am Tisch in Tränen ausbrach. Er riet ihr, nicht so streng über ihren Freund zu urteilen: »Das hat gar keinen Sinn. Es ist eine Art Sucht.« Und er lieh ihr einen Essayband, weil darin so ein interessanter Artikel über das Thema stünde.

Mit dem Wegziehen des Bettes war eine Spur sichtbar geworden. Ich versuchte zu rekonstruieren, was das Verhaltensmuster des Mannes war, der sie hinterlassen hatte.

Von Zeit zu Zeit geht er in einen Pornoladen. Er sucht sich etwas aus und bezahlt. Zu Hause angekommen, verwahrt er die Hefte in einer der Schubladen, von denen er weiß, daß ich sie nie öffnen werde. Dann, an einem Abend, wenn ich nicht da bin oder Klavier spiele, verschwindet er in sein Arbeitszimmer. Er fischt die Hefte aus dem Versteck, blättert die Seiten um, sucht sich eine Frau aus und reißt sie heraus. Er legt sich auf das Gästebett, öffnet seinen Hosenladen, betrachtet das fremde Gesicht, die unbekannten Brüste, die nie berührte Klitoris, wähnt den Penis im nie geküßten Mund und holt sich einen runter. Wenn er sich später neben mich ins Bett legt und ich ihn frage, ob er gut gearbeitet habe, sagt er »ja« oder »nein, nicht besonders«. Welche Antwort er auch gibt, die herausgerissene Frau kommt darin nicht vor. Jeden Tag erzählt er mir, wo er gewesen ist, wen er gesprochen hat, welche Bücher er gekauft hat oder hatte kaufen wollen, aber über seinen Gang in den Pornoladen kein Wort, niemals. Wer sagte mir denn, daß der Mann, der dies alles drei Jahre lang perfekt vor mir zu verbergen gewußt hatte, nicht noch viel mehr vor mir verbarg.

Betrachtete er diese Fotos auch, überlegte ich plötzlich, bevor er die Hand nach mir ausstreckte? Streckte er diese Hand gar nicht nach mir, sondern nach einer anderen aus? Wer war eigentlich der Ersatz, die papierene Frau oder ich?

Er schlief, ich wollte duschen, konnte aber nirgends ein Gummiband finden, um meine Haare damit zusammenzubinden. Ich kannte mich damals in seinem Haus noch nicht aus. Endlich fand ich im Badezimmer, unter der Heizung, eine staubige Duschhaube. Ich hatte diese Haube noch auf, als ich kurz darauf, auf der Suche nach einem Handtuch, fröstelnd in sein Schlafzimmer trat. Er schrak hoch und schaute.

Er schaute weiter. Ich wurde steif unter seinem Blick: Bis ich die Haube vom Kopf riß und mein rotes Haar über die Schultern fiel, stand nicht ich, sondern Mea an seinem Fußende.

Diese Empfindung habe ich später nie wieder gehabt. Bei Cas, bei ihm als erstem, habe ich immer das Gefühl gehabt, daß es um mich und um meinen Körper ging. Auch wenn er die Augen schloß und in Gedanken vielleicht unser Bett verließ, selbst dann war ich es, die seine Flucht verursachte. Ich, das Vehikel seiner Phantasie. Aber wenn ich mich täuschte, wenn er ohne einen Blick auf die Fotos nichts für mich empfinden konnte, mußte ich weg von ihm, egal ob ich schwanger war oder nicht.

Er hatte mir Tee ans Bett gebracht und saß auf dem Rand und drehte sich eine Zigarette, als ich ihm von meiner Entdeckung erzählte. Er wurde knallrot, und seine Finger hielten plötzlich inne, mitten in der Tätigkeit, die er sonst blindlings ausführte. Als ob der Strom ausgefallen sei. Er murmelte, und auch dies war ungewöhnlich, denn Cas zwang sich unter allen Umständen, präzise zu formulieren. Jetzt murmelte er, daß es ihm leid täte.

»Weshalb hast du nie etwas davon gesagt? Wir reden doch oft genug über Pornographie.«

»Weil ich mich trotzdem schäme, nehme ich an.« Es klang beinahe aggressiv. Wir schwiegen. Es schien mir höchste Zeit, ihn spüren zu lassen, daß ich mich selbst nicht als heilige Jungfrau betrachtete.

Er müsse nicht glauben, sagte ich ihm, daß ich mir nicht vorstellen könne, daß Bilder einen Menschen erregen können. Ich war erst sechs, als ich im Fernsehen sah, wie ein Mann und eine Frau einander ausgiebig auf den Mund küßten. Davon bekam ich ein Gefühl, so neu und eigentümlich, daß dafür ein Wort erfunden werden mußte. Ich nannte es das Limonadengefühl. Wenn ich an einem Hund unten plötzlich so ein knallrotes Stäbchen erscheinen sah, bekam ich es auch. Und wenn ich einen Schwan in den Ringen machte und über den Blick des Sportlehrers hinwegschwebte. Die Zunge eines Hundes, unerwartet an meinem Bein, konnte es auch hervorrufen. Ich merkte mir diesen Blick des Mannes mit den immer gebräunten Beinen, die Stäbchen, die Zunge des Hundes, der so sehr dem Wolf aus Rotkäppchen ähnelte, die küssenden Paare. In jedem gewünschten Augenblick konnte ich sie vor mir sehen und wieder das Limonadengefühl bekommen. Soviel verstand ich, sagte ich ihm, und Phantasien habe ich, solange ich zurückdenken kann. Aber was ich nicht verstehe, weshalb jemand Bilder braucht, für die man in ein Geschäft gehen muß, für die man bezahlt. Er sagte, er verstehe es selbst auch nicht richtig. Aber daß er darüber nachdenke, das müsse ich ihm glauben. Wenn er es hätte erklären können, hätte er sicher schon darüber geredet.

»Hast du sie auch gekauft, als Mea noch lebte?«

»Schon immer, aber manchmal monatelang nicht.«

»Auch, als du dich gerade in mich verliebt hattest?«

»Ja.«

Wieder tauchte das Wort »Sucht« auf und die Beine von Marilyn Monroe, versteckt im Kissenbezug eines vierzehnjährigen Jungen. »Warum«, jetzt war es Cas, der die Frage stellte, »existiert zwischen uns denn bloß diese stillschweigende Absprache, uns gegenseitig nichts von unseren Phantasien zu erzählen?« – »Weil es unsicher macht«, antwortete ich schnell. »Ich jedenfalls würde mich an deine Unsicherheit in Augenblicken erinnern, in denen ich das überhaupt nicht will. Wenn ich lese, daß jemand beim Einschenken einer Flasche Bier einen abgerissenen kleinen Finger in sein Glas rutschen sah, sehe ich das noch jahrelang vor mir. Jedesmal, wenn ich Durst habe. Wenn man so ein Gedächtnis hat, muß man vielleicht nicht alles vom anderen wissen.«

Ich war mir nicht bewußt, daß ich keinerlei Angst vor seinen Phantasien hatte. Die wollte ich schon gerne hören. Solange das nicht bedeutete, daß ich meine auch erzählen müßte. »Ich liege in einem Saal, nackt, breitbeinig auf einem…« Undenkbar, daß ich die Worte aussprechen würde. Ich glaube, daß ich vor allem Angst hatte, für pervers gehalten zu werden.

Cas bekam keine Gelegenheit, meine Antwort anzuzweifeln, weil es klingelte. »O Gott, meine Eltern«, sagte ich, »reden wir nachher weiter, ja?« Er sprang auf und eilte zur Tür: »Ja, wir reden noch darüber.«

Im Flur hörte ich die Stimme meiner Mutter. Sie klang besorgt. »Nicht krank«, hörte ich Cas sagen, »nur müde, wir haben den ganzen Morgen über gestrichen.«

Ich trank einen Schluck vom kalt gewordenen Tee. Als Cas ihn vor einer halben Stunde gebracht hatte, schien mir unsere Zukunft noch verzweifelt, jetzt nur noch kompliziert. Plötzlich sah ich ein, daß es nicht nur Panik war, die das Foto ausgelöst hatte. Gekränktheit auch: Nach allem, was ich am Anfang unserer Beziehung für ihn gewesen war, verdiente ich so etwas nicht. Wenn ich etwas nicht wollte, dann gekränkt sein. »Er darf mir keinen Schmerz zufügen, denn ich habe ihn damals aus seinem Leiden erlöst.« Wenn das der Sinn meiner Reaktion war, mußte ich mir Watte in die Ohren stecken. Ich hatte ihm nichts gegeben, das ich nicht lossein wollte.

»Er tut mir weh mit etwas, an dem er selbst sein Vergnügen hat.« Wie so oft, wenn ein Problem erkannt ist, die Suche nach einer Lösung aber noch nicht begonnen hat, fühlte ich mich gut. Ruhig, ausgeglichen. Ich versuchte, diesem Zustand einen Namen zu geben. Ich fragte mich gerade, ob das Wort »Erwachsensein« zutraf, als ich meine Mutter durch die geschlossene Tür sagen hörte: »Ich will mal ins Kinderzimmer schauen.«

Ich schoß hoch. Zuerst würden sie die Farbe der Decke bewundern. Danach würde ihr Blick über die Wände zum Fußboden wandern. Was sollte dort hinkommen, Teppichboden oder einzelne Teppiche? Und dann das Bett. Aus welchen Gründen auch immer, aus Hilfsbereitschaft oder um die Steckdosen im Zimmer zu zählen, würden sie das Bett von der Wand abrücken.

Ich riß die Schlafzimmertür auf und schrie, während ich aus den Augenwinkeln wahrnahm, daß Cas immer röter wurde: »Verboten, soll eine Überraschung bleiben!«

Als er mir am Mittag, nach der Entdeckung, schwor, sein Gefühl für mich, unsere guten Zeiten und unsere Kräche, hätten nichts mit seinem Bedürfnis nach Pornographie zu tun, wollte ich ihm glauben. Erst ein paar Jahre später war ich wirklich überzeugt.

Auf einer Spielwiese stand ein hölzernes Schaukelpferd. Kinder hatten seinen Plastikschwanz zu einem schwarzorange-farbenen Klumpen schmelzen lassen, aber weiter fehlte ihm nichts. Mein Sohn kletterte jede Woche ein paarmal darauf, streichelte den hölzernen Hals und fütterte das Pferd mit Happen Luft.

Auf einer Weide in der Nähe stand ein echtes Pony. Als wir zum ersten Mal vorbeiradelten, forderte mein Sohn, daß ich anhalten und ihn aus dem Kindersitz heben sollte. Er ging nicht mit mir zu der Umzäunung hin, sondern hielt sich am Fahrrad fest. Als das Pony plötzlich zu schnauben anfing, preßte mein Sohn ein kleines schrilles Lachen heraus, das vor allem Schreck verriet, aber kurz darauf folgte er meinem Beispiel. Er streichelte den weichen, breiten Rücken, piekste mit dem Zeigefinger auf die Nase mit den großen dampfenden Löchern und pflückte Gras, das ich dem Pony geben durfte.

Am nächsten Tag saß er wieder auf seinem Holzpferd. Ich sah keine Spur von Enttäuschung, er schien das warme Fell nicht zu vermissen. Er geriet auch nicht in Verwirrung: Dieses Pony hatte keine Zähne, also fütterte mein Sohn es nicht mit Gras, sondern mit Luft.

Als eines Tages das Pony nicht mehr auf der Weide stand, fand mein Sohn das jammerschade. Er hatte ihm Gras geben, er hatte es streicheln wollen. Wo war das Pony hin, und wer gab ihm zu essen? Den Rest des Tages redete er kaum von etwas anderem. Nicht ein einziges Mal schlug er vor, dann eben zu dem Holzpferd zu gehen. Das Abbild war nicht dazu da, die Wirklichkeit zu ersetzen. Es war kein Ersatz. Das Abbild war etwas anderes.

Gleich nachdem meine Eltern gegangen waren, trafen wir eine Vereinbarung: Cas sollte dafür sorgen, daß ich nicht noch einmal auf solch ein Foto stoßen würde.

Ein halbes Jahr ging vorbei, in dem ich nicht gezwungen wurde, über das Thema nachzudenken, bis ich eines Morgens unter einem Stuhl eine weiße Karte fand mit der Aufschrift: Pornopaket von 27.50 Gulden jetzt für 20.– Gulden. Der Inhalt des Sonderangebots wurde mir erspart, ich zerriß die Karte. Gott sei Dank, dachte ich, nicht wieder diese Panik, ich fange an, mich an den Gedanken zu gewöhnen. Ich lache sogar darüber. Gleich kommt er herunter und wir lachen gemeinsam darüber.

Das Paar, das ich in ein paar Minuten lachend am Frühstückstisch sitzen sehen würde, gefiel mir gut. Er hatte so seine Angewohnheiten, und sie mißgönnte sie ihm nicht. Keine Schuldgefühle, keine Vorwürfe. Cas erschien zum Frühstück. Spöttisch meldete ich ihm den Fund. Aber das Lächeln auf meinem Gesicht gefror, als er nur »zu dumm, zu dumm« sagte.

Ich weiß nicht genau, was ich von ihm erwartete, vielleicht nur die Versicherung, daß er mich liebte, oder ein Zeichen der Erleichterung: daß ich es so auffaßte.

Nach diesem Morgen war das Haus einige Wochen lang ein Minenfeld. Überall und nirgends konnte eine liegen und mein Selbstvertrauen zerschellen lassen.

Ich ging ins Badezimmer, um ihm etwas zu erzählen. In dem Moment, als ich die Tür öffnete, sah ich, wie er etwas im Handtuch verschwinden ließ. Sah oder glaubte zu sehen.

Wir trafen ein zweite Vereinbarung. »Es« sollte sich in einem ganz bestimmten Schrank, in einer für mich erkennbaren

Plastiktüte befinden. Dort und nirgendwo sonst. Es schien ein sinnvoller Plan zu sein, bis ich mich dabei ertappte, daß ich, wenn er nachts aufstand und sagte, er könne nicht schlafen, wach lag und lauschte, ob ich den bewußten Schrank aufgehen und die Tüte knistern hörte. Früher fand ich es geradezu schön, wenn er auf war und ich im Bett. Das Licht im Flur, das Knarren eines Stuhls hatte mir dasselbe Gefühl von Sicherheit gegeben, das ich als Kind kurz vor dem Einschlafen hatte.

»Du brauchst keine Angst zu haben, daß ich sofort zu so einem Heft greife, wenn du keine Lust hast.«

Sagte er das nicht nur, damit ich mich nicht erpreßt fühlte? Konnte ich seinen Worten eigentlich noch trauen? Wenn ich jetzt an die Tür seines Arbeitszimmers klopfte, tat ich es nicht aus Höflichkeit, sondern aus Selbstschutz.

Einer echten Frau, dachte ich in jenen Tagen manchmal, kann man wenigstens entgegentreten. Mein Gefühl wäre klar und hätte einen Namen: Eifersucht. Meine Wut hätte ein Ziel: Sie aus seinem Leben verschwinden zu lassen. Aber zünde ich die Hefte an, dann kauft er morgen neue. Wenn das nicht möglich wäre, weil es keine Pornographie gäbe, gäbe es sicher Orte, an denen Männer heimlich zusammenkämen, um einander Blankoumschläge in die Hand zu drücken.

Ich entwickelte eine Theorie: Angenommen, ich wäre als Kind durch Anzeigen für Herrenunterwäsche in höchste Erregung geraten, selbst dann hätte ich es nie und nimmer gewagt, sie auszuschneiden. Die Furcht, jemand könnte dahinterkommen, was mir ein Limonadengefühl verschaffte, hätte mir schon von vornherein jede Lust genommen. Lieber verwahrte ich sie im Kopf.

Angenommen, daß ich jetzt mit einer Freundin durch eine Einkaufsstraße gehen würde, sie mich am Arm packen und grinsend auf ein Schaufenster zeigen würde, dann würde ich behaupten, daß Pornos mir nichts sagten, daß ich an meiner eigenen Phantasie genug hätte. Wir würden einen spöttischen Blick auf die Männer werfen, die den Laden betreten, und schnell weitergehen.

Wir saßen in einem Café, eine Kollegin und ich, und tranken auf einen Mann, den ich nicht kannte, den sie aber seit ein paar Wochen »meinen Verlobten« nannte.

Mitten in ihrem Bericht, wie sie einander kennengelernt hatten, sagte sie, ohne zu wissen, daß mich dieses Thema beschäftigte: »Als er eines Morgens zum Bäcker mußte, hab ich schnell seine Schränke durchsucht, um zu sehen, ob er solche Hefte hat. «

»Was hättest du getan, wenn du welche gefunden hättest«, fragte ich.

»Dann wäre es bei dieser einen Nacht geblieben. «

»Und wenn du jetzt noch welche finden würdest?«

»Na, was schon, Schluß machen. «

Ich schwieg und dachte darüber nach, warum ich nie ernsthaft, und schon gar nicht mehr nach dem Gespräch auf unserem Bettrand, erwogen hatte wegzugehen. Ich versuchte mir vorzustellen, wie ich sagen würde: entscheide dich.

Ich sah die Frau neben mir an. Um ihren Mund lag noch der fest entschlossene Zug, mit dem sie gesagt hatte: Schluß machen. Es war nicht schwer, sie vor mir zu sehen, wie sie mit einem der Hefte drohte, das sie zwischen der Unterwäsche ihres Verlobten gefunden hatte.

Was, was dachte sie eigentlich, was ging in ihrem Kopf vor, wenn sie sich die Mühe machte, ihre Stapel weißer spitzenbesetzter Unterhemden, die Lavendelsäckchen, die Handschuhe, die hauchzarten Tücher einmal gründlich zu durchsuchen? Was erwartete sie dann zu finden? Ein Album mit Poesiebildern?

Plötzlich war mir klar, weshalb eine Frau aus Papier für mich nie ein Grund sein könnte, Cas zu verlassen: Seine Pornos und die Bilder in meinem Kopf stehen einander in nichts nach. Wenn ich durch so ein Foto in Panik gerate, liegt das daran, weil in diesem Augenblick in meinem Kopf eine Plastiktüte aufreißt. Jedesmal, wenn ich einen Schimmer von dem auffange, was er vor mir verbergen will, bin ich mir dessen bewußt, daß auch ich etwas verberge. Daß es Worte gibt, von denen ich hoffe, daß ich sie nicht ausspreche, selbst wenn ich aus einem Koma erwache.

In der Kneipe, die immer voller wurde, neben der Frau, die jetzt schwieg, weil sie sonst hätte schreien müssen, zerschlug ich den Knoten. Ich hatte genug davon, Hüterin meiner Phantasien zu sein. Ihre heimliche Existenz war die Ursache für meine Verwirrung. Das und nichts anderes.

Ich würde Cas mitnehmen, über Straßen und Gassen in einen Saal in meinem Kopf, eine verräucherte Höhle, voller Männer. Sie tragen dunkle Anzüge mit Krawatten, einige eine Melone oder einen Regenschirm, und sie scheinen geradewegs aus einem Gemälde von Magritte entlaufen zu sein. Ihre Gesichter sehe ich nicht, denn ich liege unter einem grellen Lichtbündel, nackt, breitbeinig, auf einem Podium. Eine Zunge ist da, langsam kriecht sie an der Innenseite meines Schenkels hoch. Das Gesicht, das von meinen Knien eingerahmt wird, ist jedesmal ein anderes. Manchmal ist es Cas, dann wieder ein Mann, den ich mittags in einem Straßencafé gesehen habe. Es kann sein, daß es eine Frau ist, die sich über mich beugt, oder der Wolf, der vor zwanzig Jahren mit seiner kühlen Schnauze an meiner Kniekehle entlangstrich.

Eine Zunge jagt mich durch den brennenden Reifen, aber nie sofort, das will das Publikum nicht, dafür haben sie nicht bezahlt. Die Kunst ist es, nicht gleich zu springen, sondern sich so lange wie möglich zurückzuhalten, auch wenn das Feuer noch so nahe ist. Ich bin eine Zirkusnummer.

Ich entschloß mich, das Gestrüpp wegzuziehen und Cas mitzunehmen. Was hatte ich zu fürchten? Ich ging voran, es lag an mir zu sagen: bis hierher und nicht weiter.

»Möchtest du, daß ich es dir erzähle?«
»Gut. Gerne sogar. Zumindest wenn du es erzählen willst.«
»Wollen... wollen. Ich dachte, vielleicht ist es besser?«

Er lehnte sich mit dem Rücken an die Heizung und blickte mich erwartungsvoll an. Ich stand vor dem anderen Heizkörper. Ich holte tief Luft, gab mir einen Ruck und legte los. Während ich redete, bewegte ich mich im Zickzack durch das Zimmer. Von der Heizung lief ich zum Klavier, schlug eine Taste an, ehe ich zum Bücherschrank weiterschoß. Der warf mich wieder auf die Lehne eines Sessels gegenüber. Ein unbemanntes Kanu in einer Stromschnelle.
Erst als ich ausgeredet hatte, wagte ich es, ihn anzusehen. Ich ging an meinen alten Platz zurück, ihm genau gegenüber, und versuchte von seinem Gesicht abzulesen, was in ihm vorging. Er schaute starr vor sich hin. So starr ungefähr, stellte ich mir vor, wie ich, wenn ich vermutete, daß er sich bei seiner Plastiktüte aufhielt. Was versuchte er gerade zu bezwingen?
Ich fragte, ob er schockiert sei. Er reagierte verwundert: »Schockiert, nein.« Ich fragte ihn, ob er eifersüchtig auf Dinge sei, die mich, abgesehen von ihm, erregten. Wieder schüttelte er den Kopf, um fast gleichzeitig zu bekennen, daß das vielleicht in gewissem Maße doch der Fall sei.
Wir schwiegen. War es wirklich so eine gute Idee gewesen, fragte ich mich. Vielleicht erleichterte mich mein Geständnis, aber was hatte ich davon, wenn er davon trübsinnig wurde.
Damals, als er auf meinem Bettrand saß, hatte ich als erste die Stille durchbrochen, indem ich mit den Limonadenbildern aus meiner Kindheit anfing. Jetzt tat er es. Er legte meine Phantasie neben seine Pornographie und verglich sie. Ich erkannte den Mechanismus. Ich sollte vor allem nicht den Eindruck gewinnen, er verstünde mich nicht.
»Komisch«, sagte er, »diese Übereinstimmungen. Die An-

onymität des Publikums zum Beispiel, das dich beobachtet, und die Anonymität der Frau, die mich erregt.«

Ich nickte abwesend. Was bezwang er? Einen Weinkrampf? Panik? Fühlte er sich ausgeschlossen, genau wie ich damals? Oder ließen meine Hirngespinste ihn völlig unberührt?

»Wollen wir ins Bett gehen?« schlug er plötzlich vor, während er sich bereits von der Heizung löste.

»Jetzt?«

»Ja, warum nicht?«

»Weil... wir vielleicht noch ein bißchen weiterreden könnten. Oder hat sich das Thema schon erledigt? Ich meine, es hat mich Mühe gekostet, um... Und dann willst du, auf der Stelle. Heute abend, oder morgen früh, ja? Aber nicht jetzt.«

Kurz darauf hörte ich die Tür zu seinem Arbeitszimmer zuschlagen. Ich ließ mich auf die Fersen sinken, drückte die Schulterblätter gegen die Heizung und schloß die Augen.

Wäre es nur so: Ich die einzige Frau in all seinen Heften. Und er alle Männer im Saal und gleichzeitig der Mann auf dem Podium, der von meinen Knien eingerahmt wird.

Manchmal denke ich, daß ich mich nie an das Bild zweier Plastiktüten gewöhnen werde, wie jede an ihrem eigenen Heizungsknopf baumelt.

Kleine Kugeln

An einem heißen Mittag im Spätsommer ging Joshua durch New York, wenn er sich nicht irrte, durch Chelsea oder Greenwich Village, in der Nähe des Hudson. Obwohl er als Fahrradkurier ganz Manhattan kannte, von der Columbia-Universität bis zum Battery Park, wußte er nicht, wo er war. Morgens schon hatte er Adressen, die er sonst im Schlaf fand, erst nach langem Nachdenken und Suchen finden können. Während seines Lunchs sah er durch die Scheiben des Ham-burger-Restaurants, wie jemand mit einer langen, in Zei-tungspapier gewickelten Stange ein Bügelschloß aufbrach und sich daraufhin mit dem Fahrrad davonmachte. Erst als der ungeduldige Piepton seiner Alarmanlage erklang, wurde ihm klar, daß es sich bei dem vor seinen Augen gestohlenen Fahrrad um sein eigenes handelte, so daß er nicht weiter-arbeiten und auch die Umschläge, die er noch bei sich hatte, nicht mehr abliefern konnte. Wieder auf der Straße, auf der Suche nach einem Telefon, bemerkte er, daß er die Tasche mit der Alarmanlage und den Umschlägen im Restaurant vergessen hatte und sich auch nicht mehr an die Telefonnum-mer vom Büro erinnern konnte, obwohl er sie wochenlang bestimmt zwanzigmal am Tag gewählt hatte. Er ging nicht zurück, um die Tasche zu holen. Erleichtert, endlich eine gute Entschuldigung zu haben, den ganzen Kram zumindest fürs erste hinschmeißen zu können, ging er weiter.
Während seiner Arbeit nahm ihn mehr als die Adressen und Umschläge seine eigene Erscheinung in Anspruch, der er, wo er auch ging, dauernd begegnete. Wenn er in voller Fahrt eine Avenue entlangfuhr, mußte er aufpassen, um nicht, ab-gelenkt durch spiegelnde Schaufenster und Autoscheiben, im chaotischen Verkehr tödlich zu verunglücken. Wenn er sich,

bevor er ein Gebäude betrat, über sein Fahrrad beugte und es abschloß, sah er aus den Augenwinkeln in den Schaufenstern, wie sein T-Shirt hinaufrutschte und seinen Bauch bis zum Nabel freigab. Wenn er schließlich in ein Gebäude hineingegangen war, verfolgte er sich in den Spiegeln an den Wänden von Foyers, Aufzügen und Empfangsräumen. Er war gerade zwanzig geworden, und sein schmächtiger, aber gutgebauter Körper, den er in der Sommerhitze nur mit Jeans und einem Netzshirt bekleidete oder halbnackt ließ, erschien ihm schöner denn je. Am meisten mochte er seinen Oberkörper. Oft zog er draußen sein Shirt aus und radelte halbnackt herum. Das tat er nicht etwa, um die Sonne auf dem Rücken zu fühlen. Er genoß die Vorstellung, daß es unter den Hunderttausenden Jungen und Männern, die genau wie er in der Stadt ihrer Arbeit nachgingen, allerdings im Maßanzug oder im Overall, viele geben müßte, die bei seinem Anblick einen Moment lang von der gleichen seltsamen Mischung aus Verlangen und Melancholie befallen wurden wie er selbst. Dieses Gefühl trieb ihn an, etwas zu tun, er wußte nur nicht recht, was. Was er am liebsten wollte, was er sich in seiner Phantasie ausmalte, konnte man einfach nicht tun. Er hoffte, einmal einen Umschlag bei jemandem zu Hause abliefern zu müssen, der ihn zu einer Tasse Kaffee hereinbitten und, nachdem er die Tür geschlossen hatte, mit der Absicht verführen würde, ihn, sobald er nackt auf dem Bett läge, festzubinden und ihm ein Messer in den Bauch zu stechen. Er hatte nur Angst, daß getötet werden in Wirklichkeit, schon des Schmerzes wegen, längst nicht so schön wäre, wie er es sich vorstellte, und außerdem wollte er nicht sterben. Sollte er jemals, so wie er es einmal in einem Kinderbuch gelesen hatte, einem alten Weiblein begegnen, das ihm einen freien Wunsch gewährte, dann würde er sich wünschen, tausend Tode sterben zu können. Auf diese Weise wäre es ihm möglich, den Tod, so wie den Liebesakt, jedesmal aufs neue zu genießen.

Als er an der Straßenecke angelangt war, sah er aus der Seitenstraße, die nach einigen hundert Metern in einer Sackgasse am Hudson endete, Rockston, den Fotografen, auf sich zukommen. Unter dem Arm trug er seine altmodische Kastenkamera, bei der die langen Beine des Stativs zusammengeklappt waren. Er war in Begleitung eines Mädchens, das gebückt unter dem Gewicht eines riesigen Seesacks ging. Joshua spürte den Impuls, in einen Hauseingang wegzutauchen, bevor Rock ihn sehen konnte. Bei ihrer ersten Begegnung vor einigen Monaten hatte Rock ihn lange mit durchdringendem, überraschtem Blick angeschaut und dann gefragt:

»Bist du ein Engel?«

Danach war er ein paarmal bei Rock zu Hause in dessen halbdunklem, sparsam eingerichtetem Upper Westside-Appartement gewesen. Rock war außerordentlich schweigsam. Stundenlang konnte der Mann dasitzen und, ohne ein Wort zu sagen, vor sich hinstarren, und wenn Joshua versuchte, ein Gespräch in Gang zu bringen, hörte er nicht zu, sondern stand statt dessen auf, um ziellos durchs Zimmer zu laufen. Manchmal verschwand er in der Küche und kam erst eine halbe Stunde später wieder zum Vorschein, ohne ein Wort der Erklärung. Dann wieder sah er Joshua durchdringend an und stellte Fragen, die ihn, wie bei ihrer ersten Begegnung, mehr verwirrten als sein Schweigen.

»Wie lange weißt du es schon?«

»Weiß ich was schon?«

»Stell dich nicht dümmer als du bist. Wußtest du es gleich sofort, oder bist du erst später dahintergekommen?«

»Keine Ahnung.«

Einige Zeit lang hörte man in der Stille nur Rocks Ein- und Ausatmen. Es war fast, als stellte er die Fragen, an Joshua vorbei, laut an sich selbst, um sie dann, in Gedanken versunken, auch selbst zu beantworten.

»Sofort. Das fühle ich. Und versuch mir nicht weiszumachen, daß du es selber nicht weißt, du mit deinem Engelsgesicht.«

Joshua merkte, daß Rock ihn begehrte, aber er war nie ernsthaft auf den Gedanken gekommen, darauf einzugehen, denn obwohl Rock als junger Mann sehr hübsch gewesen sein mußte, hatte er die Fünfunddreißig sichtlich überschritten. Die Jugend war aus seinen Zügen gewichen, das blonde Haar war so ausgedünnt, daß sich der Schädel darunter abzeichnete, und sein Körper, wenngleich noch geschmeidig, war mit den Jahren schwer geworden. Immer wieder hatte Joshua sich vorgenommen, sich nicht mehr mit dem Mann abzugeben, und doch war er es jedesmal gewesen, und nicht Rock, der den Kontakt immer wieder aufgenommen hatte. Rock ließ mit seinem Schweigen, seinen Fragen und vor allem mit seinen Blicken das Verlangen in ihm aufkommen, sich auszuziehen und seinen Körper diesen Blicken preiszugeben. Nur von diesem Verlangen getrieben, war er jedesmal zurückgekehrt, und obwohl er kaum wagte, es sich einzugestehen, war er enttäuscht, daß Rock noch nie von ihm verlangt hatte, nackt oder, lieber noch, halbnackt für ihn Modell zu stehen. Vielleicht verspürte er deshalb das Bedürfnis, in einen Hauseingang wegzutauchen, aber er war nicht imstande, sich zu rühren, und blieb stehen, bis Rock ihn gesehen hatte.

»Hallo«, grüßte er, als Rock bei ihm stand.

Da Rock nicht reagierte und auch sonst durch nichts zu erkennen gab, sich an ihn zu erinnern, fing er an zu erzählen, was ihm an diesem Tag so alles passiert war.

»Es war um elf oder so, glaube ich«, stammelte er, »nee, warte mal, halb zwölf, als äh . . .«

Rock beugte sich zu ihm und legte ihm die Hand auf die Schulter.

»Wer bist du eigentlich?« fragte der Mann mit einer Stimme, die tiefer klang als sonst.

»Ich ähm . . .«

»Also, wer bist du?«

Joshua geriet so in Verwirrung, daß er sich zusammennehmen mußte, nicht doch wegzulaufen. Das Mädchen hatte sich mit übereinandergeschlagenen Beinen auf den Seesack gesetzt und starrte, während sie gelangweilt an ihren Nägeln kaute, an ihm vorbei. Hilflos zuckte er mit den Achseln.

»Du bist übrigens zu spät«, fuhr Rock fort.

»Zu spät?«

»Du hättest vor einer Stunde hier sein sollen.«

»Aber ich...«

Wenn er tatsächlich eine Verabredung mit Rock gehabt hätte, was ihm, zumindest für diese Tageszeit, sehr unwahrscheinlich vorkam, hatte er sie wirklich vergessen. Wie ein aufs Trockene geworfener Fisch schnappte er, Mund und Nase weit aufgerissen, nach Luft.

»Entschuldige«, flüsterte er nahezu unverständlich. Von einem Moment zum anderen entspannte sich Rocks Gesicht, und sein Mund verzog sich zu einem Lächeln.

»Macht nichts«, sagte er wieder mit der gewohnten Stimme, während er seine Hand zurückzog. »Außerdem, vielleicht habe ich auch vergessen, dir Bescheid zu sagen, und du kannst gar nichts dafür. Darf ich dich fotografieren?«

Es kam Joshua vor, als hätte er einen Stoß vor die Brust versetzt bekommen, so groß war der Schock, der ihn bei diesen Worten durchfuhr. Er antwortete, ohne darüber nachzudenken.

»Natürlich.«

»Nur würde ich dich gerne nackt fotografieren, das heißt ohne T-Shirt.«

»Ja, toll.«

»Und mit Kugeln im Leib.«

»Oh.«

»Wenn du nicht willst, machen wir es nicht«, erklärte Rock nun in ruhigem Ton, so wie ein Arzt seinem Patienten zuspricht, bevor er ihm eine Spritze gibt. »Es ist nicht wirklich gefährlich. Es sind kleine Kugeln, wie von einem Luftgewehr. Du spürst fast nichts, und ich garantiere dir, daß es wunderschön wird.«

Joshua nickte nachdenklich. Als kleiner Junge hatte er sich stundenlang Bilder in Comics angeschaut, auf denen Indianer oder Cowboys aus einem Hinterhalt erschossen wurden. Er hatte es genossen beim Cowboy spielen, am liebsten als Indianer mit freiem Oberkörper oder lieber noch als Cowboy, der sein Hemd ausgezogen hatte, um sich in einem Flußlauf zu waschen, selbst niedergeschossen zu werden und auf dem Boden liegend bis hundert zu zählen. Ein Foto, auf dem er nicht nur halbnackt, sondern auch durch Kugeln getroffen, abgebildet war, könnte also tatsächlich wunderschön werden. Nun aber konnte es doch nie und nimmer gut sein, Kugeln in den Leib zu bekommen, auch wenn es nur kleine waren. Rock schien es für die normalste Sache der Welt zu halten.

»Tut es wirklich nicht weh?«

»Ein bißchen vielleicht, aber nicht sehr. Und außerdem, war Jesus nicht auch am schönsten, als sie ihn ans Kreuz geschlagen hatten?«

»Und Sebastian«, mischte sich das Mädchen zum sichtlichen Ärgernis Rocks jetzt ein. Mit einem strahlenden Lachen auf dem Gesicht hatte sie sich zu ihnen gestellt.

Das, dachte Joshua, tut sie nicht von sich aus. Da sie den riesigen Seesack offensichtlich ohne Protest mitschleppte, nahm er an, daß es das Mädchen war, von dem Rock einmal als seiner ›Sklavin‹ gesprochen hatte. Sie sah hübsch aus, mit ihrem langen, blonden Haar und der auffallend hellen, mit kleinen Schweißperlen bedeckten Haut. Auch sie fand anscheinend nichts Eigenartiges an dem Vorschlag.

»Ich werde Geige spielen«, versprach sie.

Er seufzte. Selten war er sich einer Sache sicher genug, um überzeugt nein sagen zu können. Fehlte es ihm an Überzeugung, dann brachte er das Nein nicht über die Lippen, so daß er meistens vom Lauf der Dinge, den er hinterher mit zahllosen Argumenten rechtfertigte, mitgezogen wurde.

»Sag einfach, wie du es haben willst«, sagte er.

Ein flüchtiges Lächeln überflog Rocks Gesicht, und einen Augenblick funkelten seine Augen. Dann bekam sein Gesicht wieder einen neutralen Ausdruck.

»Laß uns erst einmal ans Wasser gehen«, schlug er vor. »Ich denke, da ist ein passenderer Platz.«

Er nahm seine Kamera unter den Arm, das Mädchen hievte den Seesack auf den Rücken, und schweigend gingen die drei die paar hundert Meter zum Hudson. Als sie den, trotz der nahenden Hauptverkehrszeit, auffallend stillen Westside Highway überquerten, ging das Mädchen neben Joshua her. Ihr Gesicht war ganz naß von Schweiß, aber das schien ihr nichts auszumachen.

»Spannend, was«, vermochte sie zwischen ihren keuchenden Atemstößen hervorzubringen. »Es wird bestimmt sehr schön, Rock ist fantastisch, einfach großartig. Er hat viel von dir erzählt. Er mag dich sehr.«

»Oh.« Sie wollte noch mehr sagen, aber ein strenger Blick Rocks brachte sie zum Schweigen.

So eng es in den Straßen war, so kühl und offen war es zum Wasser hin, besonders als sie den Westside Highway hinter sich gelassen hatten und einen Pier hinaufgingen. Es mußte gegen fünf sein, denn die Sonne warf, während sie bereits auf die Skyline von New Jersey niedersank, eine flackernde Lichtbahn auf die Dünung und versetzte die Bauten von Manhattan, die sich wie ein Bergmassiv entlang dem Wasser ausstreckten, in eine zerbrechliche, zartgelbe Glut. In der Mitte des Piers, auf dem sich eine große Gruppe Menschen rund um ein Podium versammelt hatte, blieb Rock stehen. Er sah einen Augenblick um sich und fing dann an, offenbar zufrieden mit der Stelle, seine Kamera aufzustellen. Seine Begleiterin ließ den Seesack auf den Boden fallen und holte eine Anzahl ausklappbarer Reflexionsschirme zum Vorschein. Einen Moment lang fürchtete Joshua, daß das Podium für sie bestimmt war, aber das Mädchen stellte die Schirme in einigen Metern Entfernung von der Menschengruppe auf. Rock war unter das schwarze Tuch getaucht, um die Lage durch die Linse zu betrachten. Wenig später kam er auf Joshua zu, der ein bißchen verloren dastand, in der vergeblichen Hoffnung, etwas behilflich sein zu können.

»So, zieh jetzt dein T-Shirt aus.«

Es klang sachlich, aber der etwas gespannte Unterton entging Joshua nicht. Er zog sein Shirt langsam über den Kopf und ließ es auf den Boden fallen.

Rock reichte ihm eine Flasche Babyöl.

»Gut einreiben, aber nicht zu dick«, befahl der Mann. »Davon bekommst du eine bessere *Definition*«.

Joshua öffnete die Flasche, gab einen Schuß Öl in seine Hand und fing an, sich einzureiben. Kalt und glitschig auf der Haut, verschaffte ihm die Flüssigkeit etwas Sinnliches. Als sein ganzer Oberkörper im Sonnenlicht glänzte, wandte er sich wieder zu Rock, der sich zu seiner Enttäuschung kein einziges Mal nach ihm umgedreht, sondern ein Gewehr zum Vorschein geholt hatte und nun damit beschäftigt war, es schußbereit zu machen.

»Ist es gut so?«

»Guck selber mal.«

Das Mädchen hatte sich mit einem großen Spiegel in den Armen neben ihn gestellt. Er wußte nicht, was er sah. Er stand Auge in Auge mit dem schönsten Jungen, den er je in seinem Leben gesehen hatte. Der Ölfilm auf seiner Haut hatte die Konturen – oder *Definition*, wie es der Fotograf nannte – seiner Körperformen bis ins kleinste Detail überraschend scharf herauskommen lassen. Er konnte sich auf einmal nicht vorstellen, daß dieser Körper in einigen Jahren alt sein würde, so wie der von Rock. Jetzt war sein Körper auf dem Höhepunkt, jetzt müßte er etwas mit ihm machen, aber um alles in der Welt: was? Nichts schien ihm in diesem Augenblick imstande, diese Schönheit zu ihrem Recht kommen zu lassen.

»Fertig?«

»Äh ja, ich glaube schon.«

Der Fotograf nickte, während er mit dem Gewehr in der Hand Joshuas Körper betrachtete. Die kleinen Muskeln seines Kiefers waren wie beim Kauen ununterbrochen in Bewegung.

»Nicht schlecht, dein Körper«, murmelte er. »Ich muß sagen, daß du meine Erwartungen in jeder Hinsicht übertriffst. Spann mal deine Bauchmuskeln an.«

Joshua tat, was von ihm verlangt wurde, aber obwohl es ihn vor dem Spiegel nie die geringste Mühe gekostet hatte, konnte er seine Bauchmuskeln jetzt nur schwer unter Kontrolle bekommen; einmal konnte er die Luft nicht lange genug anhalten, dann wieder holte er so tief Atem, daß sich sein ganzer Oberkörper aufblähte und ein Anspannen der Muskeln unmöglich machte.

Rock runzelte bedenklich die Stirn und knuffte ihm dann kurz, aber boshaft in den Bauch.

»Nicht rausdrücken«, ermahnte ihn der Mann noch immer in Befehlston. »Einziehen. Du mußt ganz ausatmen und dann die Muskeln anspannen, das ist das Geheimnis.«

Joshua befolgte die Anweisungen, und tatsächlich zeichneten sich die Muskeln am Bauch, der unter den Brustkorb zurückwich, nun deutlich ab. Rock stand noch einen Augenblick in Gedanken versunken da, dann wandte er sich mit einer schroffen Bewegung ab und ging auf die Kamera zu. Das Mädchen hatte den Spiegel weggestellt und eine Geige zum Vorschein geholt. Mehrere Leute aus der Gruppe um das Podium waren neugierig näher gekommen.

»Wenn ich ja sage«, rief Rock, »kommt du von dort, wo du jetzt stehst, auf mich zugelaufen, lässig, aber mit Flair, und denk an deine Bauchmuskeln.«

Er untersuchte noch kurz das Gewehr und legte dann, indem er sich mit einem Ellenbogen auf die Kamera lehnte, auf Joshua an. Das Mädchen entlockte der Geige klägliche und sicherlich falsche Töne. Joshua mußte vor dem Sonnenlicht, das von den Schirmen reflektiert wurde und ihm genau ins Gesicht schien, die Augen ein wenig zukneifen. Sein Herz begann unerwartet heftig zu schlagen, als säße er in einem Flugzeug, das am Anfang der Startbahn steht und jeden Moment losschießen könnte.

»Ja!«

Als er losging, war es, als würde sein ganzer Körper im Rhythmus seines Herzschlages geschüttelt. Er entspannte die Schultern, um die Arme locker mit den Schritten mitschwingen zu lassen, was nicht einfach war, da er gleichzeitig bei angehaltenem Atem die Bauchmuskeln anspannen mußte.

»Nun schieß schon«, flehte er im stillen, bei jedem Schritt mehr in Atemnot und Angst, gerade im entscheidenden Moment die Lungen wieder voll Luft zu saugen. Ein Schweißtropfen löste sich aus seiner Achsel und rann ihm kalt an der Seite entlang zur Hüfte.

Dann schoß Rock. Er kniff ein Auge zu, um besser zielen zu können, und schoß dreimal. Rauch wölkte auf, wie in einem Cowboyfilm. Zwei Kugeln trafen Joshua in die Brust, eine an jeder Seite, kurz über den Brustwarzen, die dritte drang schräg über dem Nabel in seinen Bauch. Sie trafen ihn so heftig, daß er in seinem Gang gebremst wurde, aber es tat wirklich nicht sehr weh. Er verzog das Gesicht kaum mehr, als wenn er vom Arzt eine Spritze bekommen hätte, und während er tief Atem holte, hatte er für einen Augenblick das Gefühl, als würde er vom Erdboden, über die Stadt hinaus, hoch in den blauen Himmel hochgehoben. Dann stand er still, wieder mit beiden Beinen auf dem Boden.

Die Klänge der Geige gingen unter im Applaus, der von allen Seiten ertönte.

Rock ließ das Gewehr sinken.

»So«, sagte er. »Das wäre erledigt. Du kannst dein T-Shirt wieder anziehen.«

Ohne noch weiter auf Joshua zu achten, machte er sich daran, das Gewehr wegzupacken. Die Geige war verstummt, und die Umstehenden kehrten wieder zu ihren Plätzen um das Podium zurück.

Joshua besah sich kurz die drei fast unsichtbaren kleinen Löcher in seinem Fleisch, hob dann enttäuscht, daß alles schon wieder vorbei war, das T-Shirt auf und zog es an. Bei jeder Bewegung, die er machte, besonders wenn er den Oberkörper drehte oder sich vornüberbeugte, fühlte er die kleinen

Kugeln, was ihn, obwohl es kein starker Schmerz war, doch beängstigte. Es war ein bohrendes Gefühl, als hätte er sich einen kleinen Muskel im Rücken verzerrt, nur saß das Zentrum des Schmerzes tief im Bauch und in den Lungen. Er wagte sich aus Angst, daß innerlich etwas aufreißen und bluten könnte, kaum zu bewegen. Er dachte darüber nach, vielleicht doch ins Krankenhaus zu müssen, aber Rock ließ sich keinerlei Besorgnis anmerken. Das Mädchen und er hatten ihre Sachen zusammengepackt. Sie lachte noch, wenn auch nicht mehr so strahlend wie zuvor.

»Also«, sagte Rock. »Bis dann.«

»Muß ich nicht zum Arzt?« fragte Joshua vorsichtig, in der Hoffnung, eine beruhigende Antwort von dem Fotografen zu bekommen. »Ich fühle mich ein bißchen komisch.«

Rock zuckte mit den Achseln.

»Das kann ich mir vorstellen. Du hast schließlich drei Kugeln im Leib.«

Es klang trocken, aber Joshua meinte in seinen Worten einen geringschätzenden, etwas triumphierenden Ton wahrzunehmen.

»Aber du hast gesagt, daß es...«

»Komm schon, du bist doch nicht dumm, du warst selber damit einverstanden.«

Dagegen konnte Joshua nichts einwenden. Natürlich hatte er gewußt, daß es gefährlich war, aber der Schmerz, der es ihn auch fühlen ließ, überzeugte ihn erst richtig davon. Er hatte drei Kugeln im Leib! Drei! Tief in seinem Körper! Ihm war auf einmal zum Heulen zumute! Hätte er bloß nein gesagt, ganz einfach nein, dann wäre jetzt nichts gewesen!

»Woher...«, stammelte er, »woher wußtest du es?«

Rock lächelte.

»Es steht in großen Buchstaben auf deiner Stirn geschrieben«, erklärte er, indem er Joshua mit dem Zeigefinger an die Stirn tippte. »Abgesehen davon, hast du es selber auch gewußt.«

»Aber...«

»Na, na, spiel hier nicht den Dummen. Du bist schließlich hinter mir hergekommen, nicht ich hinter dir.«

Er schüttelte den Kopf.

»Ihr Bengel wißt nicht, was ihr wollt.«

Joshua wollte weiterfragen, doch weil er immer noch nicht richtig begriff, wovon Rock sprach, oder weil er gut wußte, daß Fragen überflüssig waren, schwieg er und ließ den Kopf hängen. Er wollte sich Rock zu Füßen werfen, aber da er nicht imstande war, sich zu rühren, blickte er weiter auf seine Schuhe und hörte, wie die Schritte von Rock und dem Mädchen sich immer weiter entfernten.

Nach einiger Zeit sah er auf. Seinem Gefühl nach war kaum eine Minute vergangen, aber es mußte viel länger gewesen sein, denn von Rock war nirgends mehr eine Spur zu sehen, nicht einmal in der Ferne beim Westside Highway. Auch die Menschengruppe rund um das Podium war verschwunden. Die Dämmerung hatte einen tiefen Glanz in das Abendblau gebracht, doch der Glanz des Öls auf seiner Haut war stumpf geworden. Mit unsicheren Schritten ging er los, immer noch voller Angst, sich zuviel zu bewegen. Durch den Schmerz, der bei jedem Schritt zunahm, hatte er das Gefühl, als wäre er mit langen Nägeln an eine Mauer genagelt.

Temporis acti

Jan behauptet, daß ich gern der Herr im Haus sein will und daß das zweifellos der Grund meiner Freundschaft mit Elsa ist. Er qualifiziert Elsa als: »Dreißig Jahre Denkfaulheit.« Derartiges sagt er am liebsten dann, wenn er die Nachttischlampe ausknipst, damit ich in der langen, schlaflosen Nacht über das Wie und Warum meiner Taten nachdenken kann.

Das Schlafzimmer grenzt an den Garten, der wiederum in unendlich viele andere Gärten übergeht, und darum ist die Nacht bei uns dunkel und voller Geraschel. Das Gefühl, der Zeit unterworfen zu sein, die im Dunkeln beinahe gerinnt, wird durch das ruhige Atmen des neben mir liegenden Jan noch verstärkt. Ich habe keine Wahl: Ich kann nicht schlafen und denke an unsere erste Begegnung, an meine Geburt, denke daran, wie Frau Gelijnsen auf dem Balkon der Nachbarn singt, wie Elsa in die Sonne hineinschaut, denke an den Monat, in dem ich Geburtstag habe, an meine Tennisschuhe.

Jan hat eine Stelle im chemischen Labor der Universität. Man muß schon ziemlich tief in der Hierarchie der Alma mater sinken, bis man mich in der Bibliothek eines anderen Instituts antrifft. Dort bin ich angestellt, um einen Teil vom Chaos der Welt in Karteikästen zu bezwingen. Dabei ist mein wichtigstes Hilfsmittel das Alphabet. Und da meine Arbeit nicht so geartet ist, daß ich mir mein Gehalt in rastloser Tätigkeit verdienen muß, habe ich genügend Zeit, mich über die Einfachheit und Kraft dieser Erfindung zu verwundern. Die stillen Schatten der Studenten in der Bibliothek stören mich kaum bei meinen Grübeleien.

Elsa van Hamelen wird wohl schon öfters an meinem Karteikasten vorbeigegangen sein, bevor ich sie bemerkte. Vielleicht hätte sie nach einiger Zeit die Bibliothek verlassen und wäre nie mehr zurückgekommen, während ich sie keines Blickes gewürdigt hätte. Aber der Zufall einer zuschlagenden Tür hat im Bruchteil einer Sekunde unsere verschiedenen Gedankengänge gestört, hat uns die Köpfe heben und in die Bibliothek schauen lassen, während die Sonne gerade beschloß, in Elsas Augen zu fallen. Ich beschäftigte mich gerade mit der Karte von einem Buch des Argentiniers Jorge Luis Borges, das den Titel »El aleph« hat, und denke nach, ob ich weiß, was das bedeutet, als ich aufblicke und Elsas Augen begegne. Ihren Namen weiß ich noch nicht, aber bei der Suche in der Kartei finde ich ihn, mit einem Paßfoto, dem sie nicht gleicht.

Auf jeden Fall versetzen mich ihre sehr hellen Augen, in die gerade die Sonne fällt, gleich dreizehn Jahre zurück. Damals war ich zum ersten Mal schrecklich verliebt, und zwar in eine Frau, und diese Frau war Turnlehrerin im Lyzeum »Heilige Jungfrau Maria«, und da hatte mich das Schicksal in die 1. Klasse gesetzt. Jetzt kommt es mir vor, als hätte die 1. Klasse aus nur einer Jahreszeit, dem Sommer, bestanden, der den Herbst und den Winter überdauert hat. Aber vielleicht ist der Sommer immer die Jahreszeit der ersten Verliebtheit.

Alles war grün, die Wiesen waren saftig, und werktags fuhren schwere Schiffe langsam auf dem Fluß, während wir mit dem Rad auf dem schmalen Weg den Fluß entlang zum Sportplatz fuhren. Die Erregung dieses Weges, der weiß-mit-grün angestrichenen Hecke, durch die wir uns ohne abzusteigen schlängelten, erreichte ihren Höhepunkt, als ich mein Vorderrad in den Fahrradständer klemmte und noch nicht zu dem Fenster schauen wollte, hinter dem sie in einem ihrer zahllosen Büchlein mit Zensuren zauberte. Ich erinnere mich an alles ganz genau: ihre schmale Hand mit dem Ehering von einem mir unbekannten Mann; das blonde Haar, das sie ruhig hinters Ohr strich, wenn es ihr lästig wurde; der

Arm, der uns das Speerwerfen lehrte, der Arm, der den Speer ausrichtete und ihn losließ, so daß er einen Bogen in der blauen Luft beschrieb, der meine undefinierten Sehnsüchte mitnahm, um mit bebendem Schaft im Gras zum Stillstand zu kommen. Dann schaute sie uns mit ihren sehr hellen Augen an und verwirrte mich so, daß ich die letzte war, die sich in dem Knäuel greifender Arme eines Speers bemächtigen konnte. Aber ich warf meinen Speer großartig in die Luft und fühlte das Singen des Schaftes auch in meinem Magen und sagte mir wieder, daß ich sie liebte, daß ich mit meinem Speer das Ende der Welt erreichen würde, wenn sie das von mir verlangte, daß ich sie nie vergessen wollte, nein, daß ich das nicht konnte, daß das unmöglich war.

Übrigens wiesen die Schuljahre auf dem Lyzeum eine merkwürdige Kadenz auf: eine heilige Messe im September und ein Sportfest am Ende des Schuljahres. So büßte ich, kniend hinter dem Objekt meiner Liebe, schon im voraus für die Sünden, die ich in Gedanken im kommenden Jahr begehen würde, denn ich liebte eine Frau, die nicht Maria hieß. Im Juli nahm ich unter dem Geschmetter der Lautsprecher über dem Sportplatz Abschied von den Pappeln, den Hecken, den Umkleideräumen und der stetigen Anwesenheit ihres blonden Kopfes in der Sonne. Zwischen diesen zwei Polen saß ich in heißen Klassenzimmern über Plato und Augustinus gebeugt. Ich wurde hin und her gerissen zwischen der Angst, von der Schule zu fliegen, wenn jemand hinter meine Liebe kommen würde, und der Verachtung eines Systems, das das Singen von Marienliedern in feuchten dunklen Kirchen über die Muskelkraft der irdischen Liebe stellte.

Plato und Augustinus: am letzten Sporttag nach dem Abschlußexamen legte ich zum ersten und letzten Mal meine Hand auf ihre Schulter und fragte sie, wo die Schlagbälle aufbewahrt werden mußten. Aber auf dem Nachhauseweg, den warmen Fluß entlang, entschied ich mich für Augustinus, der im 10. Buch seiner »Bekenntnisse« über die Gefilde und weiten Hallen seines Gedächtnisses schreibt, wo sich die Schatzkammern mit den unzählbaren Bildern befinden, die seine Sinne dort zusammengetragen haben, außer den Dingen, die man vergessen hat. Ich würde sie nicht vergessen. Ich würde alles aufbewahren.

Eigentlich wollte ich über die Zeit schreiben. Jan, der sich in all den Jahren, die ich ihn kenne, sehr gute Noten im Rechthaben holte, Jan behauptet, daß die Zeit nur eine Erfindung von uns Menschen ist, um die ungeheure Verwirrung des Chaos zu ordnen. Daß es genausogut möglich ist, daß alles im selben Moment geschieht, daß aber die einzige Möglichkeit, etwas begreifen zu können, unsere Konstruktion der Zeit ist, das Nacheinandergeschehen der Dinge. Zeit ist Interpretation, sagt Jan, und wenn ich gewandt mit einem »aber« komme, murmelt er etwas von Schopenhauer, der, soviel ich weiß, auch etwas über Frauen geschrieben hat. Ich will nicht böse werden und rufe, daß ich einkaufen gehe.

Zeit ist also Interpretation. Wenn man das schon denken kann, besteht eine Möglichkeit, daß es wahr ist. Das gebe ich zu. Aber kann ich zeitfrei denken? Das ist eine Frage, die mich lange beschäftigt.

Ich probiere, die Zeit beiseite zu schieben, in den Stunden, da ich in der Bibliothek arbeite. Darum bin ich noch immer bei der Titelbeschreibung des Buches »El aleph« von dem Argentinier Jorge Luis Borges.

Elsa van Hamelen hat die gleichen sehr hellen Augen wie meine erste Liebe, deren Erinnerung ich tief in meinem Gedächtnis bewahrt habe. Aber ich fürchte, daß ich sie doch allmählich vergessen werde. Zwei dicke Bände der »Enzyklopädie der Weltliteratur« liegen auf Elsas Tisch. Ihr Ellbogen ruht auf dem ersten Band, so daß ich zu ihr gehen muß, um sie zu fragen, ob ich mal in den ersten Band hineinschauen darf, um Informationen über »El aleph« zu finden. Alles ist ein Wunder, vor allem die Dinge, deren Bedeutung verborgen bleibt. Über den »aleph« ist nichts zu finden, und

Jan ist nicht da, um mir zu sagen, daß ich, wenn ich dahinterkommen will, am besten die Erzählung des Argentiniers lesen kann. Der aleph schwebt durch meinen Kopf und bekommt die Bedeutung von endloser Zeit, was dasselbe ist wie Zeitlosigkeit, und doch denke ich noch an damals und heute und alle Windungen dazwischen und an noch mehr Gegensätze und Scheingegensätze.

Elsa van Hamelen lächelt, als ich ihr den Band zurückbringe und einen schüchternen Anfang mit der mühsamen Eroberung von Freundschaft mache.

Meine Freundschaft mit Elsa dauert schon anderthalb Jahre, und manchmal, wenn ich sie in der Stadt sehe, ohne daß sie mich sieht, mag ich sie sehr gern. Sie besucht mich und Jan einmal in zwei, drei Wochen und erzählt mir dann die neuesten Entwicklungen in ihrer Beziehung zu Leo, von der weder Jan noch ich etwas verstehen. Ihr Leben ist eine wirre Aneinanderreihung von simplen Problemen, mit dem Unterschied zwischen dem, was Leute zu ihr gesagt haben und was sie damit gemeint haben. Sie hat keine Ahnung, wie ich meine Aufmerksamkeit ihr gegenüber meine, aber sie mißtraut mir, aus ihr selbst unerklärlichen Gründen. Dafür hat sie Grund genug, denn alles, was ich bei ihr suche, ist dieser bestimmte Lichteffekt in ihren Augen, der mich vielleicht denken läßt, daß Zeit nicht besteht, daß das, was früher geschah, auch heute noch da ist, und daß dieses Haus, in dem ich mit Jan lebe, ein schöner Traum ist, aus dem ich erwachen werde, um das wiederzufinden, was ich, wie ich fürchte, allmählich verliere.

Liebe helle Elsa wird von all dem nie etwas verstehen. Einmal, an einem späten, regnerischen Abend, habe ich ihr gegenüber etwas in der Richtung losgelassen. Danach trat sie einen Schritt zurück, als ob sie sich vor mir fürchtete. Aber im selben Moment hatte ich schon die Tür geöffnet, um sie hinauszulassen. Die Tür ist offengeblieben, und immer geht sie da hindurch. Und ich sehe ihren Rücken und weiß, daß alles sinnlos ist, daß es keine Zeit gibt, die man zurückholen kann, daß Borges mehr recht hat als Augustinus, wenn er von der Erosion der Jahre spricht und davon, daß Zeit und Vergessenheit zwei Größen sind, die unser Unvermögen verdecken.

HARRY MULISCH

Was geschah mit Sergeant Massuro?

An die B. O. Z.   Dienststelle:
Abt. A, Zimmer 3   Ministerium für
Wassenaar   Verteidigung
NIEDERLANDE

Er ist ein ruhiger Mensch, der Ihnen schreibt, Ihr Herren –
die Ruhe, die frei wird, wenn alle Hoffnung verflogen ist.
Ich nehme an, daß Sie diesen Ton kennen. Ich weiß weder,
wer Sie sind, noch welchem Ministerium Sie unterstehen
und was die Initialen Ihrer Dienststelle bedeuten. Ich habe
von Ihrem Büro noch nie gehört. Es würde mich nicht wundern, wenn Sie auch einem Ministerium unterstellt wären,
von dem ich noch nie gehört habe. Oberst Stratema, Kommandant des 5. Bataillons 124 R. I. auf Neuguinea, gab mir
Ihre Adresse und sagte mir, daß ich Ihnen den Vorfall mit
Sergeant Massuro berichten sollte, »als ob ich es einem
Freund erzählte«.
Gut, Sie, also, meine Freunde, Ihr Herren, Sie werden erfahren, was ich darüber weiß. Ich weiß *nichts* darüber. Ich weiß
nur, daß es geschehen ist und daß ich dabei war. Übrigens
habe ich den Eindruck, daß Sie auch vom Oberst einen Bericht empfangen haben, ebenfalls von Dr. Mondriaan – und
daß sie ebensowenig etwas von Ihrem Büro wissen, außer,
daß es, wie ich vermute, zu Fällen wie dem des Sergeanten
Massuro Angaben sammelt.
Es gibt mehr solcher Fälle, Ihr Herren? Es wundert mich
nicht. Allzu viele? Ist das der Grund, daß ich auf die Bibel
schwören mußte, die Sache geheimzuhalten? Sie kommen
auch in den Niederlanden vor? Es würde mich nicht sehr
wundern. Als Dr. Mondriaan sich in Kaukenau am Ser-

geanten Massuro die Augen ausgeschaut hatte, begann er mich mit hohlem Gesicht über unser Leben im Inneren des Landes auszufragen.

»Lieber Gott, Leutnant, in so einer Unmenschlichkeit ist es natürlich nicht auszuhalten!«

Ich wußte, was er dachte. Er dachte, daß es von der Angst gekommen war. Die Angst vermag alles. Sie ist ein Zauberer wie Apolloniios von Thyana, ein Prophet wie Jesaja, ein politischer Massenmörder und ein größerer Liebhaber als Don Juan. Aber das, was mit Massuro geschehen ist, kann nichts mit Angst zu tun gehabt haben.

»Ich kenne das Innere des Landes besser als Sie, Doktor. Es hätte genauso in Amsterdam geschehen können, in einem Büro oder an einem warmen Sommerabend hinter der Zeitung am offenen Fenster, im Radio der Sender Hilversum.«

Meine Panik war damals schon anders als seine, bleicher, beherrschter, aber nicht weniger heftig. Ich sagte ihm, daß es nach meiner Meinung sogar kaum etwas mit *Massuro* zu tun hätte. Daß es mit jedem geschehen könnte, mit ihm, Mondriaan, ebenso wie mit mir – in jedem Augenblick.

»Vielleicht regt es sich schon in einem von uns, Doktor.«

Ich sah, daß er das nicht akzeptieren konnte. Wild blickte er auf Massuros Überreste. Er wollte einen *Grund* – wo bliebe er denn sonst? Und das einzige, was mit viel gutem (und okkultem) Willen als Grund gelten konnte, war die Angst. Aber da gab es keine Angst. Massuro wußte überhaupt nicht, was Angst war.

Ich kannte Massuro etwas. Ich werde es Ihnen einfach wie einem Freund erzählen, Ihr Herren, obwohl es mir ein Rätsel ist, was Sie damit anfangen wollen. Als er vor zwei Jahren in Potapègo meiner Sektion zugeteilt wurde, schwatzte ich gerade mit dem Häuptling des Dorfs. Der Lastwagen aus Kaukenau kam an, und aus dem Fahrerhaus stieg ein dunkler, schwerer Kerl mit großem Kopf, runden Augen und dicken Lippen. Da sah ich plötzlich im Brief des Majors seinen Namen wieder vor mir.

»Hein Massuro!«

Grinsend kam er auf mich zu.

»Guten Tag, Leutnant. Wer hätte je gedacht, daß Sie einmal auf der Unterseite unseres Planeten mein Chef sein würden.«

Das erstemal war ich ihm begegnet, als ich elf Jahre alt war, im Umkleideraum der Turnhalle. Er war in der sechsten, ich in der fünften Klasse. Ich wollte etwas holen, das ich vergessen hatte. Massuro saß allein in der Schweißluft des kleinen Raums, unbeweglich wie ein Standbild zwischen den Häufchen schmuddeliger Sachen. Aus der Halle klang Exerzieren und eine immer wieder bis vier zählende Kommandostimme.

»Darfst du nicht mitmachen?«

»Ich habe Strafe.«

»Warum?«

Er sah mich mit großen braunen Augen an.

»Darum.«

Er hatte schon damals jene schweren und scharf gezeichneten Merkmale. Ich fühlte, daß er nicht log. Ich hätte mich mit ihm gerne angefreundet, aber das war für einen aus einer Klasse höher oder tiefer nicht möglich. Nirgendwo gibt es so ein Klassenbewußtsein wie in den Schulen; Kommunisten könnten darauf neidisch sein. Manchmal unterhielt ich mich mit ihm, und einmal kam er zu mir, um durch mein Fernglas die Monde des Jupiter zu betrachten.

»Das Weltall ist ein großer Sack voller Steine und Licht.«

Zwei Jahre später kam ich auf der höheren Schule in seine Klasse; er war sitzengeblieben. Aber da war es schon zu spät, die Zeit, gute Freunde zu werden, war vorüber. Bei so etwas kommt es oft auf einen Monat oder eine Woche an; vielleicht sogar auf einen Tag oder eine Minute. Hätte ich meine Frau ein Jahr später getroffen, wäre unsere Ehe die glücklichste auf der Welt geworden, und ich säße heute nicht hier in Kaukenau auf Neuguinea.

Wir sprachen fast nie miteinander: etwas wie Scham war

zwischen uns getreten. Er hatte wenig Interessen; durch meinen Kopf flossen damals breite Ströme von Biologie und Geschichte. Meine wesentliche Erfahrung mit ihm war, daß er keine Angst kannte. Trotzdem war er kein Draufgänger. Nie hörte ich ihn sagen: »Traust du dich dies oder das« – um irgendeine Heldentat zu vollbringen. Das taten eigentlich nur Jungen, die für so etwas zu ängstlich waren und obendrein noch ängstlicher, als ängstlich angesehen zu werden. Auch diese Angst fehlte Massuro. Aber wenn es darauf ankam, wirklich etwas zu tun, wozu man Mut brauchte, dann tat er es, während wir in die Hosen machten. (Wie das eine Mal, als wir beim Rektor einbrechen mußten, um die Aufgaben für die Prüfung zu erfahren.) Bei ihm handelte es sich jedoch nicht um Mut, sondern um die völlige Abwesenheit von Angst. Und es schien, als verliehe ihm das eine gewisse Unverletzlichkeit. Gestraft wurde er immer, für nichts.

Im übrigen war er ein ganz gewöhnlicher Junge: Hein Massuro, eiskalt und brutal wie ein Henker. Sollte es jetzt anders erscheinen, Ihr Herren, dann kommt es vielleicht daher, daß ich zu eifrig die Angst-Theorie von Dr. Mondriaan widerlegen will; und daß ich vielleicht wider Willen selbst noch nach einem Grund dafür suche, was mit ihm geschehen ist – den gibt es nicht.

Wieder zwei Jahre später, kurz vor dem Kriege, verlor ich ihn aus den Augen. Er verließ die Schule, und ich hörte, daß er mit seinen Eltern nach Ostindien abgereist war.

»Nur, um von den Japanern ins Lager gesteckt zu werden«, erzählte er mir in Potapègo, wo wir nach fünfzehn Jahren unser Wiedersehen feierten: ich ein Leutnant, er ein zu meiner Sektion abkommandierter Berufssergeant.

Damals hatte er schon acht Jahre Dienst in den Tropen hinter sich. Aus dem Lager entlassen, meldete er sich sofort freiwillig zum Militär; seine Eltern waren beide umgekommen. Die ganze Hiobsade hatte er mitgemacht: das Aufrollen der Japaner, Linggadjati, die Polizeiaktionen, Strafexpeditionen auf Java, Sumatra... auch mit Westerling scheint er etwas zu tun gehabt zu haben. Ich fragte selbstverständlich nicht weiter. Alles ist ziemlich dunkel und unübersichtlich. Sie werden wohl über bessere Quellen als ich verfügen, um über ihn mehr zu erfahren.

Sie können natürlich in der Richtung suchen, aber Sie werden nichts finden. Das heißt nichts, was in einem *direkten* Zusammenhang mit dem Geschehen steht. Ich weiß nicht... vielleicht sind aber irgendwelche »verborgenen Zusammenhänge« möglich; dann aber sehr unterirdisch, hintenherum, untendurch, nicht zu finden. Auf dem ganzen Planeten vollzieht sich etwas Unbeschreibliches, eine Art Prozeß... Sogar die Sonne scheint anders als vor dem Krieg. Ich wüßte nicht, wie ich es klarer ausdrücken sollte. Es sind unzählbar viele, vollkommen neue, unbegreifliche Mächte ins Spiel gekommen; eine neue Art Menschen... In Singapur, Prag, Amsterdam, Alamogordo, Djakarta (und Wassenaar) sitzt eine neue Art Herren an den Tischen in den Cafés und Regierungsgebäuden: sie sind die Macht. Zwei Tische oder Zimmer weiter weiß niemand, wer sie sind. Mit Politik hat das nichts mehr zu tun. Eine Gruppe Herren fährt in einer Wagenkolonne durch Borneo. Welche Sprache sprechen sie? Niemand versteht sie. Aber es hat *damit zu tun.* Über Ceram wird von einer indonesischen Batterie ein kleines, graues Flugzeug ohne Kennzeichen abgeschossen. Es ist leer. Auch keine Fotoapparate an Bord, nur ein Funkgerät für die Fernsteuerung – oder selbst ein lebendes Wesen? Alles hat damit zu tun. Niemand versteht noch, wie es zusammenhängt, was sich alles regt, was möglich ist, wohin es führt – und jemand, der glauben sollte, daß es zu Hause in Holland anders ist, der lebt in einer Welt, die es nicht mehr gibt, der irrt sich schrecklich.

Aber Massuro hatte keine Angst. In diesem unnennbaren Prozeß hatte er seine kleine Rolle gespielt – zweifellos eine kleine Rolle, aber eine Rolle, die das Tageslicht scheute, eine Rolle hinter geschlossenem Vorhang, in einem Schauspiel, das niemand kennt, mit einem leeren Souffleurkasten. Ich merkte schon, daß er den Dienst bei mir als eine Art Urlaub betrachtete. Er hatte recht, das war es. Das *war* es! Ich fragte mich, ob es noch so ist, nach dem, was mit ihm geschah.

Bei mir jedenfalls gab es weniger Grund zur Angst als sonst irgendwo im Archipel. Ich bin für die Ruhe in einem Gebiet ungefähr so groß wie London verantwortlich. Aber die Mächte, die uns belagern, haben sich nicht in den Bergen oder Urwäldern verschanzt. Die armen Papuas... sie winken mit unserer Fahne und bauen für uns Bungalows. Was wissen sie schon. Neuguinea liegt im tiefsten Pleistozän, 100000 Jahre v. Chr. Nur wenn einer von meinen Männern einen Kasuar oder Kakadu schießt, fällt ein Schuß, sonst nie. Manchmal entdecken wir zwischen den Lianen oder an einem stinkenden Sumpf niederländische Untertanen, 1,40 m groß, die noch nie einen Weißen gesehen haben. Neu-Eimercompascuum nennen wir dann so einen Kral, oder wir geben ihm einen Namen, der sich auf den Stoffwechsel bezieht: Pimmelhosenkacke oder Vögelnheim. Wir beschäftigen uns schon. Wenn nur Ruhe ist.

Überall, wo wir hinkommen, ist es um die Ruhe geschehen; dann wird auf holländisch geschrien und geflucht, geschossen und manchmal auch geschlagen, wenn ich nicht hinsehe. Wir fahren mit drei Jeeps herum und mit einem Lastwagen voll Proviant, Benzin und Munition. Oft sind wir wochenlang unterwegs, mit Kaukenau in Funkverbindung. Das war ein Leben nach Massuros Geschmack, er war aufs Jagen verrückt und schoß im Fahren die Affen aus den Bäumen. Ich kümmerte mich selbstverständlich mehr um ihn als um die anderen sieben, und auch wieder etwas weniger. Ein bißchen von der Scham, die wir auf der Höheren Schule wegen unserer versäumten Freundschaft gefühlt hatten, bestand noch immer. Mit ihm sprach ich über andere Dinge als mit den anderen: über die Vergangenheit, über Holland, über nichts. Einmal erzählte er mir, daß er vier Kinder hätte, zwei auf Java, eins auf Celebes und eins auf Halmaheira.

Wenn er nachts Wache hatte, summte er zwischen den Zelten

oder auf den Veranden der Blockhütten vor sich hin, die wir uns hier und dort von Papuas hatten bauen lassen. Er war gern auf Wache; oft ließ er seinen Nachfolger schlafen und nahm dessen Zeit hinzu. Er ruhte sich von irgend etwas aus. Seine Musik war ein großer, glänzender, zitternder Ball, der zwischen den Zelten durch die Nacht schwebte. Stundenlang summte er mit einer Kehle wie eine Orgel und starrte auf die Berge oder in den schwarzen Urwald, wo alles raschelte und murmelte und kreischte. Manchmal kauerte die Steinzeit in ehrfürchtiger Entfernung bei ihm und hörte ihm andächtig zu.

Zwei Jahre ging alles gut.

An dem Tag, als es schiefging, waren wir in Kackjanknurr, einem Weiler von zwanzig Hütten voller Zwerge. Das war vorige Woche, am Sonntag, dem 19. Juli 1955. Im Mai hatten wir ihn entdeckt. Er liegt am Rande des Urwalds am Ufer des Titimoeka; es war nicht möglich gewesen, uns dort verständlich zu machen.

Als ich ungefähr achtzehn war, Ihr Herren – im Kriege –, wollte ich Magier werden. Ich hielt den Atem an, versuchte meine Beine zu verknoten, konzentrierte mich auf den Fleck einer an der Wand totgeschlagenen Mücke, sah den Leuten auf die Nasenwurzel und las Bücher über »Persönlichen Magnetismus« und »Gedankenkraft«. Daraus lernte ich die Übung, mir vor dem Schlafengehen den vergangenen Tag vor Augen zu führen und ihn im schnellen Tempo, vom Aufwachen an, noch einmal ablaufen zu lassen. Das ist mir zur Gewohnheit geworden. Ich habe darin ein erstaunliches Geschick. Wenn ich nicht zu müde bin, sehe ich die kleinsten Details vor mir, sogar solche, die mir tagsüber entgangen waren. Im gewissen Sinne lebe ich zweimal, das zweite Mal sogar noch schärfer als das erste.

Nicht einmal, Ihr Herren in Wassenaar, wohl zehnmal habe ich jenen Tag in Kackjanknurr und den Weg dorthin an mir vorüberziehen lassen. Ich erinnere mich an jeden Ast, unter dem wir hindurchgefahren sind, an jeden Stein im rauschenden Titimoeka, an jeden Schrei der schwarzen Heinzelmänner. Ich weiß, daß an dem Tag, außer einer Unregelmäßigkeit mit dem Soldaten Steiger, *nichts* Besonderes geschehen ist, und auf jeden Fall *nichts*, das etwas mit Massuro zu tun hatte.

Weil es wie aus Eimern schüttete, waren wir an dem Morgen ziemlich spät aus dem Nest Oemigapa abgefahren. Es war eine Regendusche aus den Bergen; als sie aufhörte, war für eine halbe Stunde herrliches Wetter, und um zwölf Uhr knallte uns die Sonne wieder auf den Kopf. Der Trupp war etwas lahm, wir waren seit zwei Wochen unterwegs, und ich hatte versprochen, daß Kackjanknurr unsere letzte Adresse sein würde. Dann dauerte es noch ungefähr vier Tage, bevor wir wieder in Kaukenau zurück sein könnten. Ich saß im zweiten Jeep, neben dem Soldaten Elsemoer; Massuro lag quer hinten drin, den Karabiner zwischen den Beinen, und starrte hinauf in die Baumwipfel. Wir sprachen nicht viel. Ich weiß Wort für Wort, was wir sagten, aber es war unwichtig. Ungefähr um zwei Uhr ließ ich Elsemoer kurz aus der Kolonne ausscheren und ins Feld fahren, um mit ein paar Kapaukos zu schwatzen, die ein totes Känguruh hinter sich her zu den Sümpfen schleiften. Um vier Uhr erreichten wir den Titimoeka und fuhren auf dem schmalen, schattigen Streifen zwischen Urwald und Wasser stromaufwärts, halb betäubt vom Geruch der faulenden Pflanzen und Blätter. Korporal Persijn im ersten Jeep entdeckte Fußabdrücke im Schlamm, und wir zogen mit fünf Mann in den stockfinsteren Urwald, umsonst. Er war dicht und undurchdringlich wie eine Stadt.

Weiter geschah nichts. Während wir vorwärtsschaukelten, drehte sich Massuro einmal blitzschnell auf den Bauch und schoß ein Krokodil in die Tiefe. Um halb sieben fuhren wir in Kackjanknurr ein.

An der Spitze des ganzen Stammes stand der Herr Geheimrat und wartete schon auf uns. Er war der Häuptling des Dorfes, ein nackter kleiner Mann, ein Dreikäsehoch mit zivilisiertem Ringbart und wilden Augen; er trug eine prächtige Schamkalebasse, die aufrecht bis an seine Brustwarzen reichte. An den Schläfen wurde er auf intellektuelle Weise schon kahl; ich hatte meinen Männern gegenüber den Ausdruck »Geheimrats-ecken« fallenlassen, und seitdem hatte er seinen Namen weg. Ich verdächtigte ihn, daß er der Chef einer Gruppe von Menschenfressern ist. »Manowe?« hatte ich ihn das vorige Mal gefragt. »Manowe?« Er fing an, über das ganze Gesicht zu strahlen; es war das einzige Wort, das er zu verstehen schien. Bei uns jedenfalls mußte er sich mit Corned beef zufriedenge-ben. Mit noch zwei Bonzen aus dem Dorf tat er sich am Begrü-ßungsmahl gütlich; auf unserer Seite waren es Massuro und ich. Die anderen waren mit dem Biwak beschäftigt, während das Dorf nachdenklich zusah.

Während des Mahls geschah nichts, das anders als sonst war.

Nach dem Essen krochen ein paar unter ihre Mückennetze, während ich Kontakt mit Kaukenau suchte und meinen Rapport durchgab. Später legten wir uns vor die Zelte, rauchten und hörten Radio. Djakarta sendete einen Vortrag über ma-laiische Poesie, aber Sydney brachte Tanzmusik. Hinter uns, auf der anderen Seite des plätschernden Flusses, wurde alles immer höher und schwärzer, und die Dunkelheit verwandelte sich in Millionen von Grillen. Als es beinahe ganz dunkel geworden war, machten wir die Lampen an, und wir sahen, daß wir von reglos kauernden Zwergen umgeben waren, die der Musik zuhörten. Persijn schrie ihnen etwas zu, doch sie gingen nicht weg. Als er seine Maschinenpistole kurz häm-mern ließ, stoben sie nach allen Seiten ins Dunkel.

Von jetzt ab werde ich wörtlich berichten, Ihr Herren, damit Sie selbst urteilen können.

»Wo ist Steiger?« fragte ich Massuro. Beim Essen hatte ich beobachtet, daß er einem Mädchen von ungefähr sechzehn Jahren mit schönen Augen und kugelrundem Bauch nachge-sehen und zugelacht hatte.

»Der ist verliebt.«

»Ist er weg?«

»Ja.«

»*Wußtest* du das?«

»Ja.«

»Es wäre deine Pflicht gewesen, mir das zu melden, verdammt noch mal. Ruf ihn.«

»Steiger!« brüllte Massuro.

Nach paar Sekunden antwortete er von irgendwo hinter den Wagen.

»Steck ihn in deine stinkende Hose zurück und komm her! Sofort!«

Excusez du peu, Ihr Herren, aber so sagte er es, und so würde ich es einem Freund erzählen. Übrigens schrie er es ziemlich gutmütig. Er hatte Urlaub.

Ich regte mich sehr auf. Schwitzend stand Steiger kurz darauf vor mir.

»War es wieder mal soweit, Steiger?«

»Ja, Leutnant. Ich dachte, Sie würden es nicht merken, Leutnant.«

»Wo ist das Mädchen?«

»Weggelaufen, Leutnant.«

»Hat jemand aus dem Dorf gesehen, daß du mit ihr weggegangen bist?«

»Nein, Leutnant. Sie saßen alle unter den Lastwagen und hörten der Musik zu.«

Mir fiel ein Stein vom Herzen, aber ich sagte:

»Du hast ihr mit der Hand den Mund zugehalten, was?«

»Nein, Leutnant. Sie wollte.«

»Zeig die Hände vor.«

Er streckte die Hände vor. In der linken waren tiefe Abdrücke von Zähnen.

»Das... das habe ich immer, Leutnant.«

»Vom Daumenlutschen, was? Bleib ruhig eine Weile so stehen, mit ausgestreckten Händen.«

Ich ließ Steiger eine Viertelstunde mit geraden Armen stehen. Niemand sagte mehr etwas. Leise spielte die Musik durch das Rauschen des Flusses. Die Insekten klumpten in

146

einer dicken, knatternden Schicht um die Lampen, so daß das Licht um die Hälfte abgeschwächt wurde. Im Urwald auf der anderen Seite fing etwas an zu schreien und hörte plötzlich auf. Nach der Viertelstunde rieb ich mit dem Daumen über die Handfläche. Die Eindrücke waren so gut wie verschwunden.

»Heute nacht doppelte Wachen, Sergeant«, sagte ich zu Massuro.

»In Ordnung, Leutnant.«

»Marsch, in die Federn, Steiger, und melde dich in Kaukenau beim Hauptmann. Du wußtest, was dir hätte passieren können?«

»Ja, Leutnant.«

»Hau ab!«

Ich konnte das mit Steiger machen, niemand mochte ihn, außer Massuro vielleicht. Als er verschwunden war und die anderen sich wieder mit sich selbst beschäftigten, setzte sich Massuro neben mich und rauchte schweigend eine dicke Zigarre.

»Ich weiß ungefähr, was du denkst«, sagte ich nach einer Weile. »Und du hättest es mir doch melden müssen.«

»Hast du selbst noch nie so etwas ausgefressen, Loonstijn?«

Das war etwas Neues. Zum erstenmal seit fünfzehn Jahren nannte er mich beim Namen; die ganzen zwei Jahre war ich für ihn der »Leutnant« gewesen. Es stimmte mich weich, wahrscheinlich hatte ich ihn früher sehr bewundert, was ich mir plötzlich eingestand.

»Wenn es nicht so wäre, dann hätte ich ihn vielleicht gelassen.«

Ich fühlte, wie er mich ansah.

»Du bist die Inseln gewöhnt, Massuro«, sagte ich. »Dort wird Reis gegessen.«

Er sah mich weiter an. Ich starrte zur anderen Seite. Aus dem Urwald kam ein Rauschen, von einem dumpfen Dröhnen gefolgt. Ein Baum, der nach tausend Jahren umstürzte.

»Mir passierte es irgendwo am Mimika; als ich gerade erst angekommen war. Genauso ein Lieschen wie die vom Steiger. Drei Monate hatte ich nichts mehr gehabt. Was machte es schon – ein Kapaukomädchen mitten in einer Wildnis, die hunderttausend Jahre zurück ist... Ich hielt ihr mit der Hand den Mund zu, aber mittendrin biß sie hinein, fing an zu schreien, und ich mußte sie laufen lassen. Als wir einen Monat später zurückkamen, war sie nicht mehr im Dorf.« Ich sah ihm in die Augen. »Sie hatten sie geschlachtet und aufgefressen.«

Sie dürfen das wissen, Ihr Herren von der B.O.Z. Nach dem, was mit Massuro geschehen ist, habe ich an solchen Geheimnissen kein Interesse mehr. – Vielleicht hat Ihr Büro (das fällt mir plötzlich ein) viel weniger die Aufgabe, Fälle wie die von Massuro zu untersuchen – die nicht zu untersuchen sind –, als vielmehr deren Zeugen im Auge zu behalten. Entlassen Sie mich ruhig aus dem Dienst. Auch daran habe ich kein Interesse mehr.

Nun weiter. Massuro fragte: »Woher weißt du das?«

Ich zuckte mit den Schultern und sah wieder vor mich hin.

»Es waren Manowes.«

»Sie kann ebensogut krank geworden sein, sich auswärts verheiratet haben oder einfach gestorben sein.«

»Es ist möglich«, nickte ich. »Aber Steiger wird dafür büßen.«

Es war immer noch ein Rauschen und Dröhnen im Urwald – Bäume, die unter der Last brachen, die sich auf sie gehängt hatte, und die wieder andere Bäume mitrissen, in einer Panik von brechenden Nestern und zerschmetterten Tieren.

Ich wußte nicht, ob man sie gegessen hatte. Es war jedenfalls gut möglich. Ich habe es nie geschafft, mir über diesen Gedanken ganz klarzuwerden und auszumachen, was er für mich bedeutete (Schlachten, in Stücke schneiden, kochen, Gewürze...).

Ich sah auf die Uhr – wenn ich die Augen schließe, sehe ich

das Zifferblatt wieder vor mir: drei Minuten nach neun. Auf dem Dach des Lastwagens glühte die Zigarette von Persijn, der Wache hatte. Hinter uns klang ein paarmal ein helles, klopfendes und gleichzeitig schluchzendes Geräusch. Massuro paffte seine Zigarre wie ein Bauer am Abend.

Es geschah *nichts*, das anders als sonst war.

Ich ließ das Radio abschalten, Massuro teilte die doppelten Wachen ein, und allmählich gingen alle schlafen. Nur Elsemoer saß weiter oben am Fluß und hielt die Füße ins Wasser. Massuro war nicht gerade redselig, und ich hatte das Bedürfnis nach Ablenkung.

»Paß auf Sandflöhe auf, Elsemoer. Sonst tanzt du morgen noch.«

»Ich berühre den Boden gar nicht, Leutnant.«

»Er denkt an sein Mädchen«, sagte Massuro. »Vielleicht wird sie gerade in diesem Moment in Overschie hinter Autos gelockt.«

»Komm, setz dich etwas zu uns, Elsemoer.«

»Gerne, Leutnant.«

Immer nur »Leutnant«. Er setzte sich neben Massuro wie ein kleiner Junge, dem die Königin die Hand gibt.

»Du dachtest bestimmt an dein Mädchen, was?«

»Nein, Leutnant, ich habe kein Mädchen. Ich dachte an die Schule.«

»An die Schule? Wußtest du, daß der Sergeant und ich in derselben Klasse gesessen haben?«

Ehrfürchtig sah er uns an. Ich fing an zu lachen und bot ihm eine Zigarette an. »Woran hast du gedacht?«

»An nichts Besonderes«, sagte er verlegen, »zufällig... an Ländchen-Erobern.«

»Ländchen-Erobern?«

Als er es erzählte, erinnerte ich mich wieder. Ein Spiel. Mit Messern. Jeder Teilnehmer bekommt einen Teil von einem viereckigen Stück flachgetretenem Sandboden. Der Reihe nach wird das Messer ins Nachbarland geworfen, und das Stück, das dadurch abgeschnitten werden kann, gilt als erobert, falls es an das Land des Angreifers grenzt. Wer auf seinem Stück nicht mehr stehen kann, hat verloren.

»Was kann uns schon passieren«, sagte ich zu Massuro. »Wollen wir zu dritt Ländchen-Erobern?«

Obwohl ich ihm in verschiedener Hinsicht überlegen war (nicht nur wegen meines Rangs), übertraf mich Massuro wiederum in bestimmter Weise: durch den Tonfall, in dem er etwas sagte oder nicht sagte, durch einen Augenaufschlag, durch die Art, wie er aufstand und sein Taschenmesser aufklappte. Er hatte mehr als ich erlebt, und Erfahrungen sprechen in jedem Wort und in jeder Geste mit. Sie wiegen immer schwerer als das bloße angeborene Vermögen von Verstand und Charakter. Manchmal fiel es mir schwer, ihm einen Befehl zu geben, und dann wunderte und schämte ich mich fast über die prompte Ausführung.

Wie ein beflissener, unter den Grillen seines Herrn etwas leidender Lakai schnitt Elsemoer die Pflanzen aus dem Boden und sorgte für eine tadellose Arena. Er mußte ein Bursche sein, der nicht lieben könnte, wenn ein Zipfel des Kleides umgeschlagen war. Inzwischen war es erddunkel geworden, die Lampe strahlte wie ein Planet und entwarf auf dem Waldrand eine supergruselige Zeichnung von Spelunken, Tierköpfen, Grotten und Verführungen, vor denen sich keiner von uns, auch beim besten Willen nicht, mehr fürchtete. – Dies zur Theorie des Dr. Mondriaan.

Und nun, Ihr Herren, muß ich Ihnen mit einem kurzen Bericht über den Wettkampf aufwarten. Immerhin geht es um Tatsachen, nicht wahr?

Massuro warf zuerst und schnitt gleich dreiviertel meines Landes ab. Elsemoer machte den Eindruck, als stände er vor einem Dilemma: annektierte er etwas von Massuro, konnte Wacheschieben die Folge sein, annektierte er von mir, drohte ihm Urlaubssperre. Er entschloß sich zu einem kleinen Happen aus dem Stück, das Massuro geraubt hatte, wobei er mich wie ein Italiener ansah. Ich hatte Pech, wiederholt fiel mein Messer flach auf den Boden, dem Elsemoer jedesmal ein sportliches und bedauerndes »Ha!« folgen ließ. Massuro schleuderte sein Messer wie ein Toreador in den Boden und fraß alles um sich auf und verlangte immer wieder von uns, daß wir ihm zeigen sollten, daß wir auf unserem Stück noch stehen konnten. Aber plötzlich eroberte Elsemoer, vor Schreck erbleichend, fast alles von ihm, so daß Massuro nur noch auf Zehenspitzen stehen konnte.

Ich amüsierte mich gewaltig. Einmal nickte Massuro in Richtung des Dorfs, und ich sah den Schatten des Herrn Geheimrat. Ganz allein kauerte er am Flußufer und sah zu, wie die Weißen mit ihren Messern und ihrer Fröhlichkeit seine Erde totstachen. Das paßte mir nicht, und ich rief Persijn zu, daß er etwas dagegen tun sollte. Zwei Schüsse donnerten, und sofort war er verschwunden.

Massuro gewann wieder. Ohne Absprache alliierten Elsemoer und ich uns gegen ihn, doch Elsemoer fiel auf einmal aus: nach einem genialen Wurf von Massuro hatte er keinen Quadratzentimeter mehr übrig. Mit einer Geste, mit der er seinen Meister anerkannte, und einem Seufzer der Erleichterung setzte er sich hin. Ich raubte Massuro noch ein kleines Stück, und dann hob er die Hand mit dem Messer weit hinter den Rücken, um mich mit einem Wurf auszuschalten.

Aber sein Arm blieb unbeweglich, und das Messer fiel hinter ihm mit der Spitze in den Boden, außerhalb unserer Länder. Seine Augen wurden immer größer.

»Ich kann den Arm nicht mehr herunternehmen«, sagte er.

Ich starrte ihn an. Über uns hörte ich das tiefe Summen eines überfliegenden Nashornvogels.

Ich hatte ein Gefühl, als träumte ich. Ich ging zu ihm und betastete seinen Arm. Es war, als ob er kein Gelenk mehr hätte.

»Setz dich«, sagte ich.

Gehorsam setzte sich Massuro auf das Land, quer über alle Grenzen, den Arm nach oben. Ich begann vorsichtig an ihm zu ziehen, und langsam gab er nach, als ob alle Muskeln angespannt wären. Mit dem anderen Arm mußte er sich am Boden abstützen.

»Tut das weh?«

»Nein.«

Elsemoer sah mit offenem Mund zu. Schließlich war der Arm unten.

»Kannst du ihn bewegen?«

Er bewegte ihn, auch die Finger; ich sah, daß es ihn eine große Anstrengung kostete. Beklommen betrachtete er ihn.

»Hast du in dem Arm Rheumatismus?«

»Nein... noch nie gehabt.« Er war durcheinander, so sehr, daß ich mich wunderte. Plötzlich schrie er Elsemoer an: »Du solltest dir ein anderes Maul in die Fresse setzen lassen!«

Ich hörte einen Klang in seiner Stimme, den ich früher noch nie gehört hatte. Das war keine Urlaubsstimme mehr. Erschrokken sprang Elsemoer auf, salutierte und machte, daß er wegkam.

»Geh auch du schlafen«, sagte ich, Gott weiß warum. »Ich übernehme deine Wache.«

Es wunderte mich, daß er annahm. (Ja, das war das Verrückteste, daß er annahm!) Ohne etwas zu sagen, stand er auf und ging hölzern zu unserem Zelt. Sein rechter Arm hing steif herunter, und ich sah, daß auch der linke sich nicht bewegte und daß seine Knie stramm waren, wie bei einem Kavallerie-Offizier.

»Morgen ist alles vorüber«, sagte ich noch.

Sie sollen ruhig wissen, daß ich mit wenig oder gar keiner Überzeugung schreibe. Mit welcher Überzeugung sollte man über eine Lawine schreiben? Mit Überzeugung kann man nur die *Ursachen* abhandeln: wie es geschehen konnte, was getan wurde, um es zu verhindern. Die Lawine an sich ist nur *dumm*, etwas, mit dem wir nichts gemein haben, weil wir uns dagegen nicht wehren können. Und wenn wir feststellen, daß es nicht einmal Ursachen gab? Dann bleibt von uns gar nichts mehr übrig, Ihr Herren im Zimmer 3, *gar nichts*.

Massuro schlief die ganze Nacht wie ein Klotz, in Uniform. Ich hatte mit Kranenburg die letzte Wache, und wir sprachen über die Sterne, doch im Hintergrund dachte ich unruhig an Massuro. Trotz Steiger war im Dorf alles ruhig geblieben.

Als ich Massuro um halb sieben wachrüttelte, bekam ich sogleich etwas wie Panik in die Hände: *so schwer war kein Mensch!* Ich zog ihn hoch, ich zog ein Pferd hoch, ein Rhinozeros, aber das Begreifen kam noch nicht weiter als meine Hände. Mit kugelrunden Augen stand er im Zelt und schwankte, wie ein Roboter, von einem Bein auf das andere. Es war, als ob er mich nicht sah. Mit steifen Beinen wankte er hinaus, wo sich die Männer wuschen, und blinzelte in die Sonne. Unter meinen Füßen dröhnte die Schwere seines Leibes. Wie eine bleischwere Hantel hob er die Hand ans Gesicht, rülpste und schloß die Augen...

Ich hatte das Gefühl, als ob mir die Füße im Kopf standen und mein Kopf in den Schuhen steckte. Sekundenlang starrte ich auf seinen Rücken. Plötzlich wurde mir bewußt, wie schwer er gewesen war. *Unmöglich* schwer. Ich schluckte, wohl zehnmal, und brachte dann endlich die Worte zusammen:

»Sergeant... komm mal ins Zelt.«

Er sah mich an und wankte zurück. Im Zelt stellte ich mich vor ihn; meine Hände zitterten.

»Hör zu, Massuro, du bist krank, hörst du, du bist krank. Wir brechen sofort auf und sorgen dafür, daß wir so schnell wie möglich nach Kaukenau kommen.«

Er sah mich an und sagte nichts.

»Verstehst du mich, Massuro?«

»Ja.«

»Wir brechen sofort auf.«

Ich sah ihn noch an und ließ ihn dann stehen. Draußen rief ich die Männer zusammen und sagte so ruhig, wie ich konnte:

»Leute... der Sergeant ist krank. Etwas mit seinen Gelenken... und mit seinem Gewicht..., ich weiß nicht, was es ist, aber es ist etwas Schreckliches. Wenn wir dafür sorgen, daß wir vor Dunkelheit das Tal erreichen, können wir heute nacht durchfahren und morgen nachmittag in Kaukenau sein. Wir lassen alles links liegen und nehmen die Route über Oegei. Wir fahren sofort ab.«

Sie rannten zu den Zelten, und ich blieb stehen. Ich wagte nicht mehr zu Massuro zu gehen. Ich ging zum Funker und rief noch schnell Kaukenau an und berichtete, daß Massuro von einer unbekannten Krankheit befallen worden war und daß wir aufbrachen. Ich sprach mit dem Hauptmann; er war ziemlich skeptisch und bat um nähere Einzelheiten, aber ich ließ den Funker eine Störung produzieren und schaltete den Sender ab.

Ich wußte, daß es keine Krankheit war. Schwerer zu werden, ist keine Krankheit. Ich wollte nach Kaukenau und unter Menschen sein, als glaubte ich, daß so etwas unter Menschen keinen Bestand haben könnte.

Nach zehn Minuten fuhren wir ab. Für den Herrn Geheimrat hatte ich keine Zeit mehr und grüßte ihn von meinem Jeep aus. Der ganze Stamm war wieder anwesend, mit Kindern auf dem Rücken und an den Brüsten. Herr Geheimrat nickte und hielt grinsend seine Kalebasse.

Ich saß hinten, Massuro neben Elsemoer. Massuro aufrecht, ohne den Kopf einen Zentimeter nach links oder rechts zu drehen, Elsemoer am Steuer, mit einem Gesicht, als ob er seinen Führerschein machen müßte. Wir sagten nichts. Ich wagte kein Wort hervorzubringen. Immerzu mußte ich Massuros Hinterkopf betrachten; ich hatte eine solche Angst, wie ich sie noch nie gehabt hatte, und doch... und doch wurde es mir nicht richtig bewußt. Nicht für ein Hundertstel. Und das wird auch nie geschehen. Stellen Sie sich vor, daß in Amsterdam das Standbild des Generals van Heutz von dem Podest heruntersteigt und mit Ihnen über Atjeh zu sprechen beginnt. Nie wird es Ihnen gelingen, das zu verstehen.

Um zwölf Uhr ließ ich anhalten, um schnell etwas zu essen. Während alle ausstiegen, ging ich schwitzend nach vorn, um mir Massuro anzusehen. Über das ganze Gesicht hatte er unter der Haut Flecken bekommen.

»Wie fühlst du dich, Massuro?«
Glasig sah er mir in die Augen.
»Ich fühle mich überhaupt nicht.«
»Hast du irgendwo Schmerzen?«
Fast unmerklich schüttelte er den Kopf.
»Willst du nicht kurz aussteigen?«
Er schloß die Augen.
»Laß mich, bitte.«
Plötzlich packte ich ihn und schüttelte ihn bei den Schultern – einen Elefanten, ein Auto.
»*Massuro, was ist mit dir?*«
Er keuchte und begann mit den Zähnen zu klappern.
Mir schwindelte. Er wollte nichts essen. Ich ging mir etwas holen, am Lastwagen, wo die Männer zwischen leeren Konservenbüchsen auf der Erde saßen. Sie sahen mich an, fragten jedoch nichts. Ich bekam meine Portion und ging ein Stück ins verdorrte Feld, wo ich mich zum Essen setzte. Leer und still standen die Wagen hintereinander, als würden sie für immer stehenbleiben. Im zweiten der regungslose Körper von Massuro. Ich versuchte mir vorzustellen, daß gerade etwas Unmögliches geschah, aber es gelang mir ebensowenig, wie ich mir vorstellen konnte, daß das Mädchen am Mimika aufgegessen worden war – obwohl das noch im Bereich des Möglichen lag. Ich sah zum Himmel. Etwas Unbegreifliches war dabei, in Massuro eine Schlacht zu schlagen.
Wir fuhren weiter, Stunde um Stunde, endlos. Ununterbrochen sah ich nach Massuro: ein schwerer, schwarzhaariger Nacken, ein viereckiger Kopf. Seinen Karabiner hatte ich neben mich gestellt. Hatte ich Angst, daß er anfangen würde zu schießen? Wir fuhren schnell, und sein Körper sprang auf und ab wie ein Baumstamm. Ich beschloß, bis Vögelnheim weiterzufahren, wo wir einen Bungalow hatten und warm essen konnten. Es war eine lange Reise von hier bis zum Mond; mein Gehirn dachte schon lange nicht mehr nach, das war nichts für ein Gehirn, es war dumm,

dumm, dumm, wie Stein. Um halb acht kamen wir an, und es schien, als wäre die Zeit verflogen.

Ausgelassen schwatzend kam der Häuptling des Dorfs an den Jeep, gierig nach dem Begrüßungsmahl. Ich wimmelte ihn ab und sagte, daß wir einen Schwerkranken hätten. Ängstlich rückwärts gehend, schreckte er zurück; der ganze Stamm ging rückwärts.

Ich biß die Zähne zusammen, um Massuro aus dem Jeep zu helfen. Sobald ich ihn fühlte, wußte ich, daß er noch schwerer geworden war. Schweigend sahen die Männer zu. Schritt für Schritt gingen wir zur Blockhütte. Die Stufen der Treppe knarrten und bogen sich unter seinem Gewicht. Ich stieß die Tür auf; eine dicke Kröte schlüpfte davon. Ich schlang meine beiden Arme um ihn und ließ ihn auf einen der rohen Stühle sinken. Auf keinen Fall konnte er noch die Knie beugen. Als er saß, sackte er durch den Stuhl und schlug mit einem dröhnenden Knall auf den Boden. Er fing an zu weinen.

»Massuro ...«, flüsterte ich.

Ich wußte mir keinen Rat mehr. Ich rannte zur Tür und begann zu schreien, daß wir sofort weitermüßten, daß zum Kochen keine Zeit sei. Die Männer mußten den Knall gehört haben; regungslos hingen sie halb aus den Autos.

Ich kniete mich zu Massuro hin. Er saß und schluchzte wie ein Kind. Bis auf die Flecken im Gesicht war an ihm nichts Außergewöhnliches zu sehen, aber er mußte mindestens dreihundert Kilo wiegen.

»Was passiert mit mir?« weinte er.

»Verflucht noch mal, Massuro, verflucht noch mal, Massuro!«

Mit beiden Händen hielt ich ihn fest. Über meine Wangen rollten dicke Tränen.

»Was passiert mit mir, Loonstijn? Ich werde immer steifer und schwerer. Was habe ich nur getan?«

»Vielleicht sind wir schon morgen früh in Kaukenau, dann kommst du gleich in Behandlung! Im Lazarett wird man wohl...« Ich konnte nicht weitersprechen. »Halt dich tapfer, Massuro«, flüsterte ich. »Leg dich hin.«

Er war dem Tod verschrieben; er wußte es, und ich wußte es. Willig ließ er sich von mir zurücklegen; es war, als ob ich einen Waggon über die Schienen schob. In der dämmrigen Holzhütte hing ein süßlicher Holzgeruch. Wenn ich zu schnell schieben würde, schössen seine Beine mit dem Gewicht eines Klaviers in die Luft. Mit großen Augen sah Massuro mich an.

»Das gibt es doch nicht, daß so etwas geschieht...«, sagte er.

Verzweifelt schüttelte ich den Kopf.

»Nein, Massuro, das gibt es nicht.«

»Ich bin so müde.«

Er schloß die Augen, seine Brust ging schwer auf und ab. Die Flecken im Gesicht waren deutlicher als am Nachmittag; sie bildeten sich unter der Haut, als ob etwas durchbrechen wollte. Auch seine Hände waren dicht mit ihnen bedeckt. – Nach Kaukenau! Zu den Menschen!

»Ich kann kaum mehr atmen«, stöhnte er. »Es ist, als ob ein Römer auf meiner Brust sitzt.«

Ein *Römer*!

Gott im Himmel, dachte ich, hilf Massuro. Er hat nichts getan. Er ist so schwer geworden, daß er durch einen Stuhl sackt. Auf seiner Brust sitzt ein Römer.

Am liebsten hätte ich ihn erschossen und auf der Stelle begraben, so tief ich nur konnte. Persijn, Elsemoer, Steiger, Kranenburg, alle würden sie wie das Grab schweigen, soviel war gewiß. Sie würden ihn aus ihren Gedanken verschwinden lassen, wie einen Splitter aus ihrem Fleisch.

Und jetzt befeuchten Sie Ihre Lippen und verlagern Ihr Gewicht, nicht wahr, Ihr Herren der Abteilung A? Nun kommen die Enthüllungen, denken Sie. Schluchzend mir ins Ohr geflüstert! Sie kamen nicht. Keine Bekenntnisse. Keine Beichte. Nichts. Er lag nur weinend auf dem Boden, schwerer und schwerer werdend, und wußte nicht, was mit ihm

geschah. Auch sein Geist flatterte nicht aus ihm auf, in groß-
artiger Flucht – das am allerwenigsten. Was ist Geist?
Manchmal ein Napoleon, dessen Traum austritt und ganz
Europa überschwemmt und der, wenn er sich zurückzieht,
über den ganzen Kontinent handfeste Zeichen zurückläßt:
Paläste, Obeliske, Triumphbögen, Tote, Gesetze, Heilige
Allianzen und Nachnamen. Doch meistens nur ein Hut, den
wir wegen der Zugluft auf dem Kopf haben; begegnen wir
einer Frau, nehmen wir ihn höflich ab.
Kranenburg kam schüchtern mit ein paar Konserven herein.
Massuro wollte immer noch nicht essen; er würde auch gar
nichts schlucken können. Ich ließ sie in den Jeep stellen und
rief Persijn. Als er in der Tür erschien und mir in die Augen
sah, wußte ich, daß er dafür gesorgt hätte, daß niemand
etwas sagte, wenn ich Massuro niedermachte.
»Hilf mir schnell mit dem Sergeanten, Persijn. Dann fahren
wir weiter.«
Er blieb noch eben stehen; dann kam er. Wir sind beide keine
Schwächlinge, doch das war zuviel. Mit zitternden Lippen
beobachtete Massuro unsere rot angelaufenen Köpfe. Stöh-
nend, außer Atem hatten wir ihn schließlich aufgerichtet.
Dann sackte er mit ohrenbetäubendem Krachen, zwischen
uns, durch den Fußboden.
Irgendwo an unseren Knien begann er zu schreien, mit einem
Laut, wie ihn der Urwald noch nie gehört hatte, kleiner als
ein Pygmäe, die gesplitterten Planken rings um seine Mitte.
Einen Augenblick später schlug Persijn den Kolben seines
Revolvers auf den Scheitel des schreienden Kopfes. Auf einmal war es still; der Kopf sank nicht zur Seite.
Wild sah ich Persijn an. Bei Gott, Ihr Herren! Es war, als
hätte ich eine endlose Reise durch Frankreich, Burgund,
Trier, Cluny gemacht, in jenen paar Sekunden, die das
Schreien dauerte. Eine Vision, eine phantastische Vision, die
keinerlei Zusammenhänge aufwies, oder es müßte auf Gott
weiß was für unterirdischen Verbindungen sein! Ich sah, wie
eine unübersehbare Menge auf dem Platz von Reims, am Fuß

der Kathedrale, zur Hinrichtung eines großen, blonden Mannes in einem mit Gold bestickten, violetten Mantel jubelte, während Trompeter mit bunten Emblemen auf der Brust den blauen Himmel endlos hoch und leer bliesen. Ich sah einen Papst inmitten einer kleinen Karawane über die Alpen nach Deutschland ziehen, und im Norden stolperte ihm ein König mit seiner Familie barfuß durch den Schnee entgegen – und über dem Kopf des Papstes schwebte die Stimme des Königs und sagte: »Du, Hildebrand, nicht mehr Papst, sondern falscher Mönch! Ich, Heinrich, König von Gottes Gnaden, mit allen meinen Bischöfen, sage dir: Steig herab von deinem Thron, steig herab von deinem Thron, du für alle Jahrhunderte Verfluchter!« Und in Loches sah ich, wie ein französischer König weinend und händeringend den Wald abschlagen ließ, wo ihn die Todesnachricht seines kleinen Sohnes erreicht hatte. Könige, Könige, spitze Straßen voll Gehämmer von Eisen auf Eisen, Eisen auf Kupfer, Bronze auf Silber, die Kirchen voll verfaulenden und wimmernden Bettlern, Trompeten, und in dichten goldbraunen Volksmengen Ritter zu Pferde, mit Fleischbrocken im Mund. Ich sah, daß das ganze europäische Land anders als heute aussah, märchenhafter, wärmer, olivgrüner, mit bizarren, mausgrauen Felsen, die zwischen den Häusern aus dem Boden wuchsen, größer wurden und zusammenschrumpften; Bäume waren schlank und leicht gefiedert, Götzenbilder taumelten im Bogen vom Podest, manchmal lief ein Greis dreifach auf derselben Straße, jeweils zehn Meter von sich entfernt, ohne sich selbst zu sehen. Das dritte Mal begegnete ich Jesus, Krüppeln sah ich immer auf den Rücken, gebeugt zwischen den Krücken, hinter einem Hügel verschwindend, unterwegs zur Stadt. Und alles, alles war vollgebaut; hinter einem olivgrünen Wald ragten acht verlassene Wolkenkratzer auf. In Massuros Schrei war ein anderer *Raum*, nicht nur eine andere Zeit – unmöglich einzuholen. Da waren Felsen, die nicht mehr sind, ohne daß es einen geologischen Grund gibt.

Aus der Tiefe meines Rückenmarks muß es aufgestiegen sein. Ich hatte das Gefühl, als wäre ich gestorben. Neuguinea. Von Persijn sah ich wieder zu Massuro. Er war bewußtlos. Mit vier Männern zogen wir ihn aus dem Fußboden und trugen ihn schweigend zum Lastwagen. Fünfzig Meter weiter standen die Kapaukos eng zusammengedrängt, sie sprangen und bliesen wie Affen. Sie mußten das Schreien gehört haben – aber vielleicht war ihnen noch etwas anderes an die Stirnen geweht, etwas, wofür sie einen Nerv hatten und das sie in einer unbekannten Welt springen und bellen ließ.

O Freunde, wir wissen vom Leben genausowenig wie ein neugeborenes Kind von der Frau. Sehen wir uns um, mehr zu erkennen, gehen wir gleich in die Knie.

In jener Nacht saß ich neben Massuro im stockfinsteren Lastwagen, ein sich bäumender Klotz Dunkelheit in einer Welt aus Motorengeheul. Ich hätte Licht machen können, aber irgend etwas hielt mich davon zurück. (Was hielt mich davon zurück? Die Pelzmütze des Paracelsus. Die Sonne von Austerlitz.) Massuro wurde so schwer, daß sein Körper nicht mehr hochsprang, wenn wir über einen Stein oder durch ein Loch fuhren; ich hörte nichts mehr. Ich kauerte an der Rückseite des Fahrerhauses und wurde von links nach rechts geschleudert. Die Augen waren mir aus den Höhlen gerutscht und hingen in allen Ecken und wurden selbst zur Dunkelheit. Einmal sagte Massuro noch etwas, zum letztenmal; vielleicht war er da schon lange nicht mehr bei Bewußtsein.

»Loonstijn?... Bist du da?... Leg mich ruhig aufs Feld, dann können sie sich die Zähne an mir ausbeißen.«

Es war das Dunkel, das sprach, mit einer Stimme wie durch das Telefon, ohne Tiefe, eindimensional. Ich gab keine Antwort. Es war aus mit ihm – und mit mir auch. Oder begann es erst jetzt? Eine neue Art Mensch... Für die Zukunft: Ruhe ohne Hoffnung, auf alles gefaßt. Ich war in der ganzen Finsternis des Lastwagens; ich dachte an nichts; in der Nacht wurde die Finsternis mein Körper.

Den Rest wissen Sie. Als am nächsten Morgen Dr. Mondriaan sein Skalpell zur Obduktion in Massuro hineinstechen wollte (auf dem Boden, der Tisch hätte ihn nicht mehr getragen), brach die Spitze ab. Was von der Haut übrig war, kratzte er ab, eine trockene, lederartige Membran. Massuro war zu Stein geworden. Von Kopf bis Fuß, von innen und von außen. Eine Art Granit, hellgrau bis rötlich, mit schwarzen Punkten und Strichen, die Buchstaben glichen. In einer Eingeborenen-Steinmetzerei wurde er durchgesägt; ein Körnchen von Grus flog mir ins Auge, so daß mir stundenlang die Tränen über die Wangen liefen. Alle, Offiziere, Ärzte, ballten sich um Massuros Hälften. Auf dem frischen Schnitt lag eine bläuliche Spiegelung. Seine Eingeweide waren wie seltsame Fossilien im Stein bewahrt.

»Grausamkeiten?« fragte mich Dr. Mondriaan mit trockenen Lippen. Wie gut verstand ich diesen Mann!
»Nicht unter meinem Kommando.«
»Aber früher vielleicht? In '48 ... auf Celebes?«
»Aus Grausamkeit zu Stein geworden, Doktor? Wer sollte da noch aus Fleisch bestehen?«
»Nicht aus Grausamkeit – aus Gewissensbissen. Irgendein Prozeß ... Gewissensbisse, die unter der Schwelle des Bewußtseins geblieben sind. Eine bestimmte Ausscheidung, die entstanden ist, chemische Umsetzungen, eine Art versteinertes Sekret ...«
»Ist das wissenschaftlich zu verantworten, Dr. Mondriaan?«
Es war, als ob er einen Kinnbart bekam und ich den Plüsch roch.
»Alles ist möglich! Vom Gebiet, wo sich Geist und Körper begegnen, weiß die Wissenschaft nichts, gar nichts! Niemandsland. Ein Gebiet so groß wie ... wie ganz Neuguinea! Nichts wissen wir darüber, nichts, nichts.«
Ich hatte unrecht, 4 ist schon lange nicht mehr 2 × 2. Auf den Straßen rollt der Verkehr. Eine Frau findet ihren Mann, der

am Fenster durch den Stuhl gesackt ist, in ein Standbild verwandelt. In den Städten wird der Urwald immer dichter, und der Himmel ist leerer denn je. Hier und dort sind Abdrücke von Menschenfüßen in der Erde, und im Raum darüber weht der Wind.

Steiger habe ich seiner Strafe enthoben.

Kaukenau, 26. Juli 1955
Neuguinea

Leutnant K. Loonstijn
Abt. G. III., 5. Bataillon
124 R. I.
Nr. 121 370

Die Dame auf dem Foto

Nun bin ich zwar noch in Wien, aber doppelt. Ich habe einen Bildband gekauft, so groß wie ein Atlas, mit Fotos von 1870 bis 1920: *Unbekanntes Wien*. Das Wien von Freud, Mahler, Schönberg, Klimt, das ist doch nicht unbekannt? Warum wird die vergangene Zeit, über die man ziemlich viel weiß und die noch heute eine aktive Rolle spielt, auf einmal wieder *unbekannt?*★ Das kommt nun paradoxerweise gerade durch das, was sich vorgenommen hatte, jene Zeit aufzubewahren: die Fotografie.

Hätte ein Fotograf von heute, mit dem jetzigen Stil und den jetzigen Mitteln, damals dieses Foto gemacht, sähen sie ganz anders aus. Es ist nicht das Wissen, daß die Leute auf den Fotos tot sind, es sind auch nicht die verschwundenen Kleider, die diese Fotos so *alt* und dadurch so unzugänglich machen, es ist die Fotografie selbst. Am besten kann man das an den Gebäuden sehen. Nehmen wir den Dom. Den gab es schon einige hundert Jahre, bevor das Foto gemacht wurde, und es gibt ihn, inzwischen schon fast wieder hundert weitere Jahre, nachdem der Fotograf durch seine Linse blickte, immer noch; trotzdem sieht er auf dem Foto unwiderruflich wie ein Dom des neunzehnten Jahrhunderts aus: Neogotik, eine Kirche von Cuypers.★★ Das hat mit den bierfässerbeladenen Pferdewagen, den Frauen mit Sonnenschirmen und langen Kleidern, dem Fehlen der Autos nichts zu tun, das kommt durch die Technik. Mahlers Zweite Symphonie kann nie so altmodisch und ausgedient klingen wie dieses Foto erscheint, das nur seine eigenen unvollkommenen Mittel auf-

---

★ Deutsch im Original.
★★ Petrus Cuypers (1827–1921), niederländischer Architekt.

bewahrt hat, die aus dem lebendigen mittelalterlichen Dom ein mageres, blasses und provinzielles Bauwerk machten, indem man sich zweifelsohne zur falschen Religion bekannte, einer unangenehmen Art des engstirnigen und scheinheiligen Katholizismus, der zum Ende jenes Jahrhunderts gehört, aus dem die Zeitgenossen des Fotografen mit so großer Leidenschaft ausbrechen wollten.

Mit Menschen ist das anders. Von ihnen haben wir nur dies eine Bild, sie können nicht entwischen. Sie bezeugen mit allem, was sie haben, ihre Anwesenheit, aber ein geheimnisvoller Zaubertrick hat die Erstarrung ihrer Umgebung übertragen: je mehr von dieser Umgebung sichtbar ist, desto mehr hält die sie in der Beklemmung der Datierung gefangen. Es ist offensichtlich, daß die Fotografie etwas Besonderes war, daß man stillsitzen und vor allem warten mußte. Auf einem der Fotos ist eine Frau abgebildet. Sie trägt ein weißes Kleid, ihr Haar ist zu einer Art üppigem, massivem Knoten frisiert, ein glänzender Schuh ist sichtbar, ein glänzender Unterarm liegt auf ihrem Schoß, ihre Brüste wölben sich nach vorn, sie sitzt voll geheimer, verborgener Weiblichkeit zwischen all diesen baumwollenen Panzern, sie blickt in die Linse. Neben ihr liegt ein aufgeschlagenes Buch, vielleicht von Dr. Freud. Alles, was sie umgibt, das Buch, der Puff, die zahllosen steif daliegenden Perserteppiche, die Jugendstillampen, der Kronleuchter, die traditionellen Porträts in schweren Rahmen, könnte jetzt bei einem Wiener Antiquitätenhändler stehen, sogar das ganze Zimmer könnte es noch geben, nur sie und ihre Blumen nicht. Sie ist entschwunden, aber ist sie damit auch verschwunden? Nein, das ist sie nicht. Wenn ich das Buch zuschlage und aus meinem Hotelzimmer gehe, zu Kranzler, ins Café Dehmel oder in die Oper, treffe ich sie. Nicht sie und doch sie. Es gibt sie noch, ihre Essenz der Wiener Dame schwebt wie unsichtbarer Puder in der Wiener Luft; so einfach konnte man sie also doch nicht loswerden. Sie wird in den Stücken Schnitzlers oder Horváths wieder sichtbar, in der Kasuistik Freuds; dieses Genre der

Wiener Dame der Jahrhundertwende hat sich in der Literatur und in den Porträts Klimts und Schieles eingenistet, sie gehört zum Kanon, ohne sie gäbe es das frühere Wien nicht, und ohne das frühere Wien gäbe es das Wien nicht, in dem ich nun verkehre; ich komme ständig mit ihren Atomen in Berührung. Das ist nicht unangenehm, denn nun kann ich mich auf sie beziehen. Ihr Wesen hat sich mühelos in der direkten Reinkarnation auf die Damen in meiner Loge übertragen, die noch immer mit einem heiligen Schauder das moderne Grauen der Lulu betrachten und sich in der Pause am aufgebauschten Dekor des Foyers festhalten, dem süßen Sekt und der Reflexion ihrer langen Röcke in den sich gegenseitig aufrechterhaltenden Spiegeln. Während der Arien, wenn die Musik Alban Bergs zu laut oder zu eigenwillig wird, rücken die Damen etwas enger zusammen, schieben die Operngläser über der rotplüschenen Balustrade hin und her und widerstehen gemeinsam den gesungenen Greueln bis zu dem entsetzlichen Moment, wo Lulu und die Gräfin Geschwitz *in der Dachkammer ohne Mansarde* ★ tot auf dem Boden liegen.

Aber stimmt es wirklich, daß sich das Wesen der Dame im Foto (ja sie sitzt in ihm) auf die Damen in meiner Loge übertragen hat? Vermutlich nicht. Meine Damen erbeben nicht, sie konsumieren. Das war um die Jahrhundertwende anders; damals war ganz Wien ein Treibhaus neuer Ideen. Die Elite war nicht, wie in vielen anderen Städten, in Gruppen und Grüppchen zersplittert. Denn wie hoch diese Elite auch aufstieg, als Ganzes konnte sie doch keinen Anteil am höheren Hofleben haben, das mit all seinen äußerst bizarren protokollarischen Ritualen um das lebendige Götzenbild des Kaisers aufgezogen wurde – eine geschlossene Bastion des Adels. Die Bourgeoisie hielt ihren eigenen Hof in Café und Salon, den gleichen Salons wie dem der Dame auf dem Foto. Dort verkehrten Künstler mit höheren Beamten und Bankiers, dort

★ Deutsch im Original.

wurden neue Ideen ausgetauscht und diskutiert, dort sprach man über Schnitzler und Hofmannsthal, Klimt und Schiele. Carl E. Schorske analysiert es in seinem Buch *Fin de Siècle Vienna* ganz deutlich: die Entfremdung zwischen den Künstlern aus anderen Bereichen der Elite kam in Wien später als anderswo in Europa. Aber es war eine eigenartige Mischung. Provinziell und kosmopolitisch, Avantgarde und Tradition, jüdisches Genie und ordinärer Antisemitismus, erstarrter Katholizismus und die ersten Regungen der Psychoanalyse. Eine Wiener Schule nach der anderen machte von sich reden, und noch heute ist dieser Glanz nicht erloschen, etwas davon sieht man im heutigen Wien oder möchte man sehen, auch wenn es einem noch so beängstigend solide erscheint, und das tut es. Die Gänge und Treppen der Oper sind von einem Publikum bevölkert, für das es die 6oer Jahre nie gegeben hat: Herren im Smoking, viel zu gebräunte Damen in langen Abendkleidern und mit Pelzstolen – Uniformen, die das Bürgertum trägt, um zum Höheren aufzusteigen, die Bergsteigertracht von Leuten, die wissen, daß sie der Gefahr der unbegreiflichen Sätze und Kakophonien entgegengehen, die aber auch wissen, daß sie in der Pause mit wechselseitigem Anblicken und einem Glas süßen Wein belohnt werden.
War es damals anders? Äußerlich nicht, die Fotos deuten jedenfalls nicht darauf hin. Aber unter dieser soliden Äußerlichkeit, in den steifen Salons, über den mit Schlagsahne beladenen Torten und den ewigen Schalen Kaffee, zwischen den Zeitungen, die Berichte über das Hofleben produzierten, das jetzt exotischer scheint als das Ägyptische Reich der Mitte, und den ebenso geheimnisvollen Reiseberichten, die Sigmund Freud von seinen Entdeckungsreisen durch die gefährlichen Spelunken der menschlichen Seele nach Hause schickte, wußte eine Anzahl der Wiener Bürger sehr genau, daß die so offenkundig solide Welt am Zersplittern war, einzustürzen drohte, daß nichts so war, wie es den Anschein hatte, und daß auch ihr eigenes Schicksal darin einbezogen war. Noch immer, und solange man sich erinnern konnte,

regierte der Kaiser, doch die politischen und kulturellen Gegensätze wurden flagranter, das Gespenst des vorauszusehenden Chaos, der Zusammenbruch der Gesellschaft, die sie bis dahin gekannt hatten und die nach Franz Joseph explodieren würde, war nicht mehr wegzudenken. Die Dame, die so ruhig dasitzt und in die Linse blickt, hat an dem Tag vielleicht eine Ausstellung gesehen, die sie erregt oder die sie möglicherweise nicht versteht, oder sie hat zufällig ein Pamphlet der Pangermanisten oder der antisemitischen Christlichsozialen gelesen. Vielleicht lag sie sogar mit ihren frisch geprägten Neurosen auf einem Diwan in der Berggasse oder verspürte den Schauder der neuen Zeit, als sie an der nackten Funktionalität von Otto Wagners Gebäude in der Neustiftgasse 40 entlangging. Die Libido Anatols, die niederschmetternde, bedrohliche Ouvertüre aus Mahlers Zweiter Symphonie, der herausfordernde Anblick von Klimts neuer Athena mit dem Ungeheuer, das seine bösartige Zunge auf ihrer gepanzerten Brust herausstreckt, das geile Insichgekehrtsein seiner Danae, alles brach über sie herein. Es ist ihr nicht anzusehen. Wer sie war, kann man dem Fotoband nicht entnehmen, wahrscheinlich weiß das niemand mehr. Auf diese Weise wird sie so etwas wie ein Pendant des Unbekannten Soldaten, obgleich sie ein Gesicht hat. Die Unbekannte Wiener Dame. Wenn ich an Wien denke, denke ich an sie, wenn ich durch Wien gehe, gehe ich durch ihre Hinterlassenschaft. Sie ist aus diesem Foto weggezaubert, aber nie verschwindet jemand gänzlich; obwohl sie unsichtbar geworden ist, begegne ich ihrem Schatten in den Kaffeehäusern, Foyers und Galerien, vielleicht geht sie sogar ständig neben mir her.

Wenn das so ist, dann hat sie eine arbeitsreiche Woche. Das Idiotische an einem Aufenthalt in großen Städten ist, daß man dort alles tut, was man zu Hause, in meinem Fall in Amsterdam, nicht macht. Ausstellungen, Oper, jeden Abend Theater, Operette, Liederabende, wie ein Süchtiger fahre ich mit Tram und U-Bahn herum, bin bis an den Rand mit Kultur gefüllt, werde von *Tafelspitz, Hirschenpfeffer, Eintopf, Erbsenpüree, Goldkarpfen*★ auf den Beinen gehalten. Die Atmosphäre ist angenehm, man hat keine Eile; das Tempo einer Großstadt, die keine ist.

Warum hat ein König eine Krone auf? Um größer zu erscheinen; das ist sehr simpel. Und weil er dann durch ein Stück Gold und einige Edelsteine übermenschlich geworden ist, muß er auch in einem übermenschlich großen Haus wohnen. So ein Haus heißt dann Schloß. Eine Krone ist eine Kopfbedeckung, aber schützt nicht vor Regen. So ähnlich ist es auch mit den Palästen. Sie sind da, um etwas zu zeigen, und trotzdem sind es auch Häuser. Diese ziemlich einfachen Gedanken kamen mir, als ich aufs Schloß Schönbrunn zuging, ein Haus, wo man einen Dynastosaurier schlafenlegen kann. Die Dynastosaurier sind (fast) ausgestorben, aber ihre Nester existieren noch, und jeden Tag drängen sich da lange Prozessionen von Ameisen hindurch, um zu sehen, wie die Giganten früher lebten. *Millionenzimmer, Gedenkzimmer, Chinesisches Rundkabinett, Roter Salon, Wildschweinzimmer, Vieux-Lague-Zimmer,*★★ im ganzen 42 Zimmer, an denen wir entlangziehen und die wir bestaunen dürfen. *Entlang,* denn es hat fast den Anschein, als hätte die Apostolische Majestät in einem Ausstellungsraum gelebt oder als hätte man immer schon damit gerechnet, daß diese Prozession, der ich nun auch angehöre, da entlangziehen würde. Dieser Teil des Zimmers, in dem wir stehen, ist von dem Teil, den wir betrachten, durch ein rotseidenes, geflochtenes Seil getrennt; unsere Führerin wagt es, sich etwas dahinter aufzustellen, und man kann sich eigentlich nicht vorstellen, daß dieses Seil bzw. diese Edelschnur früher nicht da war. Die Phantasie bevölkert die leeren Stühle mit kaiserlichen Personen, die ihr Leben, während wir gucken, einfach in ihrem vergoldeten, lackierten, verschnörkelten,

★ Deutsch im Original.
★★ Deutsch im Original.

mit Seide bespannten Dekor weiterführen. Hier steht der gehobene Wahnsinn auf der Tagesordnung, durchgedrehter goldener Rokokozierat klettert die Wände hoch, dem Auge wird vor lauter Ornamentik schwindlig. *Weißgoldene Lambris, darüber altrosa Brokatbespannung an den Wänden . . .*,* die Führerin gurgelt es mit ihrer sanften österreichischen Stimme heraus, sie erzählt, was wann, wo und warum geschah, doch meine Gedanken sind woanders. Das Gold, der Lack, die gepuderten Perücken und kalbfleisch-rosa Dekolletés auf den Familienporträts, der Schreibtisch der armen Marie-Antoinette, das Riesinnenbett der ermordeten Sissi, das Parkett, auf dem längst verschwundene adelige Füße sechzigmal den Umfang Afrikas im Walzerschritt zurückgelegt haben, die seidenen Stickereien mit orientalischen Motiven, die pompösen Vasen ohne Blumen, was wollen sie heute sagen? Was sie ausdrücken sollten, war Macht und Majestät. Was läßt sich damit vergleichen? Eine Reise im Flugzeug, wo einem, während man gerade seinen Whisky trinkt, die Stimme einer unsichtbaren Frau mitteilt, daß die Außentemperatur 54 °C unter Null beträgt. Dann blickt man hinaus und kann es nicht sehen, und somit sind beide Welten, die Innen- wie die Außenwelt, unwirklich geworden. Etwas Ähnliches geschieht hier. Für den, der hier lebte, muß die Außenwelt total unwirklich gewesen sein, als schwebte er in einem Raumschiff durch eine unbekannte Galaxis. Jeder, der nicht dazugehörte, konnte die Sprache, die innerhalb dieser glänzenden Wände gesprochen wurde und die genauso verschnörkelt und umständlich war wie die Formen der Stühle, Kronleuchter und Spiegelrahmen, weder verstehen noch sprechen, und deshalb war die Innenwelt dieser Schlösser für den, der von außen kam, genauso fremd wie der Blick von innen nach außen. Und das ist jetzt noch genauso; ich sehe es an den Gesichtern um mich herum, an den staunenden Mienen. Ich bin in eine Gruppe von Mädchen irgendeines Gymnasiums geraten, während hinter uns

* Deutsch im Original.

eine japanische Gruppe vorrückt. Doch der Ausdruck auf all diesen Gesichtern ist derselbe: *Ehrfurcht*, als übersteige das hier Dargebotene das Menschenmögliche, als hätten hier keine menschlichen Wesen gewohnt, sondern vielmehr eine Rasse außerhalb der Erde hergestellter, nachgeschliffener, polierter und durch die Idiotie des Schicksals in der österreichischen Sprache untergetauchter Daseinsformen mit dem Sammelbegriff Kaiserliche Familie.

Ich habe sie gleich gesehen, draußen auf dem Kies, zu den steinernen Gestalten auf dem Dachrand hochspähend, wo ihre steinernen Mäntel vom Wind des Barock aufgebauscht werden. Zählt sie sie, oder schaut sie nur? Es gefällt ihr nicht ganz, denke ich, diese Phalanx der unbeweglichen Tänzer, die sich dort totenstill im *Zeitgeist* wiegen. Sie hat ein blasses Gesicht, Augen aus Schiefer, die spöttisch blicken können, eine Krone, auch sie, aus rotem, zierlich gelocktem Haar. Ich lande in ihrer Klasse, weil ich von den Japanern ausgeschlossen werde, und darüber müssen wir beide lachen. Nun bin ich also ein Mädchen und gehe in ein Gymnasium. Fürs gleiche Geld hätte ich ein Japaner sein können und die halb verschluckten, gluckernden und wie auf einer Rutschbahn plötzlich in die Tiefe stürzenden Klänge verstehen können, aus denen immer wieder die Namen Flans Joseph und Erisabeth wie purzelbaumschlagende Enten hochspringen. Über diese Namen muß sie auch lachen, ich seh's im Spiegel. Die Führerin erklärt, daß der Kaiser so wie seine Soldaten schlafen wollte, und deutet auf das einsame Fürstenbett aus gewöhnlichem Holz, und ich sehe im Blick der Rothaarigen dieselben Gedanken, die mir durch den Kopf schwirren, daß der Kaiser dann besser alle Soldaten in seinem Haus hätte aufnehmen können. Sie schlendert an denselben Objekten vorüber, geht mit einem schnellen grauen Auge an dem vergoldeten Zierat entlang, um nachzusehen, ob es stimmt, daß das Rokoko asymmetrisch und der Barock symmetrisch ist, bleibt kurz andächtig vor dem schwelenden Porträt des

Selbstmörders Rudolf stehen. *Arme Habsburger*, immer von ihren blutsverwandten Spukgestalten, Geistern, Vorvätern umringt, kein einziges Mal allein, jede Tat oder Untat in Büchern aufgehäuft. Hier empfing die Kaiserin den Kanzler zu geheimen Besprechungen, und wir spähen in das leere, ach so chinesische Zimmer, das einst ihre voluminöse Gestalt, die sechzehn Kinder gebar, gefaßt haben mußte. Aber sie ist nicht da, sie nicht, und genausowenig der *upstart* Napoleon, der hierher kam, um eine Habsburgerin zu heiraten; auch sein Söhnchen starb hier, es erstickte, weil es in der zu alten Familie kaum Luft bekam. Die Rothaarige und ich haben jetzt schon eine taubstumme Ehe hinter uns, sich kreuzende Blicke in widerspiegelndem Glas, wortlose Übereinstimmung, absichtliches Zurückbleiben, während der Rest der Klasse schon wieder weiterschlendert, Interesse für ein Detail vortäuschend, das allen anderen entgangen war, vor allem nichts sagen, sanft und entzückt durch die unbeweisbare Herausforderung des anderen gefoltert werden, die bittersüße Qual des einsamen Reisenden, der weiß, daß er diese Zazie nie von ihrer Klasse loseisen kann, und auch weiß, daß sie die extreme Flüchtigkeit dieses Moments genausowenig vergessen wird wie er. Weiß er das genau? Gibt es keine Spiegel, in die er blicken kann? Nein, er weiß es genau, denn als er, nachdem er ein letztes Mal zurückgeblieben war, aus dem Schloß hinausgeht und sich durch die Klasse, die sich auf den Treppenstufen in die Sonne gesetzt hat, einen Weg bahnen muß, hört er plötzlich eine klare, unverwechselbare Mädchenstimme den so unmöglichen Gruß sagen: »*Auf Wiedersehn.*«* Das wird nicht gehen, denkt er und blickt direkt in die schiefergrauen Augen, die darauf gewartet haben. »*Auf Wiedersehn*«,** sagt er und schreitet, vorübergehend untröstlich, auf den Park zu. Er nicht, ich.

---

* Deutsch im Original.
** Deutsch im Original.

Zuerst ist alles gerade und flach. Der Landschaftsarchitekt hat die Natur in abgemessene Formen gezwängt. Die Hecken sind geschnitten, das Gras hört beim Lineal auf dem Zeichentisch auf, gelbe und rote Blumen schreiben seltsame gewölbte Runen in den Rasen, auch hier dienen geknechtete Pflanzen der majestätischen Idee. Man beherrsch alles, also auch das Gras. Diese ganze malträtierte Fläche endet an einem Springbrunnen, auf dem bemooste Statuen wohnen und das Wasser denselben Zwangsmaßnahmen unterliegt; es darf zwar fließen, aber es muß auch gleichzeitig einen Dienst erweisen, den Glanz des Namens stützen, sogar jetzt noch, wo es diesen Namen nicht mehr gibt. Dahinter, nach oben ansteigend, befindet sich wieder eine eingesperrte Rasenfläche, auf der nicht geweidet wird. Zickzackförmige Wege führen zur Anhöhe, zum leeren Monument der Gloriette, das durch den emblematischen Raubvogel gekrönt wird, der seinen verkrampften, geschlossenen Schnabel zur Seite dreht.

Leere ist von allen Dingen am schwierigsten zu beschreiben. Ein Gebäude, das nicht von Mauern umgeben ist, in das man hineingehen kann und dabei doch im Freien bleibt, ist merkwürdig. Nur durch eine gewisse Heiligkeit wirkt so ein Bauwerk nicht lächerlich. Der Segesta-Tempel und die Akropolis haben ihre sakrale Funktion verloren, und doch hat man, obwohl man im Freien bleibt, das Gefühl, man gehe in etwas hinein. Es gibt zwar keine Tür, aber dennoch befindet man sich in einem anderen, kaum zu benennenden Element. Meine einzige Erklärung dafür ist die, daß man *weiß*, daß dies für die alten Griechen ein heiliger Ort war und daß sie das durch den Bau ausdrücken konnten. Es gibt kein Entrinnen, für mich jedenfalls nicht, ich kann nicht »einfach so« zwischen den Säulen des Segesta-Tempels herumlaufen. Ich weiß, daß ich irgendwo anders bin, daß die Luft, in der ich mich bewege, zwar genauso zusammengesetzt ist wie die drei Meter weiter, daß sie jedoch durch einen unsichtbaren Bestandteil, der mit Physik nichts zu tun hat, anders auf mich wirkt. Bei der Gloriette ist das nicht so. Hier wurde etwas imitiert, etwas gestohlen. Jemand wollte eine Antiquität, als diese schon nicht mehr vorhanden war. Das wesentlichste Element, das Sakrale, fehlt hier. Es ist einfach ein Gebäude mit Säulen, das an allen Seiten offen ist, schon wieder eine Bestätigung einer ausgehöhlten Majestät, die mit der Majestät unterging und nur als leere Hülle zurückblieb, die nichts ausdrückt als sich selbst, klassizistischer, triumphaler Kitsch. Erst nachdem man über all das nachgedacht hat, wird die Gloriette wieder schön. Kitsch ist eine Form der Ironie, die ohne Ironie betrieben wird, trotz der Ironie; die Ironie entsteht gerade durch den Ernst. Allen Ernstes wollte hier jemand ein Monument errichten, aber dann mit Attributen und einem Drumherum, die in der Zeit des Bauens jegliche Symbolfunktion und damit alle Gültigkeit verloren hatten. Nehmen wir die Trophäen-Gruppe, zwei auf jeder Seite, vier im ganzen. Einen Tag könnte ich sie anschauen, diese geharnischten Brüste ohne Mann darin, diese Gigantenhelme mit der unvorstellbaren Leere des fehlenden Heldenkopfes.

Das erste, woran ich denken muß, ist die Geschichte von Italo Calvino in *Der Ritter, den es nicht gab*, über eine Rüstung, in der kein Ritter steckt, die gleichwohl einen Namen hat. Der nicht vorhandene Ritter lebt am Hofe und kämpft in der Armee Karls des Großen, doch wenn man das Visier seines Helms hochklappt, sieht man nur ein klaffendes Loch. So ist es auch bei diesen Kriegern. Umringt von Standarten, gekrönten Stäben, Schwertern, Medaillons, Riesenfüllhörnern, aus denen Riesenfrüchte hervorquellen, Masken und Fabeltieren stehen sie da, leere Hüllen. All diese Gegenstände haben in irgendeinem vergessenen Buch eine Bedeutung, von einigen wüßte ich nicht einmal im Niederländischen wie sie heißen, ich kann sie nur stupide umschreiben als »Stab mit Glocken und Medaillon, darauf eine Eule« – denn so unermeßlich groß sie auch sind, sie weigern sich, eine andere Bedeutung als die von Prunk und Sieg abzugeben: Beutestücke. Von hinten sind die Statuen noch schöner, man kann sie auch besser erreichen, indem man die Treppe ein Stück hinaufgeht. Der Rücken ist breiter als der eines Mammuts, die Segmente des Panzers sind handgroße, ineinander übergehende schuppenförmige runde Scheiben, dicke steinerne Federbüschel quellen aus dem bauchigen Helm, der Rock wippt über der breiten, einladenden Hinternpartie, die von Löwenklauen umspannt wird; ich könnte weiterschreiben, doch in meiner Phantasie träume ich einen surrealistischen Traum, in dem sich diese leere Rüstung erhebt und wie der Kommandant im *Don Giovanni* den leeren Raum der Gloriette betritt und von dort auf den mathematischen Garten hinausblickt, in dem die Umrisse der Besucher auf dem Kies so aussehen wie auf den Holzstichen des 18. Jahrhunderts, zerstreut, verkleinert, namenlos im errechneten, geradlinigen Netz der Majestät gefangen, Untertane.

Menschen können sich verändern, darum muß man ihnen bisweilen aus dem Weg gehen und sein Glück bei der Unveränderlichkeit der Tiere suchen. Tiere sind geprägte Wörter, sie ändern sich erst durch die Syntax ihrer Umgebung. Menschen können sich die höfische Sprache aneignen, mit kahlgeschorenem Kopf ins eine Jahrhundert hineingehen und im anderen mit gepuderter Perücke wieder herauskommen, sie können sich größer machen und mit bunten Federbüscheln schmücken und fünfzig Jahre später so grau und armselig aussehen, daß ihnen sogar ihre Paläste nicht mehr stehen und sie in ihrer Unansehnlichkeit im Prunk ihrer früheren Umgebung verpuffen. Tiere kümmert das nicht: der Elefant auf einer Zeichnung von Rembrandt sieht genauso aus wie der Elefant im Schönbrunner Tierpark. Das gefällt mir. Das Wort Tiger bedeutet hier dasselbe wie im Urwald: Weil er von Gittern umgeben ist, bedeutet er Gefahr. Nur durch diese Gitter ist er ungefährlich, nicht durch das, was er ist.

Vor mir geht eine ganz andere Raubkatze. Sie ist schlank und groß und hat wildes, blondes Haar. Kein seidiges, sondern flächsernes. Sie bleibt stehen und schreibt. Ich wüßte gern, was, aber ich würde nicht fragen. Ich schreibe selbst, sonst stünde das jetzt nicht da. Schreibt sie nun dasselbe auf? Vielleicht ist es sogar Unsinn, was sie schreibt, doch das ändert nichts an der Rührung. Leute, die schreiben, haben etwas Rührendes, die Tat als Symbol. Da geht es weniger um das, was aufgeschrieben wird, als vielmehr ums Schreiben selbst, die Handlung. Eine Art von Ordnungssuche oder Ordnungmachen, was immer eine Art Meditation ist. Notieren, assoziieren, katalogisieren, es gehört zum Gedanken, zur Reflexion. Sie ist am Sortieren, Aufschreiben, Formulieren, und sie macht es allein. Sie muß also allein bleiben, ich gehe an ihr vorbei und formuliere den Satz, den ich aufschreiben werde, wenn sie mich nicht mehr sehen kann, in dem sie vorkommt.

Jetzt treffe ich noch jemand anderen, eine Krähe. Sie sieht wie eine Krähe auf einem mittelalterlichen Schlachtfeld aus, wie eine Krähe aus einem persischen Gedicht, so, wie eine Krähe im gesammelten Gedächtnis auszusehen hat, sie hat uns einen Dienst erwiesen, sie ist nicht verändert, wir können uns auf sie beziehen. Krähe, sagen wir dann, und da steht sie, schwarz wie eine Krähe, mit ihrem stechenden Blick und ihrem harten Schnabel. Diese steht nicht, sie schreitet beziehungsweise kommt auf mich zu, sie watet mit ihren verhärteten Plastikfüßen durch die dürren Blätter, als ob eine altmodische Feder auf Papier kratzt, sie schreibt, auch sie. Nie habe ich das gedacht, aber nun denke ich es plötzlich, daß sie eine Reinkarnation sein muß, aber keine von sich selbst, wie alle anderen Tiere, sondern von einem Menschen. Sie paradiert, diese Österreicherin, sie schreibt mit ihren militärischen Stelzen. Ich höre das Gemurmel von Titeln und Paragraphen.

Warum sollten wir es nicht noch etwas komplizierter machen? Ich bin jetzt beim Panther, doch auch dieser Panther ist aus Papier und Tinte. Rilke hat ihn geschrieben und Borges. Es ist ein anderer, derselbe Panther. Immer ein anderer, immer derselbe. Tiere sind ihre eigene platonische Idee; deshalb können sie auch ihre eigene Reinkarnation sein. Jeder Panther ist alle Panther. Der von Rilke dreht seine nervöse Runde hinter den Gittern des Jardin des Plantes in Paris.

Sein Blick ist vom Vorübergehn der Stäbe
so müd geworden, daß er nichts mehr hält.
Ihm ist, als ob es tausend Stäbe gäbe
und hinter tausend Stäben keine Welt.
    Der weiche Gang geschmeidig starker Schritte,
der sich im allerkleinsten Kreise dreht,
ist wie ein Tanz von Kraft um eine Mitte,
in der betäubt ein großer Wille steht.
    Nur manchmal schiebt der Vorhang der Pupille
sich lautlos auf –. Dann geht ein Bild hinein,
geht durch der Glieder angespannte Stille –
und hört im Herzen auf zu sein.

Er führt es mir vor, er beendet seine Runde, legt sich hin wie die Katze, die er ist, in die einzige Ecke, auf die ein Sonnenstrahl fällt, und schaut durch seine tausend Gitterstäbe zu mir hoch. Sieht er mich? Dringt mein Bild in ihn ein, wie das seine in mich? Wenn das so ist, dann wird es da drinnen verschwinden, so wie man Fusseln von der Hand wegbläst. Er weiß nicht, daß ich ihn aufschreibe, er bewahrt mich nicht auf. Er rückt mit der Sonne ein bißchen weiter, um das Juwel von Borges zu werden, und wird dann sofort eine Frau. Wunderliche Alchimie der Sprachen, die aus dem femininen französischen Tod (*la* mort)) einen deutschen Mann macht (*der* Tod), aus der Sonne einen Transvestiten (le soleil, die Sonne) und aus diesem Fabeltier im Spanischen unabwendbar eine Frau (la pantera), so wie im Deutschen alle Menschen ein Mann sind.

Tras los fuertes barrotes la pantera
Repetirá al monótono camino
Que es (pero no lo sabe) su destino
de negra joya, aciaga y prisionera...
Hinter den starken Gittern wird der Panther
Immerzu den eintönigen Weg wiederholen
Der sein Los ist ohne daß er es weiß
dies schwarze, beängstigende, eingesperrte Juwel...

Er schaut mich an und leckt sich die Krallen, träge, wie eine
Katze das macht. Borges spricht über dich. Lümmel, sage
ich, ein Mensch, der mit einem Tier redet, doch diese Frau
kehrt mir die samtene Rückseite mit ihren Hoden zu und
leckt sich die Tatzen, auf denen sie ihre eintönige Runde bis
zum Tod fortsetzen wird. Und während ich mich umdrehe,
trifft mich die boshafte Einsicht, die man manchmal vom
langen Schauen auf ein Ding bekommt, wie der Blitz: ob
mein Verlassen des Zoos – ich gehe am Schloß vorbei, zur
Metro, ins Zentrum Wiens –, ob dieses eine minimale Ket-
tenglied in meiner Reise, das so stark mit der Freiheit zu tun
hat, nicht bloß ein Schritt ist in einem gleichen, ebenso er-
zwungenen wie unausweichlichen Rundgang. Der Reisende
als eingesperrter Panther, die Gitter der Umriß der Welt.
Warum, denke ich, um diesen Gedanken zu beenden, ist ein
eingesperrtes Kamel soviel weniger exemplarisch? Aber wer
möchte schon mit einem Kamel verglichen werden? Ich
nicht, und so kehre ich wieder zum Panther zurück, der sich
in die hintere Ecke des Käfigs zurückgezogen hat. Er steht im
Schatten, ich kann seine Augen nicht so gut sehen. Doch
flüchtig, ganz flüchtig, sieht es so aus, als schaue er wie die
Dame auf dem Foto. Ich weiß noch immer nicht, was sie
denkt.

Der Untergang der Familie Boslowitsch

Die Familie Boslowitsch traf ich zum ersten Mal auf einer Kindergesellschaft, einer Weihnachtsfeier bei Bekannten. Auf dem Tisch lagen festlich mit grünen und roten Figuren bedruckte Papierservietten, und vor jedem Teller stand eine brennende Kerze in einer ausgehöhlten halben Kartoffel, die, auf der Schnittfläche liegend, kunstvoll mit mattgrünem Papier überzogen worden war. Letzteres galt auch für den Blumentopf, in dem der Christbaum stand.

Hans Boslowitsch saß neben mir und hielt ein Butterbrot über die Flamme. »Ich röste Brot«, sagte er. Ein anderer Junge spielte Geige, wobei ich beinahe hätte weinen müssen und mir einen Augenblick überlegte, ob ich ihm einen Kuß geben sollte. Ich war damals sieben Jahre alt.

Hans, der zwei Jahre älter war, bewegte scheinbar achtlos die Zweige des Christbaums, bis einer über der Flamme knisterte und Funken sprühte. Schreie, Mütter stürzten herbei, und alle, die sich in der Nähe des Baumes befanden, wurden gezwungen, sich an den Tisch zu setzen oder in das Nebenzimmer zu gehen, in dem einige auf dem Boden Domino spielten.

Auch die beiden Brüder Willink waren da, Kinder eines gelehrten Ehepaares, das sie mit kahlgeschnittenen Köpfen herumlaufen ließ, weil die Eltern glaubten, daß das Aussehen eines Menschen unwesentlich sei, es der Reinlichkeit zugute komme und keine wertvolle Zeit mit Kämmen vergeudet werde. Das Schneiden besorgte ihre Mutter monatlich mit einer eigenen Schermaschine – eine wichtige Geldersparnis.

Mit ihnen zusammenzusein war ein Hochgenuß, denn sie wagten alles. An manchen Sonntagen kamen sie mit ihren

Eltern zu uns. Ich zog dann mit ihnen durch unser Viertel und warf, wie sie, in jedes offene Fenster einen Stein, eine faule Kartoffel oder einen Pferdeapfel. Ein wunderbares Fieber der Freundschaft befreite mich von aller Angst.

Bei jener Weihnachtsfeier amüsierten sie sich damit, eine brennende Kerze schräg über die Hand oder den Arm anderer zu halten, bis das heiße Wachs auf deren Haut tropfte und das Opfer mit einem Schrei aufsprang.

Hans Boslowitschs Mutter sah es und sagte: »Das finde ich aber gar nicht nett.« Sein Vater lächelte dagegen, weil er viel von Einfallsreichtum hielt und keine Angst zu haben brauchte, daß man ihm den Streich spielte, denn er war Invalide; eine Krankheit hatte seinen Unterkörper völlig gelähmt. Beide hießen nach diesem Abend für mich Tante Jeanne und Onkel Hans.

Ich brannte darauf, das Zimmer des Kranken zu besichtigen, denn ich hatte gesehen, wie ihn zwei Gäste hineintrugen, und das Schauspiel faszinierte mich.

Vier Tage später, noch in den Weihnachtsferien, besuchte ich mit meiner Mutter die Familie Boslowitsch. In der Straße war eine kleine Anlage, um die wir herumgehen mußten. »So, großer Simon«, sagte Onkel Hans, »Hans ist in seinem Zimmer, geh zu ihm und spiel mit ihm.«

»Was willst du?« fragte dieser, als ich eintrat.

»Dein Vater sagt, ich soll mit dir spielen«, antwortete ich verdutzt.

Er hatte Knickerbocker und einen grünen Pullover an, trug eine Brille, und seine schwarzen Haare waren mit Brillantine streng gescheitelt. Ich sah mich in dem kleinen Zimmer um und erblickte auf einem Holzgestell, in dem sich das Klappbett befand, ein Figürchen, das sich, als ich es anfaßte und daran roch, als ein Hund aus Seife entpuppte.

»Das habe ich gemacht«, sagte er. »Ja?« fragte ich. »In der Schule?« – »Nein, allein, zu Hause, aus gekaufter Seife«, behauptete er, aber ich glaubte ihm schon nicht mehr, denn meine Frage hatte ihn vorübergehend verwirrt.

Er hatte einen Gegenstand auf seinem Tisch, den er so betrachtete und in die Hand nahm, daß meine Neugier erweckt werden sollte. Es war eine zwei Finger hohe Metalldose in der Form eines Notizblocks, die etwas schräg abfiel und oben einen Knopf hatte. Der Deckel war von einer Leiste eingerahmt, in der sich ein durchsichtiges Zelluloidfenster befand. Man konnte nicht nur mit einem Bleistift, sondern auch mit einem Griffel, der von sich aus nicht schrieb, oder mit einem Stöckchen Wörter auf diese Platte schreiben; sie standen dann lila unter dem Fenster. Drückte man auf den Knopf, dann verschwand alles Geschriebene.

Ich hatte nie mit der Möglichkeit gerechnet, daß es so etwas geben könnte.

Ich durfte auch darauf schreiben und das Gekritzel durch einen Druck auf den Knopf wieder verschwinden lassen. Manchmal funktionierte das Ding jedoch nicht, und der Text blieb ganz oder teilweise stehen.

»Ich schmeiß es weg«, sagte er, »es ist kaputt.« – »Ein hübsches Ding«, sagte ich zu Tante Jeanne, die gerade hereinkam, »man kann darauf schreiben, und wenn man auf den Knopf drückt, verschwindet es wieder. Hans sagt, daß er es wegschmeißen will.«

»Das ist wieder einmal gar nicht nett von ihm«, sagte Tante Jeanne, »er schmeißt es weg, weil er es nicht verschenken will.« Den ganzen Nachmittag hoffte ich, in den Besitz des Schreibgerätes zu gelangen, wagte jedoch keinerlei Anspielung darauf zu machen.

Auch das Wohnzimmer enthielt interessante Gegenstände, zum Beispiel einen zwei Meter langen, mit Leder überzogenen Sessel auf einem runden Metallfuß. Ich durfte mich wegen der leicht zu beschädigenden Konstruktion nur seitlich hineinsinken lassen und dann mit der rechten Hand unten ein Rad drehen, dessen Stand die Schräge des Sessels bestimmte.

Auf dem Kaminsims standen zwei alte Kacheln; die eine zeigte das Bild eines Anglers, die andere das eines Schlittschuhläufers. Vor dem Fenster standen Blumentöpfe mit Pflanzen in alten Kupfereimern: eine kleine Zimmerpalme, zahlreiche Kakteen, unter ihnen ein kugelrunder, von grauem Geflecht überwucherter Kaktus, den Tante Jeanne das »Pflänzlein mit dem grauen Haar« nannte.

Wir setzten uns an den Tisch, um Butterbrote zu essen, und bekamen Messer mit gelben Elfenbeingriffen. In die Klinge war die Fabrikmarke mit den Buchstaben H. B. L. zierlich eingraviert. »Was bedeuten diese Buchstaben?« fragte ich, aber meine Mutter, Tante Jeanne und Onkel Hans unterhielten sich so eifrig, daß nur Hans meine Frage hörte.

»Hans ist der erste«, sagte er laut, »und Boslowitsch der zweite.« – »Und der dritte?« fragte ich erwartungsvoll. »Aber das L«, fuhr er fort, »ja, dieses L!« Er klopfte mit der Gabel gegen die Klinge. »Das wissen nur mein Vater, ich und ein paar andere Leute.« Ich wollte nicht die Verantwortung auf mich nehmen, nach etwas zu fragen, das aus wichtigen Gründen geheimgehalten werden mußte, und schwieg deshalb.

Nach dem Essen trat eine Veränderung ein. Eine Dame brachte Hans' Bruder Otto, auf den mich meine Mutter schon vorbereitet hatte. »Dieser Junge ist etwas zurückgeblieben, denke also daran, daß du ihn nicht schikanierst«, hatte sie gesagt.

»Da wären wir«, rief die Dame und ließ den Jungen wie einen Hund los, der einen Augenblick an seinem Herrchen hochspringen darf. Er ging nach vorne gebeugt, hatte besonders hohe Stiefel an, deren Spitzen einander zugewandt waren, und trug wie sein Bruder Knickerbocker; das sonderbar faltige Gesicht mit den zwei verschiedenen Augen schwitzte dermaßen, daß die Haare seines farblosen Schopfes an der Stirn klebten.

»So, bist du wieder hier, Männeken«, sagte sein Vater. »Ja«, rief er. »Ja ja Vati Mutti.« Er küßte beide, auch Hans, und machte auf der Stelle einen so kräftigen Sprung, daß alles dröhnte.

Ich erschrak über die Wucht, aber es stellte sich heraus, daß er, wie meine Mutter prophezeit hatte, ein gutmütiger Kerl war.

»Gib Tante Jettchen die Hand«, wurde ihm befohlen, und nach ständig wiederholtem Versagen brachte er es fertig, »Tante Jettchen« und »Guten Tag, Tante« hervorzustoßen, bis es schließlich gelang, ihn die Zusammenfügung »Guten Tag, Tante Jettchen« sagen zu lassen. »Und das ist Simon«, sagte Tante Jeanne. »Guten Tag, Otto«, sagte ich und schüttelte die pitschnasse Hand.

Er machte einen neuen Sprung und bekam etwas zu naschen, eine Praline, die Tante Jeanne ihm in den Mund steckte. Jedesmal, wenn man ihn etwas fragte – auf die bekannte Art, bei der keine Antwort erwartet wird –, rief er »jaja«, »ja Mutti« und stieß diese Wörter mit großer Kraft hervor.

Nun wurde ein Koffergrammophon auf den Tisch gestellt, das die Dame, die mitgekommen war, aufdrehte.

»Heute nacht ist er trocken gewesen«, sagte sie. »Oh, das ist lieb, das ist lieb von Otto, ganz trocken bist du geblieben?« fragte seine Mutter. »Ein lieber Junge, nicht wahr, Schwester Annie?«

»Ja, er ist ein lieber Junge gewesen, nicht wahr, Otto?« antwortete diese. »Was sagst du darauf?« fragte seine Mutter, »ja, Schwester Annie.« – »Ja-Schwester-Annie«, stieß er nach endlosem Drängen hervor.

Eifrig suchte er in einer Schachtel Schallplatten aus. Jede hielt er mit beiden Händen nahe ans Gesicht, als wollte er daran riechen. Seine Nase war rot und feucht und hatte ein gelbes Pickelchen auf der Spitze.

»Er riecht, welche es ist«, erklärte Onkel Hans, der von seinem Stuhl aus mitsuchte. »Diese«, sagte er und gab sie Otto. Das Kind nahm die Platte, betrachtete sie, seufzte und stützte den Ellbogen auf, leider jedoch genau auf eine andere Platte, die mit einem leisen Knacks in drei Stücke zersprang. Ich schrie auf, aber Hans ergriff die Scherben, besah sich das Etikett und sagte: »Eine ganz alte, übrigens mit einem Sprung.

Es ist nicht schlimm, Otto, es war nur eine alte. Eine alte, Otto.« – »Alte«, stieß Otto hervor und legte die von seinem Vater bezeichnete Platte auf.

Die Platte war nicht wie die anderen, sondern braun, dünn und allem Anschein nach aus Pappe. Man konnte nur eine Seite spielen. Hans setzte auf die Achse der Scheibe einen Gummistöpsel, weil die Platte sich etwas wölbte. Als sie sich zu drehen begann, sagte eine monotone Stimme: »Die Loriton-Platte, die Sie jetzt hören, eignet sich für alle Arten von Aufnahmen. Sie ist leicht, biegsam und kann dreimal so oft gespielt werden wie eine gewöhnliche Schallplatte.« Danach kündete der Sprecher ein Tanzorchester an. Als dieses sein Stück beendet hatte, sagte die Stimme: »Die Loriton-Platte ist nur auf einer Seite spielbar, aber wenn Sie Ihre Uhr in die Hand nehmen, so werden sie feststellen, daß ihre Spieldauer zweimal so lang ist wie die einer gewöhnlichen Schallplattenseite. Und der Preis, meine Damen und Herren, beträgt nur die Hälfte.«

Otto hüpfte vor Ungeduld herum. Seine Mutter suchte sofort eine andere kleine Platte mit rosa Etikett aus. Zweistimmig sang diese »Hänschen klein«.

Draußen vor den Fenstern nieselte es. Ich schlich in Hans' Zimmer, betrachtete das Seifenhündchen und betastete das Schreibgerät, als ich zum Nachhausegehen gerufen wurde.

Unterwegs fragte ich meine Mutter: »Wie alt ist Otto?« – »Etwas älter als du, mein Matz«, antwortete sie. »Aber denk daran, nie Onkel Hans zu fragen, wie alt Otto ist.« Ich spürte, wie der Regen uns plötzlich stärker entgegenwehte. Obwohl ich meinen eigenen Gedanken nachging, hörte ich meine Mutter noch sagen: »Sie haben Angst, daß, wenn sie selbst nicht mehr sind, schlecht für Otto gesorgt wird.« Beide Mitteilungen lieferten mir tagelang Stoff zum Nachdenken.

Erst beim zweiten Besuch entnahm ich dem Gespräch, daß Otto nicht zu Hause, sondern in einem Kinderheim wohnte und daß die Dame, die ihn begleitete, eine mit Tante Jeanne befreundete Schwester dieser Anstalt war.

Es war ein Sonntag, und auch mein Vater ging mit. Als wir

hereinkamen, wurde gerade in tadelndem Ton über Otto ge-
sprochen. Hans stand beim Fenster, Otto neben dem antiken
Glasschrank, und Onkel Hans saß auf einem Stuhl am
Tisch.

»Ja«, sagte Tante Jeanne, die uns voranging, »wir reden gerade von Otto.« – »Ja«, rief Otto, »ja Mutti!« Onkel Hans
sagte: »Nebenan im Büro« – er meinte sein kleines Arbeitszimmer an der Straßenseite – »stand eine Schale mit Trauben.
Ich dachte schon: warum kommt er dauernd herein? Und
jedesmal hat er eine Traube stibitzt, und jetzt sind keine mehr
da.«

Otto lachte und sprang in die Höhe. Sein Gesicht glänzte vor
Schweiß. »Mutti findet es gar nicht nett«, sagte Tante Jeanne,
»du bist sehr unartig gewesen, Otto.« – »Otto unartig!« rief
dieser mit ängstlich verzogenem Gesicht.

Das Grammophon spielte fleißig, und das Gespräch wurde
noch lärmender, als das Ehepaar Fontein erschien. Die Frau
hatte ich noch nie gesehen, wohl aber zu Hause von ihr gehört, daß sie sich, wenn sie Bekannten begegnete, die eine
Einkaufstasche trugen, in einem Portal oder hinter einer
Hecke versteckte, um niemanden grüßen zu müssen, der persönlich die Läden abklapperte, um sein Essen einzukaufen.
Auch wurde von ihr behauptet, daß sie, wenn sie abends irgendwo eingeladen war, schnell eine Stunde verschwand,
um nachzusehen, ob ihr erwachsener Sohn schlief.

Sie wurde Tante Ellie genannt, von den Erwachsenen allerdings spöttisch »meschuggene Ellie«.

Einmal hatte meine Mutter sie besuchen wollen, und bei dieser Gelegenheit war sie von ihr im Flur empfangen worden;
Tante Ellie sagte, daß die Pediküre gerade da sei, steckte meiner Mutter jedoch eine Riesenpraline in den Mund, und zwar
mit den Worten: »Eigentlich ist sie für hohe Gäste bestimmt,
aber ich gönne sie dir.«

Zu Hause hatte meine Mutter mangelhaft die Nasalstimme
einer Person, die Polypen hat, imitiert, aber jetzt hörte ich
den Klang unverfälscht.

Tante Ellies Mann, mein Vater und Onkel Hans zogen sich ins Arbeitszimmer zurück, wobei letzterer sich auf sonderbare Art und Weise fortbewegte: er suchte mit den Händen irgendwo Halt und ließ dann, nach vorne gebeugt, die dünnen Beine, eines nach dem anderen, mit einem Ruck vorwärts fallen.

Ich folgte ihnen durch den Gang und ging hinter Onkel Hans ins Zimmer. »War das die meschuggene Ellie?« fragte ich Onkel Hans und zeigte über die Schulter zum Wohnzimmer. Diese Frage in Gegenwart ihres Gatten muß ihn, wie ich später begriff, in große Verlegenheit versetzt haben. Er kramte in seiner Westentasche, fand ein Fünfundzwanzig-Cent-Stück, gab es mir und sagte: »Davon darfst du dir ein Eis kaufen.«

Ich ging auf die Straße, wo gerade ein Eismann vorbeikam, legte die Münze auf den Wagen und sagte: »Ein Eis.« – »Für fünf?« fragte er. »Ja«, sagte ich. »Oder für zehn?« – »Ja, ein Eis«, sagte ich. »Für fünf oder für zehn?« fragte er daraufhin. Es fiel keine Entscheidung, aber er machte mir ein sehr großes, und ich nahm es gerade, als meine Mutter herauskam. »Er ist ungezogen gewesen«, sagte sie zum Eismann, »er hat darum gebettelt.« Ich hielt das Eis fest. Meine Mutter zog mich fort. »Er kriegt noch Geld heraus«, rief der Eismann, aber wir waren schon im Haus, und die Türe schlug zu. Das Eis schmeckte mir nicht, und ich durfte es in der Küche auf einen Teller legen.

Seitdem fanden regelmäßig gegenseitige Besuche statt. Zu meinem Geburtstag bekam ich von meiner neuen Tante und meinem neuen Onkel ein Spielzeugauto aus Blech, das man aufziehen konnte, geschenkt, und ich wollte mir nicht anmerken lassen, daß ich dafür eigentlich schon zu alt war.

Meistens verbrachten sie Silvester bei uns; dann trug mein Vater mit Hilfe des Taxichauffeurs Onkel Hans hinauf.

An der Lähmung änderte sich in diesen Jahren nichts, aber ich erinnerte mich, daß Tante Jeanne eines Nachmittags erzählte, es sei eine stets zurückkehrende Lähmung des rechten Armes aufgetreten. Das geschah im selben Jahr, da ich in eine Mittelschule ging, die ganz nah bei der Wohnung der Familie Boslowitsch lag. Am Sonntag vor dem Anfang des neuen Schulsemesters besuchte ich sie. Ich wurde zum Mittagessen eingeladen.

Tante Jeanne erzählte ihrer Schwester, daß sie Hänschen auf ein Internat in Laren geschickt habe, weil es nicht mehr zum Aushalten gewesen sei. »Wenn er sich mit seinem Vater zankt«, sagte sie nach Tisch, als Onkel Hans in seinem Arbeitszimmer saß, »legt er meinem Mann die Hand auf den Kopf, und der wird dann entsetzlich wütend.«

Sie erzählte außerdem, daß eine Nachbarin, mit der sie sich morgens im Garten unterhielt, ihr diesen Entschluß mehr oder weniger vorgeworfen und gesagt habe: Ein Kind ist schon aus dem Haus, daß Sie nun auch noch das andere wegschicken! »Ich habe den ganzen Vormittag auf dem Sofa gelegen und geheult«, sagte Tante Jeanne.

»Es ist wirklich eine Frechheit, so etwas zu sagen«, sagte ihre Schwester, »was mischt sie sich eigentlich da rein.« – »Morgen«, sagte ich, »fängt die Schule hier an« – ich zeigte in die Richtung des Gebäudes um die Ecke – »meinst du, daß ich schon am ersten Tag Hausaufgaben bekomme?« – »Nein, das glaube ich nicht«, sagte Tante Jeanne.

Neugierig durchstöberte ich, da Hans nicht da war, sein Zimmer, fand jedoch nichts Interessantes. Das Hündchen stand immer noch da, aber das Schreibgerät war schon längst nicht mehr vorhanden.

»Ich möchte gern ein paar Bücher leihen«, sagte ich, als Tante Jeanne hereinkam, und stellte mich, scheinbar interessiert, vor das Bücherbord. »Diese.« Ich ergriff aufs Geratewohl zwei Bände, ›Kügelchen und Bohnenstange‹, eine Kindererzählung von einem dicken und einem dünnen Jungen, und ›Das Buch von Jeremias, der Michael hieß‹. »Wenn es Hans recht ist«, sagte ich. »Wenn es uns nur recht ist«, sagte Tante Jeanne, »du hast bei uns einen Stein im Brett.« – »Ich bringe sie bald wieder zurück«, sagte ich.

Drei Jahre vor dem Krieg zogen sie in eine Wohnung, von der man über den Fluß, einen seiner Nebenkanäle und ödes Land blickte. Man mußte eine zwanzig Stufen hohe Granittreppe hinaufgehen. Von hier aus verfolgte ich die großen Luftschutzübungen, die eines Tages, ich glaube im Herbst, stattfanden.

Die Familie Boslowitsch hatte zu diesem Schauspiel viele Leute eingeladen, und die Jugend kletterte durch ein Fenster oben an der Treppe, über der Wohnung der Nachbarn, aufs Dach. Rittlings neben dem Schornstein auf dem First sitzend, sahen wir, wie beim Vorbeifliegen kleiner Flugzeuggeschwader die Läufe des Abwehrgeschützes auf dem Brachfeld bei jedem Schuß, kurz bevor wir den Knall hörten, nach unten federten. Auf dem Dach eines großen freistehenden Patrizierhauses, fünfzig Meter vor uns, feuerten Maschinengewehre.

Die Brüder Willink waren auch anwesend und schmissen Kieselsteine, die sie zu diesem besonderen Zweck mitgebracht hatten, auf die Straße. Sirenen heulten Luftalarm, und der Himmel bezog sich. Danach erschienen neue Flugzeuggeschwader, die durch Explosionswölkchen flogen und grüne, glühende Kugeln abwarfen, die verlöschten, ehe sie den Boden berührten. Die Feuerwehr des Luftschutzdienstes spritzte in den Kanal und in den Fluß, um die Geräte zu prüfen. Am Ende des ganzen Getöses senkte sich ein Wasserflugzeug auf den Fluß und flog wieder ganz knapp über die große Brücke, die Süd- und Oststadt miteinander verbindet. Ich war sehr zufrieden mit dem Schauspiel. Alle bekamen Tee mit knusprigem Salzgebäck.

Ein halbes Jahr später zogen wir ins Stadtinnere und wohnten nun am anderen Flußufer, kaum zehn Minuten von der Familie Boslowitsch entfernt. Die Besuche wurden häufiger. Tante Jeanne kam regelmäßig, und an Nachmittagen, an denen Otto schulfrei hatte – er lernte irgendwo Matten flechten und Perlen aufreihen –, holte sie ihn im Kinderheim ab und brachte ihn, um ihn etwas zu zerstreuen, zu uns.

So sah ich eines Freitags, als ich zu Fuß vom Gymnasium heimging, wie sie aus der anderen Richtung herankamen und der Junge, krummer denn je, wie ein Tanzbär an der Kette, herumhüpfte, so daß seine Mutter ihn kaum an der Hand halten konnte. Ein achtjähriges Nachbarmädchen vom zweiten Stock, das Seil sprang und dazu ein Ende des Seiles am Eisengitter eines der kleinen Vorgärten festgebunden hatte, so daß sie es nur mit einer Hand zu drehen brauchte, spannte das Seil absichtlich vor Ottos Füße, als dieser, losgelassen, zu unserem Haus voraustrotten durfte. Der Junge stolperte, fiel aber nicht. Das Mädchen ließ das Seil los und flüchtete vor Tante Jeanne, der aus Wut die Sprache wegblieb.

Kurz hinter Otto kam sie aufgeregt herauf, und ich folgte ihnen. Otto sprang dröhnend in den Flur und hoffte erwartungsvoll auf einige alte Ansichtskarten, die meine Mutter ihm bei jedem Besuch schenkte. »So etwas«, sagte Tante Jeanne, »kannst du verstehen, daß jemand so etwas tun kann? Wenn ich sie erwischt hätte, weiß ich wirklich nicht, was ich mit ihr getan hätte.« Sie beruhigte sich ein wenig, zuckte aber trotzdem dauernd mit den Augenlidern, ein Tic, den ich zum erstenmal bemerkte.

»Mal sehen, ob ich eine Karte für dich habe«, sagte meine Mutter. »Ja Tante Jettchen«, stieß Otto hervor und tanzte mit ihr zum Schrank. Dort holte sie aus einer Zigarrendose drei heraus. Er roch daran und machte einen Sprung. »Denk an die Nachbarn, mein Junge«, sagte meine Mutter.

»Wohin geht Otto?« fragte Tante Jeanne. »Jaja Mutti.« – »Wohin gehst du?« – »Ja Mutti.« – »Nein, du weißt doch, wohin du gehst?« Als Otto immer noch keine befriedigende Antwort gegeben hatte, sagte sie: »Nach Rußland.« – »Nach Rußland ja Mutti«, rief Otto.

»Weißt du, Jettchen«, sagte Tante Jeanne, »in Rußland hat ein Professor eine Reihe Kinder durch eine Operation völlig geheilt. Und seitdem geht er nach Rußland.«

Eine andere Mitteilung betraf den Zustand von Onkel Hans. Er war zusammengebrochen, lag im Bett, und sein rechter

Arm war fast immer gelähmt. »Dazu kommt noch seine Laune«, sagte sie, »es ist fürchterlich.«

Als aufmunternde Nachricht erzählte sie, daß ein Arzt, der Onkel Hans schon vor zehn Jahren behandelte, einen Besuch gemacht und gesagt hatte: »Mensch, ich dachte, daß du schon längst tot wärst.« Das war nicht die einzige Neuigkeit. Der Kauf eines Invalidenwagens wurde in Erwägung gezogen, damit er, wenn sein Zustand sich gebessert hätte, mehr nach draußen kommen und mit geringeren Kosten Besuche machen könnte.

»Aber er will nichts davon wissen«, sagte Tante Jeanne, »denn er findet, daß er dann hilfsbedürftig wirkt.« – »Das ist er doch auch«, sagte meine Mutter.

Tatsächlich bekam Onkel Hans trotz seines Widerstandes einen Wagen, allerdings erst viel später. Es war ein Dreirad mit Hebeln, die das Vorderrad in Bewegung setzten und auch zum Steuern dienten.

Es mußte immer aus einem Fahrradschuppen geholt werden, und dann mußte Onkel Hans die hohe Steintreppe herunter-getragen werden. Er hatte den Wagen noch nicht lange, als er eine Parterrewohnung mietete. Sie war dunkel und feucht und lag in der Straße hinter der unsrigen. Sie hatte freilich auch ihre Vorteile, denn der Wagen durfte mit Billigung des Hausbewohnerausschusses im Eingang stehen, und ein be-freundeter Schreiner brachte in der Scheibe von Onkel Hans' kleinem Arbeitszimmer einen Briefkasten an, durch den der Briefträger die Post fast auf seinen Schreibtisch warf.

Nur dem Schein nach war das Ausfahren eine eigene Tätig-keit, denn jemand mußte ihn schieben: den mageren Hän-den, vor allem der rechten, fehlte die nötige Kraft.

Mit Otto, Tante Jeanne und Onkel Hans kamen meine Eltern und ich eines Sonntagnachmittags von einer Geburtstagsfeier zurück, und ich schob geduldig den Wagen. Wir überquerten eine Brücke, deren Auf- und Abfahrt recht steil waren.

Auf der anderen Seite mußten wir nach links abbiegen. Der Wagen beschleunigte beim Herunterfahren immer mehr sein

Tempo, und ich bremste, aber Onkel Hans befahl mir, ihn loszulassen. Ich gehorchte. Unten an der Brücke war eine Kreuzung, und das Abbiegen nach links war augenblicklich von einem Verkehrspolizisten verboten. Man mußte, wenn das Verkehrslicht grün war, erst mit dem Fahrzeug die Straße überqueren und sich dann an der rechten Seite der Straße aufstellen.

Onkel Hans sauste jedoch hinunter und überquerte diagonal, ohne zu warten, die Kreuzung. »Das ist verboten«, rief ich noch. Er bog kurz hinter dem Verkehrslicht links ab; die große Geschwindigkeit und das Gefälle ließen den Wagen kippen und mit einem Bums auf die Straße stürzen. Der Polizist und einige Fußgänger eilten hinzu und richteten ihn, mit Onkel Hans, wieder auf. Er hatte sich nicht verletzt, schwieg aber und starrte, als wir bei ihm zu Hause waren, stumm vor sich hin.

Tante Jeanne beruhigte Otto, der, wie sie meinte, den Sturz gesehen und sich darüber aufgeregt hatte. »Es war nicht Vati, der umfiel, sondern ein anderer Mann, nicht wahr, Otto, es war jemand anders, nicht Vati«, sagte sie. »Nicht Vati«, rief Otto und stützte den Ellbogen auf eine Teetasse, die zerbrach. Es war ein trüber Tag, an dem es nicht regnete, obwohl man es fortwährend vom unbeweglichen Himmel erwartete.

Im selben Jahr besuchten mich an meinem sechzehnten Geburtstag außer Tante Jeanne und Onkel Hans auch ihr Sohn Hans. Seine Mutter hatte sich entschlossen, ihn wieder nach Hause kommen zu lassen.

»Wenn Krieg ausbricht, habe ich ihn lieber zu Hause«, sagte sie. Er sollte Verkäufer im Geschäft seines Onkels werden.

»Du sagst: wenn Krieg ausbricht, als ob sich nichts anderes tue«, sagte mein Vater. In diesem Augenblick konzentrierte sich meine Aufmerksamkeit auf das Gespräch. Zwar befanden sich England und Frankreich mit Deutschland im Kriegszustand, aber zu meiner Unzufriedenheit ließen sich keine wichtigen Kampfhandlungen wahrnehmen.

Mit dem Jüngeren der Brüder Willink, namens Joost, ging ich von Zeit zu Zeit ins Kino, wo vor dem Hauptfilm eine spärliche Frontwochenschau gezeigt wurde, in der getarnte Kanonen gefechtsbereit warteten oder alle Viertelstunde einen Schuß abfeuerten. Eine rühmliche Ausnahme von dieser Eintönigkeit bildeten einmal die Fotos des in den Grund gebohrten kleinen deutschen Schlachtschiffes ›Graf Spee‹, das fabelhaft zerstückelt und zerbrochen war. »Kriegsgreuel, köstlich«, sagte Joost in komischem Ton, als eine Luftaufnahme noch eine allgemeine Übersicht von dem Wrack gab.

»Am schönsten fände ich kurze, aber wilde Straßenkämpfe hier in der Stadt«, sagte ich. »Von Fenster zu Fenster, mit Handgranaten und weißen Fahnen, aber höchstens zwei Tage lang, denn dann werden sie schon wieder langweilig.«

Als ich an einem Maiabend bei der Familie Boslowitsch einen elektrischen Toaströster ausleihen wollte, traf ich Onkel Hans, Tante Jeanne und Hans im Dämmerlicht an. Ein Nachbar war auf Besuch da. Sie unterhielten sich so eifrig, daß sie mich nicht hereinkommen hörten.

»Das bedeutet etwas«, sagte der Nachbar, »ich behaupte, das bedeutet etwas. Das bedeutet viel mehr, als wir wissen.«

Als ich recht verdutzt in der Tür des Wohnzimmers gewartet hatte, bemerkte mich Tante Jeanne. »Ach, du bist es«, sagte sie. »Hast du auch gehört, daß die Urlaubsbewilligungen eingezogen worden sind? Der Sohn dieses Herrn muß heute abend schon zurück, er muß noch heute nacht in der Kaserne sein.«

»Nein, wirklich?« sagte ich. »Es wurde über Rundfunk verkündet«, sagte der Nachbar.

»Dann tut sich bestimmt etwas«, sagte ich und spürte, daß unbändige Sensationslust in mir aufstieg.

In derselben Woche, in der Nacht von Donnerstag auf Freitag, begab sich fast jeder aus unserem Viertel einige Stunden nach Mitternacht auf die Straße. Flugzeuge zogen brummend vorbei, und Suchlichter schoben ihre Strahlen zwischen die Lämmerwölkchen.

»In England kriegen sie wieder etwas ab«, sagte der Milchmann, denn er stellte fest, daß es deutsche Flugzeuge auf dem Weg nach England waren, die über niederländischem Hoheitsgebiet von unseren neutralen Streitkräften beschossen wurden.

Was die Nationalität der Flugzeuge betraf, so hatte er recht; sonst wurde aber seine Behauptung widerlegt, als man begriff, was die Einschläge und der Feuerschein am südwestlichen Horizont bedeuteten.

Kurz nach sieben kam Tante Jeanne zu uns herauf. Ich war nicht zu Hause, denn die beiden Brüder Willink und ihre Schwester hatten mich abgeholt. Vom Balkon ihrer Wohnung konnte ich schwarze Rauchwolken sehen, die über einem Ort hingen, wo nur der Flugplatz Schiphol liegen konnte.

»Es ist Krieg«, sagte ihre Schwester, die Lies hieß. Wir gingen, entzückt von so vielen fesselnden Ereignissen auf einmal, gemeinsam zu uns zurück. Es war Viertel vor acht.

»Es ist Krieg«, sagte meine Mutter, »der Rundfunk hat es eben gesagt.« – »Was haben sie genau gesagt?« fragte ich. »Tja, das kann ich nicht alles wiederholen, da hättest du selbst zuhören müssen«, antwortete sie.

Tante Jeanne saß, ein schwarzes Samtbarett auf dem Kopf, im Sessel und zuckte mit den Augenlidern. Das Radio schwieg gerade, und ungeduldig warteten wir auf den Anfang der Acht-Uhr-Sendung. Diese wurde gewöhnlich durch Hahnengekrähe angekündigt.

»Ich bin neugierig, ob sie auch heute Kikeriki machen«, sagte mein Vater, der auf dem Flur wartete.

Ich hoffte brennend, daß alle Gerüchte, die durch das Viertel eilten, stimmten. Wirklich Krieg, fabelhaft, sagte ich mir im stillen.

Die Uhr des Senders begann jenes kaum hörbare Geräusch zu machen, das den Schlägen vorausgeht. Sie fielen nach dem sechzehntönigen Vorspiel, langsam und klar. Daraufhin krähte der Hahn. »Ein Skandal«, sagte mein Vater.

Ich erschrak, denn jetzt konnte alles noch verdorben werden. Vielleicht war das der Beweis, daß der Krieg überhaupt noch nicht ausgebrochen war. Ich fühlte mich erst beruhigt, als der Ansager die Überschreitung der niederländischen, belgischen und luxemburgischen Grenze durch deutsche Truppen bekanntgab.

Zufrieden ging ich an diesem Morgen ins Gymnasium, während Tante Jeanne immer noch stumm vor sich hinstarrte.

In der Schule herrschte feierliche Stimmung. Das Gebäude sollte als Krankenhaus benutzt werden, und der Rektor teilte dies in der Aula mit. Danach sangen alle die Nationalhymne. Die Tatsache, daß die Schule vorläufig geschlossen wurde, machte den Tag noch unbekümmerter, als seien alle Dinge neu.

Wir sahen Tante Jeanne erst am Dienstag nachmittag wieder. Sie kam allein und sah blaß aus. »Was tut ihr?« fragte sie. »Was für ein Gestank, brennt hier etwas? Es sieht schlecht aus.«

»Was heißt schlecht«, sagte meine Mutter. »Wir haben gerade kapituliert.«

Wir hatten angefangen, Bücher und Broschüren im Ofen zu verbrennen, der, dermaßen vollgestopft, nicht richtig zog und qualmte. Mein Vater und mein Bruder füllten indessen zwei Jutesäcke und einen Koffer mit Büchern. Als es dunkel war, warf ich sie in die Gracht.

Überall in der Gegend flammten an jenem Abend Feuer, zu denen stets neue Ladungen, manchmal kistenweise, gebracht wurden. Viele schmissen auch alles lose ins Wasser. In der Hast blieb oft dieses oder jenes liegen. Ich fand an jenem Abend, als ich in der Dämmerung am Ufer entlangschlenderte, ein Buch in feuerrotem Einband, dessen Titel ich vergessen habe, das meine Mutter mir aber abnahm und nie wiedergab.

Tante Jeanne war nach der Mitteilung von der Kapitulation,

die sie sich noch einmal deutlich wiederholen ließ, plötzlich gegangen. Der nächste Tag brachte zwei wichtige Ereignisse. Gegen Mittag fuhren die ersten Deutschen in die Stadt ein. Es waren in grüne, fleckige Mäntel gekleidete Motorradfahrer. Einige Bürger blieben am Straßenrand stehen, um sie über die Brücke kommen zu sehen. Tante Jeanne hatte sie auch gesehen und nannte sie, als sie uns am Mittwoch besuchte, Frösche.

Ich war nicht zu Hause, denn ich hatte schrecklich viel zu tun. Durch das, wie man behauptete, aus Mißverständnis hereingelassene Salzwasser in die Polderkanäle kamen Hunderte nach Luft schnappende Fische an die Oberfläche. Mit einem großen Schöpfnetz fischte ich sie, ohne daß sie irgendeinen Fluchtversuch machten, heraus und trug sie eimerweise nach Hause.

Anderntags fing die Schule wieder an, und ich suchte deshalb schon am ersten Abend Trost in einem kleinen Kino, in dem diese Woche zum letztenmal der französische Film ›Hotel du Nord‹ lief. Er behandelte einen gemeinsamen Selbstmordversuch, bei dem der Junge zwar auf das Mädchen schoß, dann aber keinen Mut mehr hatte, sich selbst zu erschießen. Das Mädchen wurde jedoch wieder gesund, und der Film endete mit Versöhnung und Lebenszuversicht, als sie ihn nach seiner Gefängniszeit abholte. Ich war mit dieser Lösung zufrieden.

Zu Hause saß Tante Jeanne auf dem Sofa, und meine Mutter schenkte gerade Kaffee ein.

Es war dämmerig im Zimmer, denn es brannte noch kein Licht. Das Herabrollen und dann mit Reißnägeln Befestigen der Verdunklung aus Papier war recht umständlich. Darum traf ich sie bei einem grüblerischen Teelicht an.

»Ihr müßt verdunkeln«, sagte ich, »das Licht strahlt nach draußen.«

»Kannst du es bitte tun?« bat meine Mutter.

Ich erinnere mich, daß das Fenster einen Spalt offen stand, als ich die schwarzen Rollen herunterließ. »Hans hat einer Tante in Berlin einen Brief geschickt«, sagte Tante Jeanne, »schon vor einiger Zeit. Er ist zurückgekommen, unzustellbar. Ohne Adressenangabe abgereist, stand darauf.«

In diesem Augenblick blies ein Wind herein, der Verdunklungspapier und Gardine flüchtig hob und einen Zettel vom Tisch fegte. Schnell schloß ich das Fenster.

Am Ende eines freien Nachmittages machte ich den Boslowitschs einen kurzen Besuch. Es war inzwischen Hochsommer, und Onkel Hans saß in seinem Arbeitszimmer am Fenster in der Sonne.

Fast ohne Umschweife brachte er das Gespräch auf seine Krankheit und den Arzt namens Witvis, der schon ein paarmal dagewesen sei und etwas für seine Heilung unternehmen wolle. »Er will mich«, sagte er, »wie einen Hasen laufen lassen. – Du möchtest sicher eine Zigarette?« fragte er und stand auf, um die Dose zu suchen. »Sag doch, wo sie stehen, dann hole ich sie«, sagte ich, aber er schlurfte zur Ecke des Zimmers, wo er eine flache, viereckige Kupferdose von einem Tischchen nahm. »Lachst du?« fragte er, mir den Rücken zukehrend. »Überhaupt nicht«, sagte ich.

Hans kam herein und setzte sich auf den Schreibtisch seines Vaters. »Wie geht es dir?« fragte ich. »Macht dir das Verkaufen Spaß?« – »Ich habe heute fast tausend Gulden umgesetzt«, antwortete er.

»Was gibt es Neues«, fragte Tante Jeanne. »Neues?« antwortete ich. »Daß die Deutschen nach Brest vorstoßen, sie machen einen Riesenspektakel im Rundfunk.« Daraufhin erzählte ich eine Behauptung, die ich von einem Klassenkameraden gehört hatte. Nach einer Voraussage, die ein französischer Pater vor vierzig Jahren gemacht hatte, würden die Deutschen bei Orléans besiegt werden. »Die Stadt an der Maas wird verwüstet, hat er auch geschrieben«, sagte ich. Tante Jeanne sagte: »Wenn du mir das Buch bringst, in dem das steht, schenke ich dir etwas.«

Am selben Nachmittag ging ich auf einen Sprung zur Familie Willink, um die letzten Nachrichten zu bringen. Das Abwehrgeschütz begann, gerade als ich in Eriks Zimmer saß, unaufhörlich zu knallen. Zwei im Sonnenschein blitzende Maschinen flogen so hoch, daß man nur das Glitzern wahrnehmen, ihre Form jedoch nicht erkennen konnte.

Kurz darauf erklang das Rattern von Maschinengewehren und das schreckenerregende Getöse eines tief über uns hinsausenden Jagdfliegers. Wir sprangen, da der Krach zu stark wurde, vom Balkon ins Zimmer: auch hörten wir das Hämmern der Bordgeschütze.

Als es einen Augenblick still wurde, sahen wir einen schwarzen Streifen am Himmel und an dessen Spitze einen schnell sinkenden, feurigen Stern. Das Licht war weiß wie beim Schweißen von Metall. Dann sahen wir im Feuer eine zweite Rauchsäule: das Flugzeug war entzweigebrochen.

Einen Augenblick später verschwand alles hinter den Häusern. Ein Fallschirm war nirgends zu erblicken. »Gott behüte sie, die auf der See oder in der Luft fahren«, sagte ich feierlich. Luftalarm war nicht gegeben worden.

Nach dem Essen besuchte uns Hans Boslowitsch. »Weißt du, was für eine Maschine es war, die abgestürzt ist?« fragte er. »Nein«, sagte ich. »Eine deutsche«, erklärte er. »Woher weißt du das?« fragte ich. »Hast du gehört, wo sie aufgeprallt ist?«

»Weißt du«, sagte Hans, während er seine Brille mit dem Taschentuch putzte, »wir haben unsere Informationen.«

»Hoffentlich stimmt es«, sagte ich, »aber ich glaube nicht, daß jemand das mit Sicherheit wissen kann.« – »Wir haben unsere Informationen«, sagte er und ging.

Am nächsten Tag, ich bin überzeugt, es war ein Wochentag, sah ich nachmittags auf dem Heimweg vom Kino vor einer Zeitungsredaktion das Bulletin von der französischen Kapitulation hängen. »Sie bitten also um Waffenstillstand«, sagte meine Mutter, als ich zu Hause kurz den Inhalt wiedergab, »das ist nicht dasselbe. Erzähle es wörtlich Tante Jeanne.«

»Es kann Propaganda sein«, sagte diese, aber ich merkte, daß sie an dem Bericht keinen Augenblick zweifelte. Am selben

Abend kam sie zu uns und erzählte erst bei dieser Gelegenheit, was ihr vor vier Wochen passiert war.

Eines Nachmittags waren zwei uniformierte Deutsche in einem Auto gekommen. »Hände hoch«, hätte der eine gesagt, als er ins Arbeitszimmer von Onkel Hans kam. »Mensch, mach keine Witze«, hatte dieser auf deutsch erwidert, »ich kann nicht einmal auf meinen Beinen stehen.«

Sie hatten das Haus durchsucht und dann erklärt, daß er mitkommen müsse. Onkel Hans hatte sich umgezogen, und die Lähmung, die ganz deutlich sichtbar wurde, als er sich durch das Haus schleppte, hatte sie bereits auf das Unsinnige der Verhaftung hingewiesen.

Dann sahen sie, wie ihm Tante Jeanne eine Gummiflasche zum Wasserlassen vorband. »Sie fragten, ob nur ich das könnte«, erzählte sie. »Ich sagte ja. Da haben sie noch etwas aufgeschrieben und sind wieder gegangen, aber erfreulich war es nicht.« Sie zuckte mit den Augenlidern und auch mit einigen Gesichtsmuskeln.

»Wie steht es sonst mit Hans?« fragte meine Mutter. »Es wird nicht schlimmer«, sagte Tante Jeanne, »augenblicklich kann er wieder mit der rechten Hand schreiben.« – »So, so«, sagte meine Mutter.

Sommer und Herbst verliefen farblos. Nach Neujahr herrschte laues, feuchtes Frühlingswetter. Am zweiten Sonntag im neuen Jahr war ich bei den Eltern meines Schulfreundes Jim zum Essen eingeladen und traf dort unversehens Hans.

Jims Vater war ein Großhändler in Kalbfleisch und hatte einen erstaunlich dicken Bauch, aber er war fröhlich und nahm die Dinge auf die leichte Schulter. Obwohl er schon drei Magenoperationen hinter sich hatte, ließ er sich nichts abgehen.

»Ich mag alles«, sagte er bei Tisch, »wenn nur keine Nadeln drin sind.« Aus Freundlichkeit hatten sie auch meine Eltern eingeladen, um sie kennenzulernen.

»Ich lese keine deutschen Bücher mehr«, sagte ein kleiner

grauhaariger Mann, als man über Literatur sprach. Sofort wendete sich das Gespräch dem Krieg zu, dessen Dauer geschätzt wurde. »Also, ich nehme an«, sagte Jims Vater, »allerhöchstens, aber das schafft er gar nicht, noch ein halbes Jahr.«

»So, wie die Dinge heute stehen«, sagte mein Vater lächelnd, »kann er auch fünfundzwanzig Jahre dauern.«

Hans, der einen Bruder von Jim kannte, hatte seine Gitarre mitgebracht und spielte darauf mit viel Temperament ›Schlittschuhlaufen auf dem Regenbogen‹, eine berühmte Nummer. Als der Krieg erwähnt wurde, sagte er: »Noch in diesem Jahr ist er aus.« – »Warum meinst du das, Hans?« fragte meine Mutter. »Die Kreise, die mich informieren, Tante Jettchen«, antwortete er, »sind sehr gut, ich wiederhole, sehr gut auf dem laufenden.«

Etwa sechs Wochen danach kam Tante Jeanne aufgeregt zu uns. »Die Grünen verhaften in der ganzen Gegend beim Waterlooplein die Jungens«, sagte sie. »Kann Simon einmal für mich nachschauen? Nein, es ist besser, wenn er zu Hans' Büro geht und ihm ausrichtet, daß er nicht auf die Straße darf. Ach, warte, ich rufe ihn an, Simon soll hierbleiben.«

»Setz dich erst einmal hin«, sagte meine Mutter. Es war ein Mittwochvormittag. Es gelang ihr, Tante Jeanne zu beruhigen. »Ruf Hans an«, sagte meine Mutter. »Das habe ich schon getan«, sagte sie. »So, so«, sagte meine Mutter. »Ich gehe es mir anschauen«, erklärte ich. »Paß gut auf!« sagte meine Mutter.

Ich radelte schnell zum Waterlooplein und erstattete dann genau Bericht. Onkel Hans rauchte langsam seine kurze schwarze Pfeife. »Du hast einen schönen Pullover an«, sagte er mitten in meiner Erzählung, »ist er neu?« Tante Jeanne telefonierte unentwegt mit dem Büro, in dem Hans arbeitete. Er sollte dort übernachten: ich hörte, wie sie ihm versprach, Bettücher und Essen zu bringen. Ich nahm ihr auf ihre Bitte hin den Hörer ab. »Glaub nur nicht, daß das, was du sagst, du übergescheiter Simon, daß das überhaupt etwas zu bedeuten hat«, sagte die Stimme am anderen Ende der Leitung. »Ja, ja«, sagte ich lächelnd, denn Tante Jeanne behielt mich scharf im Auge. »Diese Person quatscht enorm«, fuhr er fort, »richte ihr aus, daß sie eine schreckliche alte Klatschbase ist.« Das Telefon hatte einen sehr klaren Ton, deshalb trommelte ich mit dem linken Fuß auf den Boden. »Ja, wirklich«, sagte ich laut, »ich kann es mir gut vorstellen, sehr nett.« – »Was meinst du?« fragte er. »Eben«, sagte ich, »daß du jedenfalls sehr vorsichtig bist, aber das bist du ja bestimmt, nicht wahr? Tschüs. Auf Wiedersehn«, und ich legte den Hörer auf, obwohl Hans plötzlich heftig zu brüllen begann, wobei pfeifende Nebengeräusche auftraten.

»Na, was sagt er?« fragte Tante Jeanne. »Er sagt«, erklärte ich, »daß wir alle nervös seien und verrückte Dinge sagen. Aber du brauchtest dir bestimmt keine Sorgen zu machen, sagt er. Selbstverständlich geht er nicht auf die Straße. Innerhalb eines Tages sei alles vorbei, sagt er.«

»Du darfst wieder einmal für mich telefonieren«, sagte Tante Jeanne zufrieden. Dann sah sie aus dem Fenster und sagte: »Keine Sorgen machen, nicht schlecht.«

Vier Tage später wollte Tante Jeanne meine Mutter besuchen, die irgendwo bei Bekannten war und jeden Augenblick zurückkommen konnte. Während sie wartete, kam auch der dicke Zauberer, der um die Ecke wohnte, herauf. Er pfiff auf der Treppe immer die Melodie, die den Sendungen aus London voranging. »Das darfst du nicht auf der Treppe pfeifen«, sagte ich, »du hast nichts davon, und es ist gefährlich.« Als er sich die spärlichen Berichte angehört hatte, sagte er: »Ich glaube zwar, daß sie besiegt werden, aber ich weiß nicht, ob es vor oder nach meinem Begräbnis geschieht.« Er schüttelte sich vor Lachen und ging, laut jene Melodie auf der Treppe pfeifend. Kurz danach kam meine Mutter heim.

»Parkmans Tochter ist tot«, sagte Tante Jeanne. Sie erzählte, daß die Tochter eines Nachbarn zusammen mit ihrem Mann Gift genommen hatte. Der Mann war ins Krankenhaus gebracht worden und befand sich bereits auf dem Weg der Besserung. »Er brüllt, und sie müssen ihn festhalten«, sagte Tante Jeanne. Wen meinte sie wohl, den Vater oder den Schwiegersohn? dachte ich.

Der Juli war sehr mild, ein strahlender Vorsommer. Eines Nachmittags, als meine Mutter am offenen Fenster saß und strickte, kam Tante Jeanne mit Otto herein. Sie sah blaß aus, und die spröde Haut ihres Gesichtes wirkte wie getüncht, obwohl sie keinen Puder gebrauchte. »Mutti, Mutti«, rief Otto ungeduldig. »Du bist ein lieber Junge, sei einen Augenblick still, mein Schatz«, sagte Tante Jeanne.

Sie war gekommen, um etwas zu erzählen, was ihrem Neffen zugestoßen war. Er hatte, als er durch die Stadt radelte, eine Verkehrsvorschrift übertreten und war von einem teilweise in Zivil, teilweise in Uniform gekleideten Mann mit schwarzen Stulpenstiefeln angehalten worden, der beim Aufschreiben seines Namens gegrinst hatte.

Einige Tage danach hatte eines Abends ein dunkel angezogener, ziemlich unkenntlicher Mann bei ihm zu Hause geschellt und gesagt, er solle sich am nächsten Tag wegen des Verkehrsvergehens bei einem Büro irgendwo in der Innenstadt melden, um, wie der Mann sagte, die Sache in Ordnung zu bringen.

Er ging mit meiner Mutter hin. Am Eingang des genannten Büros wurde sie festgehalten, aber ihr Sohn durfte hineingehen. Nach zwanzig Minuten taumelte er wieder heraus, sein Gesicht bestand nur aus Beulen und blutenden Wunden, und seine Kleider waren völlig verschmutzt, als seien sie über den Boden geschleift worden.

Für teures Geld nahmen beide ein Fahrzeug auf Gummirädern, das von einem Pony gezogen wurde. Zu Hause stellte der Arzt außer einer leichten Gehirnerschütterung eine Quetschung des linken Schulterblattes fest, und daß an derselben Stelle das Schlüsselbein gebrochen war.

Man hatte ihn in einem kleinen Zimmer warten lassen. Der Mann, der ihn angehalten hatte, kam als erster herein und holte dann die anderen, von denen manche einen Gummiknüppel hatten. »Das ist ein ganz frecher Kerl, er hat mich einen Schuft genannt«, erklärte er. Einer von ihnen versetzte ihm einen Kinnhaken und alle, es waren sechs oder sieben, begannen ihn plötzlich zu schlagen oder zu treten.

»Plötzlich ging es los«, erzählte Tante Jeanne. Ein Mann mit fettigem grauen Haar probierte, ihn dauernd in den Bauch zu treten. Er strauchelte beim Versuch, den Schlägen auszuweichen und fiel auf den Rücken. Ehe er eine sichere Lage gefunden hatte, trampelte einer der Männer auf seiner Brust herum. Als er sich umgedreht hatte, stand, wie er meinte, der Graue auf seinem Rücken.

Da ertönte eine Schelle oder Pfeife, jedenfalls ein schrilles Geräusch, woraufhin alle von ihm abließen; er hörte noch allerlei Stimmen, aber konnte sich nicht mehr daran erinnern, was geschah, bis er nach draußen kam.

»Weißt du«, sagte Tante Jeanne, »daß sie bei Josef zu Hause die Nachricht von seinem Tod erhalten haben?« – »Nein, das wußte ich nicht.« – »Sie haben auch einen Brief von ihm aus dem Lager bekommen«, fuhr Tante Jeanne fort, »und zwar viel später datiert. Aber jetzt hören sie nichts mehr von ihm.«

Schweigen. Tante Jeanne sah Otto an und sagte: »Der Arzt hat ihm ein Pulver gegeben, schon zwei Nächte ist er, wie die Schwester mir erzählte, trocken geblieben.« Meine Mutter erinnerte sich an ihr Versäumnis, Otto keine Ansichtskarten geschenkt zu haben, und suchte zwei aus der Schachtel aus: die eine war bunt, eine ausländische Stadtansicht mit rosa Himmel.

Hans Boslowitsch spielte, als ich ihn einige Wochen später abends besuchte, auf seiner Gitarre. Er schlug die Saiten und wippte mit dem Fuß auf und ab. Er spielte auf meine Bitte hin ›Josef, Josef‹, aber die Wiedergabe gefiel mir nicht, denn er begleitete die Melodie allzu nachdrücklich, indem er ›tatata‹ sang, wobei sich seine Kehle durch den erhobenen Kopf sonderbar spannte.

»Diese Musik ist der Herzschlag unserer Gesellschaft«, sagte er. In diesem Augenblick wurde an das Fensterchen der Gangtüre geklopft. Der Besucher stand schon im Gang, nannte laut seinen Namen, und Tante Jeanne rief: »Ja, Herr Nachbar, kommen Sie nur herein.«

»Sie haben es sicher noch nicht gehört, Frau Boslowitsch«, sagte der Nachbar beim Eintreten, »Doktor Witvis ist tot.«

»Wie ist das nur möglich?« fragte Tante Jeanne. »Ich habe es gerade erst erfahren«, sagte er. »Es ist gestern passiert.«

Spätabends, erzählte er, hatte der Arzt ein Rasiermesser genommen und seinen zwei kleinen Söhnen den Puls durchgeschnitten, wobei er ihren Unterarm in eine Schüssel mit warmem Wasser hielt, weil dies jeden Schmerz ausschließt. Nachdem seine Frau sich selbst die Adern aufgeschnitten hatte, öffnete er seinen Puls. Diesen Vorgang hat man aus der Lage der Opfer und dem Rasiermesser in der Hand der Frau rekonstruiert. Frau und Kinder traf man bereits tot, den Vater bewußtlos an. Nachdem man die Wunde geschlossen hatte, machte man ihm im Krankenhaus eine Bluttransfusion, aber er starb noch vor Mittag, ohne das Bewußtsein wiederzuerlangen.

Als ich eines Sonntagnachmittags im Spätherbst zur Familie Boslowitsch kam, um ein halbes Brot zu leihen, stand Otto beim Grammophon.

»Otto verreist«, sagte Tante Jeanne, »nicht wahr, Otto?« – »Ja Mutti«, rief dieser, »Otto verreist.« – »Wo fährt er denn um Himmels willen hin?« fragte ich.

Tante Jeannes Gesicht machte einen fiebrigen Eindruck. »Er darf nicht mehr im Kinderheim und auf der Schule bleiben«, antwortete sie, »er muß nach Apeldoorn. Morgen bringe ich ihn hin.« Erst jetzt sah ich, daß die Schiebetüren zum Hinterzimmer offenstanden und daß Onkel Hans dort im Bett lag. Am Bettgestell mit den weißen Eisenstäben waren vier kupferne Kugeln an den vier Ecken angebracht. Das Gesicht des Kranken war mager, aber zugleich wirkte es geschwollen, als wäre es von innen naß.

Auf einem Stuhl standen eine Medizinflasche, ein Brotteller mit einem Messer und ein Schachbrett. »Ich habe vorhin mit Hans Schach gespielt«, sagte er, »aber Otto hat die Figuren dauernd umgestoßen.«

Auch in den nächsten Tagen blieb er im Bett liegen, und sein Zustand verschlimmerte sich. Der Winter nahte, und der neue Arzt verlangte, daß die Räume tüchtig geheizt würden. Eine Zeitlang konnte Onkel Hans noch allein zur Toilette gehen, aber später mußte ihm dabei geholfen werden.

»Er ist irrsinnig schwer«, sagte Tante Jeanne. »Außerdem sträubt er sich.«

Nach Neujahr empfahl der Arzt dringend seine Einlieferung ins Krankenhaus, und noch am Anfang derselben Woche wurde er hingebracht.

»Er hat es dort wirklich ausgezeichnet«, erzählte Tante Jeanne meiner Mutter nach einem Besuch, »und die Ärzte und Schwestern sind alle besonders nett.«

»Er hat von nichts mehr eine richtige Vorstellung«, fuhr sie kurz darauf fort, »ich weiß nicht, was in diesem Mann vorgeht. Hans hat ihm Apfelsinen mitgebracht, die er von jemandem im Geschäft kaufen konnte. Er sagt: Vater, die kosten sechzig Cent pro Stück, denk daran, wenn du sie ißt. Aber er hat keine einzige gegessen und sie alle verschenkt. Natürlich teilt man, aber über so etwas kann man doch wirklich böse werden.«

»Ab morgen müssen wir um acht Uhr zu Hause sein«, sagte Tante Jeanne an einem Vorsommertag zu meiner Mutter, »kannst du in den Abendbesuchszeiten zu ihm gehen? Ich schaffe es nicht, und was hat Hans davon, wenn ich nach drei Minuten schon wieder weg muß? Ich bleibe tagsüber lieber etwas länger, dagegen haben sie wohl nichts.«

»Er sieht gut aus, er nimmt zu«, sagte meine Mutter nach dem ersten Besuch, als sie Tante Jeanne noch am selben Abend Bericht erstattete. Diese hörte jedoch kaum hin. Hans war noch nicht zu Hause, und sie bat meine Mutter, von irgendwo sein Büro anzurufen, denn ihr eigenes Telefon hatte

man gerade gesperrt. »Schicke Simon zum Büro, um nachzusehen, ob er noch dort ist.« Meine Mutter war im Begriff,
ihre Bitte zu erfüllen, als Hans hereinkam.

Die Straßen waren abgesperrt worden, und man hatte sie im
Büro gewarnt. Als alles ruhig zu sein schien, war er gegangen, aber unterwegs mußte er sich in einer öffentlichen Be-
dürfnisanstalt verstecken. Schließlich war es acht Uhr geworden, und das letzte Stück durch unser Viertel mußte er
rennen.

»Wir dürfen nicht mehr die Stadt verlassen«, sagte Tante
Jeanne eines Abends, als ich ihr ausrichtete, daß meine Mutter am kommenden Freitag verhindert wäre, Onkel Hans zu
besuchen. »Frag doch bitte deine Mutter, ob sie diese Woche zu Otto fahren kann.«

Anderntags, an einem Mittwoch, kam Tante Jeanne zu uns.
»Sie inventarisieren«, sagte sie. Als meine Mutter sie gebe-
ten hatte, sich zu setzen, und ihr eine Tasse Apfeltee ein-
schenkte, erzählte sie, daß die Inventarisatoren bei allen
Nachbarn in ihrem Haus gewesen seien, zwei Männer mit
Aktenmappen. Sie hatten sich alles angesehen und notiert.
Auf der Treppe begegneten sie dem fünfjährigen Sohn ihres
Nachbarn vom ersten Stock, der mit einem kleinen Porte-
monnaie spielte.

Einer der beiden Männer nahm es ihm ab, öffnete es, holte
ein Fünf-Cent-Stück aus Nickel und drei kleine Silbermün-
zen heraus und gab es dann zurück. »Eine davon ist kein
echtes Geld«, sagte das Kind, »Papi sagt, es ist von früher.«
– »Halt die Klappe, Kleiner«, hatte der Mann gesagt, »und
zwar schnellstens.«

Ob Tante Jeanne die Schläge gegen ihre Türe nicht gehört
hatte, blieb in der Schwebe; jedenfalls waren sie gegangen,
ohne ihre Wohnung besichtigt zu haben.

Sie bat mich, sie gleich zu begleiten, und ließ mich in einem
Koffer eine friesische Uhr, antikes Geschirr, zwei ge-
schnitzte Elfenbeinleuchter und zwei Kacheln mitnehmen.
Ich brachte alles nach Hause und ging noch einmal zurück,

um alte Wandteller, einen Fotoapparat und einen hübschen kleinen Spiegel zu holen.

Alle vierzehn Tage fuhr meine Mutter nach Apeldoorn, um Otto in der großen Kinderanstalt zu besuchen, meistens dienstags. Beim erstenmal wartete Tante Jeanne bei uns nachmittags ihre Rückkehr ab. »Wie war es?« fragte sie meine Mutter. »Er sieht blendend aus«, antwortete meine Mutter, »und er freute sich so, als er mich sah. Die Schwestern sind alle reizend zu ihm.«

»Hatte er kein Heimweh?« fragte Tante Jeanne. »Nein, überhaupt nicht«, sagte meine Mutter, »und er spielt so nett mit den anderen Kindern. Als ich ging, sah er etwas traurig aus, aber das heißt nicht, daß er etwas entbehrt, nein, das nicht.«

Sie beschrieb dann ausführlich, wie sie von den Schwestern der Abteilung empfangen worden war, wie sie die Süßigkeiten zur Verteilung abgeliefert, aber etwas, nämlich eine Tüte Kirschen, Otto in die Hand gedrückt hatte, als sie mit ihm in der Sonne auf einem Waldweg spazierenging.

»Ich steckte ihm immer ein paar in den Mund«, sagte sie, »aber er wollte sie lieber selbst aus der Tüte nehmen. Ich hatte dauernd Angst, daß der Saft auf seine Kleider tropfen würde, aber es ging.«

Später, als Tante Jeanne gegangen war, erzählte sie mir, daß der Junge schlampig angezogen war und daß seine Hose nicht von Hosenträgern oder von einem Gürtel, sondern von einem Strick festgehalten wurde. »Und die Schuhe«, sagte sie, »ich verstehe nicht, daß sie so idiotisch an den Füßen sitzen können. Es gibt nur wenig Personal, aber die Leute tun ihr möglichstes.«

Sie berichtete mir auch, daß Otto ein paarmal gesagt hatte: »Zu Mutti.« – »Mutti ist zu Hause, sie kommt bald wieder zu dir«, hatte sie geantwortet. »Mutti zu Hause«, hatte er dann gerufen. Und als sie am Spätnachmittag ging, hatte er geweint.

Eine Woche danach kam Tante Jeanne direkt nach dem

Abendessen zu uns. »Sie haben angefangen, abzuholen«, sagte sie, »sie holen ab. Keine Aufforderungen mehr, sie holen einfach ab«, sagte sie. »Die Familie Allegro ist abgeholt worden. Kennst du sie?« – »Nein, ich kenne sie nicht«, sagte meine Mutter.

Tante Jeanne bat mich, sofort zum Krankenhaus zu gehen und um eine Bescheinigung zu bitten, daß Onkel Hans schwer krank sei. Ich ging hin und wurde beim Hauptportal zu einem der Pavillons verwiesen, wo ich in einem Büro meinen Zettel abgab. Nach zehn Minuten erhielt ich einen zugeklebten weißen Umschlag. Ich brachte ihn Tante Jeanne.

Am nächsten Abend erschien sie wieder. Sie bat mich, nochmals hinzugehen. »Es steht darin, daß er schwer krank sei, es muß heißen, lebensgefährlich krank«, sagte sie. »Ich weiß nicht, ob sie das schreiben werden«, antwortete ich, »aber wir wollen sehen.«

Nachdem die Oberschwester Tante Jeannes Briefchen und das erste Attest in Empfang genommen hatte, überreichte sie mir nach einer Viertelstunde einen neuen Brief.

»Weißt du, Simon«, sagte Tante Jeanne am Abend, zwei Tage später, »du mußt noch einmal hin und sie bitten, ob sie ein ganz neues Attest ausstellen wollen, in dem die Art der Krankheit angegeben wird. Die Art der Krankheit. Und zwar nicht auf lateinisch, sondern wenn's sein muß auf deutsch, jedenfalls so, daß es verständlich ist.«

Sie gab mir das letzte Attest zurück, aber keinen Begleitbrief. Ich machte mich wieder auf den Weg zum Krankenhaus.

»Frau Boslowitsch bittet, ob Sie die Art der Krankheit angeben wollen«, sagte ich. »Am liebsten nicht auf lateinisch.« Die Oberschwester nahm den Umschlag und kam bald darauf zurück. »Bitte, warten Sie einen Augenblick«, sagte sie. Nach einiger Zeit erhielt ich einen gleichen zugeklebten Umschlag.

Ich lieferte ihn sofort ab – Tante Jeanne und Hans saßen am

Fenster. Das Zimmer war fast völlig dunkel. Die Übergardinen waren offen, die Vitrine zur Seite geschoben, und aus dem Erker überblickten Hans und sie die Straße.

»Das ist das Richtige«, sagte Tante Jeanne, als sie das Schreiben gelesen hatte. »Glaubst du, daß etwas Wahres daran ist?« sagte Hans. »Und ob«, antwortete ich. »Er weiß es, er weiß es«, sagte ich fast laut. »Was sagst du?« fragte Tante Jeanne. »Ich summe nur etwas vor mich hin«, sagte ich.

Ich besuchte sie abends regelmäßig, und immer war es das gleiche. Das Schellen, das Aufschließen der Wohnungstüre, und wenn ich in den Gang trat, war Tante Jeanne schon wieder im Zimmer. Wenn ich ins Wohnzimmer kam, saß Tante Jeanne am rechten, Hans am linken Erkerfenster. Wenn ich im Zimmer war, verließ Tante Jeanne einen Augenblick ihren Posten, lief auf den Gang und schloß die Wohnungstüre ab. Wenn ich ging, folgte sie mir, schloß die Türe hinter mir ab, und von der Straße aus konnte ich sie schon wieder wie Statuen am Fenster sitzen sehen. Ich winkte ihnen dann flüchtig zu, aber sie reagierten nicht darauf.

Eines Dienstagsmorgens kamen die Nachbarn und sagten uns, daß gestern abend gegen halb neun zwei Polizisten mit schwarzen Helmen erschienen seien. Tante Jeanne zeigte ihnen das Krankenhausattest, das sie mit einer Taschenlampe beleuchteten. »Wer sind Sie?« fragte der eine Hans. Als dieser sich auswies, sagte der andere: »Er steht nicht auf der Liste.« – »Dann müssen Sie beide mitkommen«, sagte daraufhin der erste.

Als man es Onkel Hans mitteilte, schwieg er. Man dachte, daß er es nicht gehört oder nicht richtig verstanden habe, und wiederholte es mehrmals mit Nachdruck. Er versuchte sich aufzurichten, und als man ihm ein Kissen in den Rücken geschoben hatte, starrte er aus dem Fenster. Schließlich gingen die Besucher, eine Freundin von Tante Jeanne mit ihrer Tochter, wieder nach Hause.

Eines Tages kam eine Nachbarin zu uns. »Sie räumen das Altersheim«, sagte sie. Sie hatte gesehen, wie Hunderte sehr betagter Leute über die Treppen aus dem Gebäude in bereitstehende Autos getragen wurden und wie ein zweiundneunzigjähriger Mann, den sie von früher zu kennen glaubte, gerufen hatte: »Sie tragen mich auf Händen.« – »Das Kinderheim in Apeldoorn ist gestern auch geräumt worden.«

»Was hast du über Otto gesagt?« fragte ich meine Mutter, als sie von ihrem nächsten Besuch bei Onkel Hans heimkam. »Die Wahrheit, daß sie alle abgeholt haben«, sagte sie. »Er hoffte nur eines: daß sie ihn sofort umbringen. Wußtest du, daß die Ärzte und Schwestern bei den Patienten geblieben sind?« – »Nein«, sagte ich, »das wußte ich nicht.«

Am Anfang der folgenden Woche mietete ein Freund von Onkel Hans ein Fahrzeug und brachte ihn vom Krankenhaus zu einer Mansarde in der Innenstadt, die er bei Bekannten hatte einrichten dürfen. Er holte auch den Invalidenwagen, dessen Reifen bereits gestohlen waren, spätabends aus dem Portal von Onkel Hans' Haus ab. Bereits vier Tage nach dem Abholen war die Wohnung leer geplündert worden, aber man verabredete, Onkel Hans vorläufig nichts davon zu sagen.

Im Sommer ging alles so gut, wie man es erwarten durfte. Als der Herbst gekommen war, mußte eine andere Unterkunft für ihn gesucht werden, weil in der Mansarde kein Ofen angemacht werden konnte.

Es gelang, ihn in einem Altersheim unterzubringen. Für die nötigen Papiere sollte gesorgt werden.

Als man ihm den Entschluß mitteilte, war er enttäuscht. Er erklärte, lieber bei Freunden wohnen zu wollen.

Manchmal schien er nicht zu wissen, was er sagte; eines Nachmittags sagte er zu der Schwester: »Weißt du noch, wie ich siebenundzwanzig war? Nein, ich meine 1927, ich weiß es genau, also...« Und blieb versonnen liegen.

Eines Mittwochs besuchte ihn eine Bekannte, eine Zeichnerin. »Findest du diesen Atlas schön?« fragte er. »Sei ehrlich.« Er besaß einen Atlas mit den Karten der ganzen Welt, der als sehr ausführlich und wertvoll galt und den Bekannte noch aus seiner Wohnung geholt hatten.

Als die Schwester nachmittags hereinkam, sagte er: »Nimm diesen Atlas mit, ich habe ihn Ali geschenkt.« – »Das ist doch Unsinn«, sagte sie, »er ist viel zu schön zum Verschenken.« – »Nein, nimm ihn mit, sage ich«, wiederholte er und bat um einen Schluck zu trinken.

Anderntags besuchte ihn die Tochter von Tante Jeannes Freundin und traf ihn schlafend an. »Er schläft«, erzählte sie zu Hause. Abends kam noch die Schwester herein, fand ihn schlafend, fühlte ihm den Puls und ging zufrieden wieder hinaus. Als sie morgens zur üblichen Zeit zurückkam, war er kalt. Sie hob seinen Kopf, dessen wenige Haare sich feucht anfühlten. Der schmale Mund war geschlossen, und die Brille verlieh dem Gesicht einen wesenlosen Ausdruck.

»Ich begriff es erst nicht«, erzählte sie später, »und ich meinte etwas Sonderbares zu hören, aber es war nur der Staubsauger unten im Parterre.«

Als sie die leere Schachtel neben dem ausgetrunkenen Glas bemerkte, dämmerte ihr etwas. Sie rechnete sich aber aus, daß diese nicht mehr als vier Schlaftabletten enthalten haben konnte. Es blieb nur eine Lösung übrig: daß er regelmäßig eine Tablette aufbewahrt und sich so einen Vorrat verschafft hatte.

Der Freund, der ihn aus dem Krankenhaus abgeholt, und der Mann, der ihm die Mansarde überlassen hatte, trugen die Leiche nachts zusammen die Treppe hinunter und ließen sie in der Nähe des Hauses an einem Seil möglichst lautlos in die Gracht gleiten, wo sie, wie man mir erzählte, sofort sank.

Beide kehrten schnellsten ins Haus zurück, wo sie mit der Schwester bis vier Uhr morgens warteten, ehe sie heimgehen konnten.

In dieser Zeit wurde manches besprochen: die Entfernungen der Planeten, die vermutliche Dauer des Krieges und die Existenz oder Nichtexistenz Gottes. Auch hörten sich die beiden Männer die Mitteilung der Schwester an, die wußte, daß Onkel Hans' Geld sicher noch für ein Jahr gereicht hätte. »Das kann also nicht der Grund gewesen sein«, sagte sie.

Das salzige Wasser

Es war ein heißer Tag, ohne Wind. Reglos saß er auf einem Balken dicht über dem Wasser, niedergekauert wie ein Vogel. Zu seinen Füßen lag im endlosen Wellengang der Schatten des Houten Hooft – die Pfähle die Verstrebung und der Laufsteg über ihm – derartig deutlich und schwarz, daß man meinte, sie wollten versinken. Dahinter zog sich spiegelnd ein schmaler und gleichzeitig prächtiger Streif vernebelten Silbers über das Meer. Wenn er den Platz wechselte, brach das haarige Seegras unter seinen Schuhen. Ausgedörrt harrte es der steigenden Flut. Schon schlug sie ab und zu von unten gegen den Balken, dann war es, als würde über die gesamte Breite der Banden eine Zeitung entzweigerissen. Dann und wann erklang in der Ferne auch das Geschrei von anderen Kindern.

Jetzt mußte er zurück, einmal naß, würde der Balken vor Glätte unbegehbar sein. Noch einmal fuhr er lustlos mit dem Kescher durch das Wasser, dann stützte er sich am König ab, dem mannsdicken stehenden Balken neben ihm, um sich aufzurichten. Eine kleine Bewegung in der Ecke jedoch, dort, wo der Balken in diesem schweren Ständer steckte, ließ ihn zusammenschrecken. Es war eine kleine Kröte, jetzt fast schon wieder unsichtbar, da sie sich nicht mehr bewegte. Vor Abscheu wich er etwas zur Seite, doch sogleich fühlte er auch eine Wut, weil sich das stille Tier den ganzen Nachmittag über, reglos und olivenfarben wie das Seegras, neben ihm versteckt gehalten hatte.

Er lockerte eine Muschel und ließ sie auf den warzigen Rükken der Kröte fallen. Diese bewegte sich kaum, drängte sich nur noch dichter an den König, der ihr nun erst recht jeden Durchgang verwehrte. Er staunte, daß das kleine Tier, das genau wie er selbst über den Balken und an den Pfählen entlang bis hierher gekrochen sein mußte, wo es nicht weiterkonnte – daß es sich nicht umdrehte, um an der Gefahr vorbeizuschlüpfen oder dieser zumindest ins Auge zu sehen, wie es dort saß, sein Köpfchen gegen den gewaltig aufragenden König gedrückt, während es von hinten beobachtet wurde von ihm, der alles tun könnte: – einen Augenblick lang war er gerührt von dieser Wehrlosigkeit.

Wieder ließ er eine Muschel fallen, und als sich die Kröte erneut nach vorn drängte, verkrampfter noch, brach er, da er plötzlich begriff, in Lachen aus: das kleine Tier konnte sich ganz einfach nicht umdrehen, von seinem allerersten Schritt auf dem Balken an hatte es in gerader Linie vorwärts kriechen müssen, um sich schließlich hier an dieser hölzernen Wand festzulaufen, wo es nun gefangensaß wie ein Fisch in der Reuse. Gewiß, das Wasser stieg und würde es bald von dort entfernen, aber dieses Wasser war salzig, so tödlich salzig, daß allein schon die salzige Luft die kleine Kröte, so ängstlich sie auch war, von einem Sprung ins Meer zurückgehalten hatte – er verstand alles, wußte nun zudem auch, daß Kröten riechen konnten, und vor Befriedigung öffnete sich sein Herz noch weiter für das armselige Geschöpf neben ihm.

Während er den Kescher an den Balken hielt, schob er aus seiner knienden Haltung ein Bein nach vorn, und mit einer schnellen Drehung des Fußes beförderte er die kleine Kröte durch den Ring. Das Tier zappelte heftig, als er es vor seinen Augen hin und her baumeln ließ, doch dadurch brachte es lediglich seine Beinchen durch die Maschen, so daß es schon bald mit dem marmorierten Bauch flach in dem feinen Kupferwerk hing. Wie ein Trockenschwimmer ruderte es aber weiterhin um sich, als versuchte es, sich noch gegen die Luft zur Wehr zu setzen. Die kleinen gespreizten rosa Finger erschienen ihm nahezu menschlich, ebenso die Knie, um die die weite Haut wie eine Hose Falten warf. Das Gewicht und die schon schwächer werdenden Bewegungen des Tieres so in seiner Hand zu fühlen, war für ihn von einer Innigkeit, die ihn aufseufzen ließ, aber zugleich rief es ihm auch für einen Augenblick die Abscheu in Erinnerung, mit der er einst die Krötenwanderung beobachtet hatte.

Es war ein sehr früher Morgen im März. Frierend stand er im klatschnassen Gras, während Hunderte von Kröten auf dem Weg zum nahe gelegenen Tümpel an ihm vorüberschossen. So kurz vor dem Laichgewässer waren die Scharen der Wanderer zu einem wogenden Heer angewachsen, das besinnungslos getrieben voranzog, so sehr drängend, daß es beinahe den Anschein hatte, als wäre es die Erde selbst, die mit sanften Stößen durch die Rasendecke hindurch die Tiere von innen her emporschnellen ließ und sie forttrieb zu ihrem Liebestümpel. Erst als er sich verwirrt ins Gras niederkauerte, sah er auch die kleinen Rucksäcke, die viele der Kröten zu tragen schienen: es waren die Männchen, die den erheblich größeren Weibchen auf den Rücken geklettert waren, um sich das letzte Stück zur Hochzeit tragen zu lassen.

»Aber jetzt werde ich dich tragen«, flüsterte er mit einem Lächeln; schon war die Zärtlichkeit in ihn zurückgekehrt. Er hielt den Kescher dicht hinter dem Ring fest und stützte sich mit der anderen Hand an den Pfählen und der Verstrebung ab, während er hastig zur Treppe zurücklief. Jetzt, da er etwas im Sinn hatte, war große Eile über ihn gekommen. Er stieg hinauf, eilte weiter über den Laufsteg und die Brücke und stand im nächsten Augenblick keuchend auf dem Deich. Er ließ die kleine Kröte vor seinem Gesicht hängen und sah, daß sie sich nicht mehr bewegte. »Du bist erschöpft«, sagte er, »du mußt tüchtig essen. Riecht es hier nicht herrlich?« Mit einer Hand die Augen beschirmend, blickte er über das Land hin, das sich in zahllosen Poldergevierten vor ihm ausbreitete, jedes in einer anderen Schattierung von Gelb oder Grün. Der Duft von Heu drang ihm tief in die Nase, das Gras war frisch geschnitten und lag stark dampfend in der Sonne. Rechts am Deich, auf halbem Weg zur Stadt hin, dort waren die Kinder, deren Stimmen er den ganzen Nachmittag über gehört hatte. Sie tollten durch das Heu, während ihre Mütter unter weißen Sonnenschirmen beisammensaßen. Er sah, daß sie noch klein waren und ihm seine Kröte unmöglich wegnehmen konnten, wahrscheinlich durften sie nicht einmal über den Deich. Es war so heiß, daß der stumpfe Schornstein der dahinterliegenden Kalkfabrik keinen Rauch erkennen ließ.

Er drehte sich um und begann, abermals in großer Hast, dem Deich in entgegengesetzter Richtung zu folgen. Die kleine Kröte brauchte nun keinen Tümpel oder Graben mehr, sondern im Gegenteil trockenen Boden, vorzugsweise sogar Waldboden: die Brautzeit war schon längst vorbei. Bereits ein Stück weiter schlang sich der Deich mit einer beschützenden Gebärde um einen flachen, bewachsenen Sandhügel, der der Roerberg genannt wurde. Kinder spielten dort nicht gern, überall auf dem Hügel gab es rote Ameisen.

Der schmale Pfad wand sich allmählich empor, anfangs noch durch bleiches Silbergras und vereinzelte Heidesträucher, doch dann wurde das Unterholz so dicht, daß er beim Gehen den Kescher aufrecht halten mußte wie ein Banner. Noch weiter oben lichtete sich das Buschwerk wieder, und er gelangte in den Schatten von Bäumen. Suchend streifte er über die Hügelkuppen, bis er endlich am Fuße einer krummen Eiche den Ameisenhaufen ausmachte. Das Gebilde stieg im selben Farbton von Sand und trockenen Blättern aus dem Boden empor, so daß es einer Warze glich. Er hängte die Kröte in einen Ginsterstrauch und stopfte die Hosenbeine in die Strümpfe. Als er daraufhin auch den Gürtel um die Taille enger geschnallt hatte, wußte er, daß keine einzige Ameise mehr unter seine Kleidung gelangen könnte. Die Vögel schwiegen, die Sträucher waren staubig, und kein Blatt rührte sich, eine träge Langeweile hing über dem Roerberg, doch flimmerte die Luft bereits in Erwartung dessen, was sich ereignen sollte.

Er las einen Stock auf und schritt, den Kescher in der anderen Hand, vorwärts, scheu, ohne den Ameisenhaufen aus den Augen zu lassen. Auf einem flachen Stein dicht vor dem Nest, das mit der Eiche dahinter auf einer Linie lag, blieb er stehen.

Zierliche kleine Flecken Sonnenlichts benetzten die wollige, hüfthohe Erhebung, auf der er aus Leibeskräften das Wimmeln unzähliger Ameisen entdecken wollte, doch schien der Erdhaufen entvölkert. Schon ließ er Stock und Kescher verblüfft sinken, als er langsam und nicht durch eine vergrößerte Anstrengung seiner Augen, sondern indem er weiter schaute wie in einen Sternenhimmel, ein nervöses Bewegen auf der Oberfläche aus Nadeln und Zweigen gewahrte, einen wimmelnden Schatten, der immer greifbarer wurde und allmählich der Substanz des Erdhaufens selbst anzugehören schien, die Tausende von Ameisen erschienen in ihrer absolut strengen Unordnung wie ein untrennbarer Bestandteil ihres eigenen Baus, sie gehörten zu ihm wie Luftblasen zu kochendem Wasser.

»Du mußt tüchtig essen«, hielt er der Kröte aufs neue vor, »du bist müde.« Fieberhaft spähte er um sich, ob niemand ihn sähe, dann streckte er den Kescher bis über die steilste Stelle des Ameisenhaufens vor, umgedreht, als würde er einen kleinen Stieltopf ausgießen. Vor Aufregung stocherte er einige Male daneben, bevor es ihm gelang, die Kröte mit der bebenden Spitze seines Stockes durch den Ring zu kippen. Noch blieb das Tier mit seinen Beinchen in den Maschen hängen, aber jetzt packte er den Kescher fest mit beiden Händen und schüttelte ihn genau so lange, bis es auf den flaumweichen fremden Bau niederfiel. Mit gespreizten Beinchen rutschte es kopfüber sogleich etwas tiefer, und als es schließlich still auf dem Abhang des Hügels sitzen blieb, meinte er, daß das Tier ihn anschaute.

»Tüchtig essen«, flüsterte er erneut. Atemlos sah er, wie immer mehr dunkle, schnelle Tüpfelchen über die Kröte zu kullern begannen, und schon glänzte der warzige Rücken von dem Gift, das aus zahllosen Blasen auf ihn gespritzt wurde. Liefen die Ameisen nun noch rastlos hin und her, so würden sie alsbald ebenfalls ruhig sitzen bleiben: das hieße dann, daß der eigentliche Fraß begonnen hätte. In der nackten, ledrigen Haut sah er nur mehr eine Verpackung.

Verwaist beobachtete er die kleine Kröte, die mit ruhigen Augen in die Ferne blickte, während die Räuber ihr Werk an ihr verrichteten. Mitunter schoß ihre Zunge hervor, nicht um sich zu verteidigen, sondern um zu essen, sie wußte noch nicht, was vor sich ging. Plötzlich spürte er ein Klopfen in Kopf und Brust, und das nur, weil sich etwas ereignete: das kleine Tier begann, mit einem Hinterbeinchen zu ziehen, und drehte sich mühsam um wie ein Ruderboot. Es wollte nach oben, aber ebensowenig wie es sich ehedem mit seinen rudernden Beinchen gegen die Luft hatte zur Wehr setzen können, gelang es ihm jetzt, sich auf dem wegrutschenden, überdies noch geneigten Untergrund aus trockenen Nadeln in Bewegung zu setzen – es stieß jedesmal ein wenig lockeres Material hinter sich, fand aber den Widerstand nicht, der nötig gewesen wäre, um sein Gewicht emporzubringen. Schließlich drehte es sich wieder um und sprang in zwei, drei Bögen den Bau hinunter bis dorthin, wo sich dieser über den Boden verströmte. Halb zugedeckt von den Ameisen blieb es sogleich wieder dicht vor ihm wie ein Stein liegen. Er prustete los, als die Kröte einmal suchend um sich schaute, ohne etwas sehen zu können: der Feind, der sich weiter in sie verbiß, war inzwischen zu sehr Teil ihrer selbst geworden, um noch sichtbar zu sein, so daß sie nun sicher denken mußte, es sei die laue Sommerluft, die ihr so erbärmlich auf der Haut brannte. Das kleine Tier war ihm jetzt so nahe, daß er das Korallenrot der Ameisen sehen konnte; wenn er sich niederbückte, könnte er die Kröte auch mit der Hand berühren.

Nichts geschah mehr, und allmählich ließen die heftigen Empfindungen, die in ihm aufgeflammt waren, etwas nach: die unerklärliche Freude, als die Kröte auf den Erdhaufen fiel, das Erschauern und die Faszination, all das verbunden in einem anhaltenden Zustand der Erregung. Erst als diese nun verflog, spürte er das Grinsen, das die ganze Zeit auf seinem Gesicht gelegen hatte. Er kauerte sich langsam auf den flachen Stein nieder und begann bestürzt den Kopf zu schütteln. Was er in Gang gesetzt hatte, war so unbegreiflich, daß er die ganze Zeit über der Meinung gewesen war, es würde von selbst aufhören oder sich in etwas ganz anderes verwandeln, so wie ein Gedanke, auch der Gedanke, aus dem alles erwachsen war – doch nun brach sich die Erkenntnis in ihm Bahn, daß es kein Zurück mehr gab. Die Ameisen mußten wohl an der Unterseite begonnen haben, wo die Haut am dünnsten war und die Kröte auch ihre Körperöffnungen besaß. Automatisch griff er nach dem Stock neben sich, spannte die Hand an, aber schließlich verlangte ihn doch nicht mehr danach, das kleine Tier umzudrehen, um zu sehen, wie es jetzt um den marmorierten Bauch stand: die Kröte gebot in ihrem Martyrium eine Ehrfurcht, die sie unberührbar machte. Mit einemmal spürte er überall Ameisen und begann auf sich einzuschlagen, daß es nur so klatschte.

Auf dem Balken des Houten Hooft hätte er alles tun können, aber der stand jetzt mit Sicherheit unter Wasser: ja, er hätte das Tier seinem Ende überantwortet und sich selbst überlassen. Wenn er überhaupt noch etwas retten wollte, mußte er die Kröte unverzüglich in den Kescher schieben, sie zum Meer tragen und sie dann so lange durch das tödlich salzige Wasser schwenken, bis alle Ameisen von ihr abgespült wären, doch abermals erkannte er: jegliche Berührung war Entweihung dieses erhabenen Augenblicks. Je länger die Zeit verstrich, desto mehr schien er zu einem Teil des flachen Steines zu werden, auf dem er saß, die Hitze und die Stille bedrückten ihn, die Ameisen und der trocknende Schweiß brannten ihm stechend in der Hand.

Ganz leise hörte er das Meer auf den Schotter am Fuße des Deiches schlagen, es spendete ihm Trost und holte ihn in die Gegenwart zurück. Wie es jetzt wohl stand? Noch immer saß die kleine Kröte, ergeben vor sich hinschauend, da, während ihr Leib in kleinen Stücken von ihr abgelöst und davongetragen wurde. Hatte die Ameisensäure sie betäubt, war das Gift stärker als der Schmerz? Er wollte aufatmen, aber genau in diesem Moment machte das kleine Tier einen Sprung nach vorn, ganz lakonisch, als hätte es das schon die ganze Zeit tun können. Dumpf schlug es mit einer kleinen Staubwolke auf, blieb still sitzen, sprang dann erneut – und so, mit jeweils längeren Pausen, schnellte es in gebrochener Bahn an ihm vorüber und weiter, bis es schließlich doch wieder still auf dem harten Sand liegen blieb. Die Ameisen auf dem warzigen Rücken waren jetzt nur noch ein Hauch, eine Farbe, viel dunkler als die von trockenem Seegras oder Oliven, dunkler auch als Korallen.

Als er sich endlich erhob, zerbrach der flache Stein unter seinen Füßen. Ihm schwindelte, und ein hoher Ton begann in seinem Kopf zu erklingen. Den Kescher schon über der Schulter, blieb er stehen und schaute zur Kröte hinüber, genau so lange noch, bis er nicht mehr wußte, war sie nun schon tot oder würde sie noch einmal springen.

Weiße Chrysanthemen

»O mein Gott, ich haue ihm eins aufs Maul, ich schlage ihm diese farblose, abgeblätterte Brieftasche aus seinen grobschlächtigen, behaarten Händen; ich quetsche ihm die Augen aus oder sprühe Gas hinein, so daß seine Lider anfangen zu zucken und sich ein Tränenfluß bildet, erst klar und dann schnell in ein grünliches Sekret übergehend. Seine Augäpfel sollen anschwellen, dann kann er die Augen nicht mehr schließen; sie sollen von innen her flüssig werden und dann wegschmelzen... unter seinen Lidern wegfaulen... ich töte ihn, eigenhändig... ich zerreiße ihn und genieße den Anblick seiner pflaumfarbigen Fleischfetzen... Wenn er sofort gezahlt hätte, wäre ich schon wieder zu Hause gewesen, denn dieses Mal brauchte ich nicht zu anderen Läden, so schlecht lief das Geschäft. Ich hätte das Buch, das ich gerade las, zu Ende lesen können (las ich damals nicht *Veva* von Johan Daisne, die Frau, die in einem langen Gewand herumläuft mit zartrosa, byzantinisch anmutenden Blumen am Gürtel und einem lilienweißen Futter; aber vielleicht dichte ich nun den verschwommenen Bildern meiner Erinnerung etwas hinzu; wieviel Zeit ist seitdem nicht auch vergangen!), ich hätte ins Schwimmbad gehen können (es war oft so heiß, wenn ich zu ihm mußte) oder zu Adya, die hier in der Nähe wohnte und meine Freundin war.«
Ich war damals siebzehn.
Meine Schläfen pochten doppelt schnell, und es war, als wären sie in einer Zwinge eingeklemmt, die langsam zugeschraubt wird.
Die Rache ist mein, dachte ich, doch dann überlegte ich, daß seine Blindheit oder sein Tod für uns alle weniger Einkünfte bedeuten würde und es für Vater in dieser Zeit doch schon

schwierig genug war, sich in dem mörderischen Existenz-kampf über Wasser zu halten.

Ich sah ihn bewundernd an, aber ich hatte Tränen in den Augen. »Sie haben viel Geld, Herr van M.«, sagte ich, »viel Geld, Sie verdienen gut hier, ja, es ist sogar unglaublich, wie-viel Sie hier verdienen, in diesem doch ziemlich armen Vier-tel, aber Sie wissen, wie man mit den Kunden umgehen muß, Sie sprechen ihre Sprache, und doch stellen Sie etwas Besse-res dar als sie. Kein Mensch würde mehr Geld aus diesem Laden holen als Sie.« Wie überzeugend meine Jungenstimme klang, wie aufrichtig! Und wie drehte sich mir das Herz im Leib herum! Wie drückte mich damals der Gegensatz zwi-schen sichtbarem Verhalten und wirklichen Gefühlen! Jetzt kultiviere ich diesen Kontrast absichtlich und finde großen Gefallen daran, mit jemandem ein angenehmes Gespräch zu führen, in dem ich des Lobes voll bin über die Art und Weise, wie er dieses oder jenes geregelt hat, während ich mit Freun-den am Abend zuvor sein Verhalten in sehr verächtlicher, herablassender Manier kritisiert hatte.

»Ha, ha«, lachte er tief aus den Eingeweiden heraus – so tief war seine Stimme –, »hast du eine Vorstellung, wieviel in dieser Brieftasche ist?«

Er sah mir direkt in meine ängstlichen Augen und fuchtelte mit dem ledrigen Ding vor meinem Gesicht herum. »Na, hast du eine ungefähre Vorstellung?« wiederholte er auf ein-mal eindringlich und ungewöhnlich heftig. »Dein Vater weiß nicht, wie man Geld verdient, der hat keine Ahnung vom Geldverdienen!« Er klappte die Brieftasche auf.

Wir standen im Keller. Er lehnte mit dem Rücken gegen eine Wand, an der grüne Schwämme wuchsen. Eine gelbliche Glühbirne hing über dem Arbeitstisch, auf den sie ein karges Licht warf. Im fahlen, staubigen Licht dieser dreckigen Birne sah ich schmuddelige Bündel Banknoten. Ich sah mir sein kantiges Gesicht an, die breiten Unterkiefer, die stark ge-wölbten Schläfenknochen. Er hatte etwas von einem Crô-Magnon, dem bekanntesten aller Urmenschen. Tiefe Furchen hatten sich in sein Gesicht gegraben. Zeichen großer Leidenschaft, wie uns die Physiognomik glauben machen will? Und seine Augen! Dieses seltsam Unersättliche, dieser faszinierende, leuchtende Ausdruck mit den dichten, unregelmäßigen Brauen darüber. Die finsteren Lichter, die in seinen grauen Augen aufblitzten. Er zog ein paar Banknoten zwischen den Bündeln in der Brieftasche hervor, bog sie um und ließ sie unter dem Daumen langsam zurückblättern. Das machte ein rauschendes Geräusch, wie Pappeln im nächtlichen Wind. Er stützte sich jetzt mit einem Arm auf den Tisch, auf dem Reste von Zweigen und Blumen lagen. Er hatte einen kräftigen Körper, der eine starke Willenskraft ausstrahlte. Er war Mitte Vierzig. Verheiratet mit einer bleichsüchtigen, sehr dünnen Frau. Sie stand immer in der Türöffnung der Küche, die auf den Verkaufsraum hinausging. Und immer umspielte ihren Mund ein schwaches, kränkliches Lächeln. Eine Atmosphäre von Siechtum umgab sie. Ich erinnere mich noch genau, wie sie schräg hinter mir stand und mich umfaßte. »Komm heute abend, mein Junge, heute abend ist das Schwein nicht da.«

Sie hatten keine Kinder.

»Zähl«, sagte er zu mir. Es war stickig und dunkel im Keller. Um uns herum standen Eimer mit Blumen – Dahlien, Gladiolen, Nelken und Lilien –, doch waren ihre Farben kaum zu unterscheiden, alle sahen blaß aus. Über der Tischplatte, die auf zwei Holzblöcken lag, war es hell. Hinter mir war die Treppe, die zum Geschäft hinaufführte. Die Tür war verschlossen. Wenn wir die Treppe hinuntergingen, zog er die Tür immer hinter sich zu.

Ich stand mit dem Geld in den Händen da.

»Zähl«, sagte er wieder, »zähl, verflucht noch mal.« Er sah mich streng an. Nichts in mir sträubte sich dagegen, ich wollte gern für ihn zählen, wenn ich dann bloß weg durfte. Aber es war erst der Anfang vom Ritus, der gerade beginnende Anfang. Ich zählte. Undeutlich drangen Geräusche von der Straße her zu mir durch. Draußen schien bestimmt die Sonne. Jetzt müßte es noch wärmer sein. Meine Freunde waren im Schwimmbad oder tranken Bier auf der Terrasse vom Riche-Nationale oder auf dem Velperplein. Ich zählte... und zählte... aber ich hatte mich schon lange verzählt... ich dachte an so viele Sachen, an Adya, an ihre kleinen, runden Brüste, die wie kleine Blumensträuße waren, man konnte sie wie Blumen in der Hand halten.

Vielleicht wartete sie im Keller ihrer Wohnung auf mich (ihr Vater hatte ihr verboten, sich mit mir zu treffen; er war Jurist für niederländisches und niederländisch-ostindisches Recht). Er wartete auf meine Reaktion. Als hätte ich die Wahl, als wäre ich in der Lage, ungünstig zu reagieren! Oft habe ich mich gefragt, worin das Geheimnis seiner Macht lag. Aber zahllose, sich widersprechende Erklärungen drängen sich dann meinem Geist auf und behindern meine weiteren Überlegungen; daß er einen starken Willen hatte, ist sicher. Ein Wille wie der von einem Gott. Ein Wille wie Gott. Er herrschte, er war vollkommen überzeugt davon, daß ich ihn lobpreisen würde, obwohl er doch fühlen mußte, wie ich ihn verabscheute, wie gerne ich ihm... Hinter mir war die Treppe, lief man sie hinauf, kam man direkt in den Laden. Was hätte ich nicht dafür gegeben, diese Treppe hinauflaufen zu können, fort aus diesem düsteren, gespenstischen Keller, fort von diesen düsteren Augen, die mich unentwegt ansahen.

»Zähl weiter«, sagte er heiser, ganz eigenartig heiser und sehr eindringlich. So hatte ich seine Stimme noch nie gehört, zumindest noch nie so schleimig heiser.

»Sie sind reich«, sagte ich. Ich überreichte ihm das Geld. »Ich komme auf vierzig. Vierzig Hunderterscheine. Ich begreife es nicht, ich begreife nicht, wie Sie soviel Geld zusammenbekommen, noch nie habe ich soviel Geld auf einmal gesehen, und mein Vater auch nicht, und das in einer Zeit, in der sich jeder beklagt.« Es waren die Worte, die er von mir hören wollte. Manchmal variierte ich sie, aber es kam immer auf dasselbe hinaus. Unsagbar viele Male habe ich diese vierzig

Scheine in den Händen gehabt, und jetzt noch, so viele Jahre danach, bekomme ich Zuckungen über dem linken Auge, wenn ich jemanden die Zahl vierzig aussprechen höre.

»Sie sind ein Künstler im Blumenbinden«, fuhr ich fort, denn der Mechanismus mußte doch ablaufen, »noch nie habe ich jemanden so schnell und einwandfrei ein Grabgesteck machen sehen.«

Er tat das Geld in seine Brieftasche, klappte sie zu und steckte sie in die Innentasche seines Kittels.

»Stell dich dahin«, befahl er und versetzte mir einen Stoß in die Taille. Ich stand am Tisch. Von einem Nagel, der oben in einen Balken geschlagen war, nahm er ein kleines, längliches Brett, bei dem an der einen Seite ein Griff ausgeschnitzt war. Auf dem Brettchen befand sich ein rundes, mit Kupferdraht befestigtes Stück Steckmoos. Darin steckte bereits ein präparierter Lorbeerzweig mit braunen Blättern.

»Nun werde ich dir einmal zeigen, wie man fachmännisch mit bloßen Händen, ohne Messer und Schere, ein Grabgesteck anfertigt.« Mit großen Schritten lief er zu den Eimern. Hier und da nahm er Blumen, die er am Blütenkelch herauszog. Er warf sie auf den Tisch. »Sieh her, so macht man das.« Er nahm zwei Blumen gleichzeitig, brach von beiden ein Stück vom Stiel ab und stach sie ungestüm ins Moos. Es waren weiße Dahlien. Dann nahm er lila Gladiolen und steckte auch die in rasendem Tempo hinein. Er brummte, ab und zu sah er mich triumphierend an, Speichel lief ihm am Mund entlang. Er war blasser geworden, auf seinen Wangen lag ein rötlicher Schimmer, und seinen Mund umspielte ein schwer zu deutendes Lächeln. Ich wußte, was mir bevorstand, zumindest glaubte ich, es zu wissen. Es würde unmittelbar darauf hinauslaufen, daß er in einem Ausbruch von Hysterie fluchte und den Namen der Verstorbenen, für die die Blumen bestimmt waren, mit schmutzigen Reden in den Dreck zog. Etwa so: »Weißt du, wie alt sie geworden ist? Keine Dreißig. Sie konnte keinen Kerl vorbeigehen sehen, ohne sich gleich langzulegen; jetzt hat sie die Quittung dafür bekommen. Alle in der Nachbarschaft haben sie gemieden, kein Mensch weiß, woran sie gestorben ist.« Bei einer solch widersprüchlichen und kryptischen Rede versuchte ich immer interessiert zu schauen, dann sagte er manchmal: »Sieh mich nicht so an, Gott verdammt noch mal.« Ich wartete. Er steckte die letzte Blume zwischen die anderen. Es war ein überladenes, barockes Gesteck, das auf dem Friedhof von jedem bewundert werden würde. Er nahm eine kleine Gießkanne und besprengte die Blumen mit kühlem Wasser. Es war warm in dem Keller, eine Lüftung gab es nicht. Außer der verschlossenen Tür oben an der Treppe gab es keine Verbindung zur Außenwelt. Ich sah die bizarren Schatten, die seine Bewegungen an die Wände warfen. Sie hatten etwas, das über alle Maßen hinausging, etwas Leidenschaftliches, Dämonisches.

Dann ergriff er mein Handgelenk und zog es zu dem Griff hin. Ich fühlte das feuchte, nackte Fleisch seiner Hand und die groben Finger, die mich so umklammerten, daß mir die Knochen weh taten. Mit der anderen Hand drückte er mein Gesicht in die Blumen. Es war, als würde mein Kopf in das weiche, feuchtfaule Moos sinken, ich bekam den Saft von zerquetschten Stielen und Blüten in den Mund. Seine Lippen saugten sich in meinem Nacken fest... so verharrte er schwer atmend über mir... er drückte seine Beine an mich an... wie ein gekrümmter, tödlich verwundeter Stier, der blutend auf den erlösenden Stoß wartet, hing ich über dem Tisch... sein Schulterknochen bohrte sich in meinen Rücken...

Wir hörten die kreischende Stimme seiner Frau: »Kunden! Gott verdammt noch mal, bist du jetzt völlig taub geworden!« Er ließ mich los und ging nach oben. Ich wischte mir den Pflanzensaft vom Gesicht. An meiner Hand sah ich, daß er violett war, ein unbeschreibliches Violett, so tief, so dunkel. Der Saft mußte von den Gladiolen sein. Benommen stand ich da. Dann ging auch ich die Treppe hoch. Hinter ihm her, wie ein geprügelter Hund, der nicht ohne seinen

Herrn zurechtkommt. Oben an der Treppe stand die Frau, unheimlich mager, ohne Bauch und Hüften. Ihr pyramidenförmig aufgetürmtes Haar war wasserstoffblond. Auf ihren ausgehöhlten Wangen hatte sie vor Aufregung rote Flecken bekommen. Die tiefliegenden Augenlider waren grün nachgezeichnet. Sie hatte etwas Ausgezehrtes und sah mitgenommen aus. Wie eine vulgäre Ligeia!

Es kamen mehr Kunden in den Laden. Er spielte sich auf, jonglierte mit Blumensträußen, lachte und fluchte ausgelassen. Einem alten Mann schenkte er in fieberhafter Aufregung eine Gloxinie. Mich beachtete er nicht. Er fing an, auf einer tiefroten Begonie herumzutanzen, bis sie ein einziger Brei war. Dann warf er die Reste mir nichts, dir nichts ins Schaufenster zwischen die anderen Pflanzen. Man lachte darüber. In der Nachbarschaft galt er als Unikum, und teuer war er auch nicht. Aus der Begonie hatte sich ein schwarzes Insekt gerade noch rechtzeitig vor den Füßen von van M. zu retten vermocht; schon breitete es die glänzenden Deckflügel zum Flug aus, doch knackend und knisternd wurde es zermalmt. Währenddessen strich mir die Frau mit der Hand über den Rücken und sprach verführerische Worte.
Als die Kunden weg waren, fragte er nach der Rechnung.
Er bezahlte die Pflanzen, die ich gebracht hatte.
»Bring morgen noch fünfundzwanzig Farne«, sagte er. Ich ging hinaus.
Am Stand der Sonne konnte ich sehen, daß es gegen fünf Uhr war.
Mehr als zwei Stunden meines freien Nachmittags hatte er mich im Laden aufgehalten. Da mußte ich weinen. In den darauffolgenden Wochen brachte mein Vater die Pflanzen.

Mein Vater hatte eine kleine Blumengärtnerei in V., in der Nähe der großen Stadt. Die Gärtnerei lag mitten im Dorf, war aber von allen Seiten von hohen Hainbuchen umgeben, zwischen denen Brombeersträucher wuchsen. An einer Seite grenzte sein idyllischer Betrieb an den katholischen Friedhof. Über die Hecke ragte, teilweise von der Krone einer Trauerbirke überwölbt, eine riesige Christusfigur. Als kleiner Junge zielte ich mit meiner Zwille vom Wasserbassin, das am Mittelgang stand, auf das traurige Gesicht, und ich bildete mir sogar schon mal ein, kleine Tränen von diesem gemarterten Antlitz geschossen zu haben. Mein Vater verabscheute die Figur. »Du sollst dir kein Bildnis noch irgendein Gleichnis machen, weder von dem, was oben im Himmel, noch von dem, was unten auf Erden, noch von dem, was in den Wassern unter der Erde ist: Bete sie nicht an und diene ihnen nicht«, habe ich ihn oft murmeln gehört, wenn er auf den Blumenbeeten Veilchen auspflanzte. Denn wenn er auf seinen Knien arbeitete und aufblickte, dann sah er die Figur. Am liebsten hielt er sich in der Gärtnerei auf. Er arbeitete hart und sann beim Umsetzen der Sämlinge über Isaschar, den knochigen Esel oder über die Rechtfertigung des Glaubens nach. Eigentlich war Vater nicht von Natur aus trübsinnig, doch der Glaube der Veluwer Gegend in seiner eigenen Ausprägung hatte ihm mit seinen ausgezehrten, mageren Händen die Heiterkeit abgewürgt. Er züchtete vor allem Farne jeder Art. Von den Sporen bis zur ausgewachsenen Pflanze. Ich erinnere mich noch an die Namen, sanft klingende Namen wie Adianthum fragans, Tremula wimsetti, Pellea rondiflora. Blumenhändler verwendeten sie für Gestecke. Die Farne durften nicht größer als dreißig Zentimeter sein. Es kam jedoch vor, daß sie anderthalb Meter groß wurden und bis an die Regale, die in Augenhöhe angebracht waren, reichten. Die tief eingeschnittenen Blätter, die an der Unterseite mit goldbraunen Sporen besetzt waren, hingen schwer an den Stengeln. So wurde er sie nirgends mehr los. Dann schnitt er sie zurück. So kam es, daß Pflanzen, um die er sich mehr als ein Jahr gekümmert hatte und für die er teuren, unbezahlbaren Koks investiert hatte, fast den gleichen Zyklus noch einmal durchlaufen mußten. Sogar mein Vater begriff, daß etwas an seiner Geschäftspolitik nicht stimmte, aber er hatte weder den Charakter noch das Geld, daran etwas zu ändern. Seine Ehre verbot ihm, mit einem Sortiment von Geschäft zu Geschäft zu ziehen. »Wenn sie nicht von selber kommen«, sagte er, »kann man nichts machen, dann soll es eben so sein.« Er war tief religiös, und von Menschen erwartete er nichts. »Verlasset euch nicht auf Fürsten«, sang er Sonntag morgens schon um acht im Wohnzimmer, während sich bei mir noch im Bett der Katzenjammer wegen eines schon wieder enttäuschend verlaufenen Hochschulfestes einstellte.

Es gab auch Zeiten, in denen viel verkauft wurde. Das war meistens im Frühsommer, wenn die Kübel voll waren mit samtenen Geranien, orangenen Gazanien und traumhaft buntem Eiskraut. Manchmal bekamen meine Mutter und ich ihn so weit, ein Geschäft anzurufen und zu fragen, ob man dort Pflanzen gebrauchen könne. Die Not war dann sehr groß, denn einige tausend Calceolanien – im Volksmund Pantoffelblumen genannt – hatten gleichzeitig angefangen zu blühen. Ein Zurückschneiden war in diesem Fall nicht möglich. Die mehr oder weniger erzwungenermaßen geführten Telefonate hatten selten Erfolg; er sprach leise, ängstlich, den anderen mit seinem Angebot zu stören. Wenn er nach dem Gespräch den Hörer auflegte, ohne eine Pflanze verkauft zu haben, sagte er in einem Ton munterer Ergebenheit: »Wir haben jedenfalls unser Bestes getan. Sonst können wir nichts mehr machen, mehr steht nicht in unserer Macht.« Mein Vater hatte ganz klare, hellblaue Augen. Ich konnte es nicht mit ansehen, wenn Pflanzen verblühten, für die er sich abgerakkert hatte. Ich ging damals auf die Pädagogische Hochschule in der benachbarten Stadt, und während des Unterrichts mußte ich immer daran denken. Wenn ich eben konnte, half ich ihm. Nach der Schule fuhr ich mit dem Fahrrad schnell nach Hause, um dann mit einem Sortiment Pflanzen in einer länglichen Kiste, die ich mit Gummispannern auf dem Gepäckträger befestigte, wieder zurückzufahren. Ich ging in alle

Blumenläden, die es in der Stadt gab, und ganz oft gelang es mir, eine kleine Bestellung zu bekommen. Ich fuhr zurück nach Hause, suchte mit Vater die Pflanzen aus, packte sie ein und fuhr mit dem Lastenfahrrad in die Stadt, manchmal bis über die Rheinbrücke. Ich kannte keine Müdigkeit. Es mußte alles schnell geschehen, bevor es sechs war, und die Läden lagen weit auseinander. So legte ich an einem Nachmittag manchmal schnell sechzig bis siebzig Kilometer zurück.

Abends lernte ich für die Schule. Mein Vater schätzte mich. Einmal hat er es mir offen gesagt. Wir standen am Wasserbassin. Ich glitt mit den Händen durchs Wasser. Durchsichtige Libellen schwebten dicht über der Wasseroberfläche oder verharrten regungslos in der Luft, um dann jäh fortzufliegen. Wir schauten über die Gärtnerei, in der sich der Verfall bereits bemerkbar machte. In den bizarren Rissen der Gewächshauswände hatten sich junge Birken angesammelt. Mein Vater war damals schon krank, aber er wußte es noch nicht. Er hatte stechende Schmerzen in Nacken und Händen, und er war schrecklich müde.

»Du bist immer ein guter Sohn gewesen«, sagte er. Tränen standen ihm in den Augen. Dann sah ich meinen Vater zum zweitenmal weinen.

Van M. war einer der Blumenhändler, an die wir lieferten. Wie oft habe ich davon geträumt, große, breite Hände zu haben, mit enormer Kraft in den Fingern! Daß ich von hochgewachsener, kräftiger Statur wäre, so wie er. Wie oft habe ich ihn röcheln gehört und mit heiserer, gebrochener Stimme um Gnade flehen, während ihm die Brieftasche aus seinen schlaffen Händen fällt. Aber er brauchte viele Pflanzen, wir konnten ihn als Kunden schwerlich entbehren. Alles, was ich dort unten in dem düsteren Keller ertragen mußte, ist nichts im Vergleich zu dem, was er meinen Vater einmal angetan hat. Das war so durch und durch gemein, so schändlich arglistig und niederträchtig, daß ich es nur mit Tränen in den Augen aufschreiben kann. Aber ich will es aufschreiben. Zuerst dachte ich, ich behalte es für mich, ich begrabe es tief in meinem Innern. Die Bilder der Erinnerung haben noch nichts an Schärfe eingebüßt. Es schmerzt mich, an diese quälenden Dinge zu rühren, aber es muß sein. Die Rache vergiftet mein Denken. Und ich will jetzt auch nicht länger verschweigen, wer er ist und wo er wohnte.

›Blumenkaufhaus van Manen‹, Rozendaalse Weg, Ecke Hoflaan. Von dem Geschäft mit seinen zwei Schaufenstern – an jeder Ecke eins – sieht man auf ein graues Arbeiterviertel aus dem 19. Jahrhundert, das sich wie ein Ungeheuer den Hang emporwindet. Einst stand dort ein Kloster, um das sich eine Mauer schlängelte, an der Birnen an Spalieren wuchsen und Sauerkirschen langsam reiften. Eine Ende des letzten Jahrhunderts gebaute, monströse katholische Kirche stellt den Fühler des Ungeheuers dar, das scheinbar nur darauf wartet, sich auf die tiefer gelegenen Villen am Rijksweg zu stürzen. Das Geschäft von van Manen lag genau auf der Grenze zwischen Arm und Reich.

Die letzte Oktoberwoche. In der vergangenen Nacht hat es leicht gefroren. Die Dahlien auf dem Land sind schwarz geworden. Über den Gewächshäusern, dem Komposthaufen und dem Schuppen liegt ein weißer Schleier.
Freitag. In zwei Tagen feiern die Katholiken Allerheiligen, dann Allerseelen. Es ist elf Uhr morgens.
»Gott verdammt noch mal, bring den ganzen Kram so schnell wie möglich her«, brüllte er durchs Telefon. »Die Leute reißen sich drum. «
Mein Vater nahm den Hörer etwas weiter vom Ohr und zog die Augenbrauen hoch. Seine blauen Augen waren noch heller als sonst.
»...und der Preis, Herr van Manen«, sagte mein Vater ganz leise und zaghaft. Er hatte deutlich Angst vor der primitiven Art, die sich am anderen Ende der Leitung kundtat.
»Ach, der gottverdammte Preis, ha, ha, das regeln wir schon, bei van Manen kommt niemand zu kurz. Van Manen

bezahlt immer gut.« Meine Mutter und ich standen an der Spüle. Wir hörten, wie grob und lautstark er Vater antwortete. Mein Vater bedankte sich für die Bestellung und legte den Hörer auf, bestürzt über soviel Blasphemie und beinahe ängstlich, selbst dafür gestraft zu werden. Er war es ja gewesen, der diesen widerlichen Mann angerufen hatte, aber er mußte zugeben, daß die Idee nicht von ihm kam. Seine Frau und sein Sohn hatten ihn dazu angestiftet; so ungefähr war sein Gedankengang. Mein Vater war ein ziemlich scharfsinniger Kasuist.

Wir sahen ihn erleichtert an.

»Siehste wohl«, sagte sie. »Heutzutage muß man zu den Kunden gehen, sie kommen nicht mehr zu einem. Man muß zeigen, was man für Produkte anzubieten hat, sonst bleibt man darauf sitzen und kann sie auf den Komposthaufen werfen.«

»Ja, das wäre mir doch sehr ans Herz gegangen«, sagte mein Vater, »gerade dieses Jahr sind sie so schön und kräftig und mit so dichtstehenden Blättern und was das wichtigste ist: Sie blühen gerade zur rechten Zeit, nicht zu früh und nicht zu spät, man wird sie nämlich nur in der letzten Oktoberwoche los.«

»Ich werde dir beim Einpacken helfen«, sagte ich. »Du mußt sie allerdings selbst wegbringen, weil ich heute nachmittag zur Schule muß.«

Ich ging ihm ins Gewächshaus hinterher. In den Pflanzenkübeln links und rechts vom Mittelgang standen in Torfmull eingegrabene Blumentöpfe mit weißen Chrysanthemen. So weiß, so blendend weiß, daß man versucht war, kurz die Augen zuzukneifen. Große, schwere Blütenköpfe wiegten sich auf den ranken, kräftigen Stielen. Es war eigentlich Sünde, sie zu verkaufen. Zu dieser Zeit bestand immer Nachfrage nach Chrysanthemen. Obwohl sie sich dieses Jahr nicht so gut verkauften. Noch keine einzige war verkauft worden. Zu Allerseelen pflanzten die Leute sie auf die Gräber. Es lief meinem Vater eigentlich zuwider, daß er Pflanzen für einen

Götzendienst züchtete. Doch dieses eine Mal war die Aussicht auf Gewinn stärker gewesen als sein Gewissen.

»Wir suchen sie nicht extra aus«, sagte Vater. »Er braucht nicht die allerschönsten zu haben, so gut bezahlt er nicht.« Ich trug die Pflanzen, wobei ich sie so an mich drückte, daß die Stiele nicht knickten, in die Arbeitsecke. Dort stand ein Eimer mit lauwarmem Wasser. Zusammen haben wir die Blumentöpfe abgewaschen und sie mit einer harten Bürste von dem grünen Belag befreit. Ich hielt dabei die Pflanze fest, damit die Stiele durch die Erschütterungen beim Abbürsten nicht doch noch knickten.

»So schön wie in diesem Jahr waren sie noch nie«, sagte ich. »Es ist wirklich reinste Qualitätsware.« Es machte uns allen beiden Spaß. Wir sprachen nicht viel. Wir wickelten sie auf dem Arbeitstisch in Zeitungspapier ein. »Wickeln wir sie doppelt ein«, sagte er noch, »ich möchte nicht, daß die Blütenblätter etwas vom Frost abbekommen. Sie sind sehr zerbrechlich und werden schnell braun.« Oben steckten wir das Zeitungspapier mit einer Stecknadel fest. Wir stellten die Blumen in Kisten. Zwischen sie legten wir Holzwolle und Zeitungsknäuel, so standen sie fester. Ich fuhr das Transportrad aus dem Schuppen und stellte die Kisten auf die Ladefläche; vier Kisten mit jeweils zehn Pflanzen. Sie brachten, wenn es gut lief, pro Stück vielleicht zwei Gulden. Das würde einen hübschen Betrag geben. Vater zog sich gut an: Mantel, Mütze und Ohrwärmer. Bevor er losfuhr, zündete er sich eine kleine Zigarre an. Er war guter Laune. Er lachte mich an. Seine hellblauen Augen waren voll Vertrauen. Mutter kam noch heraus und sah zu, wie er wegfuhr...

Eine Stunde später war ich auf dem Weg zur Schule. Ich mußte nach O., das noch hinter der Stadt lag und wo ich mit Schülern einer Handelsschule an einem Biologieprojekt arbeitete. Es hatte angefangen zu regnen. Über den Fahrradlenker gebeugt, fuhr ich durch den Regen. Meine Brille war naß und beschlagen. Ich war auf der Höhe von Insula Dei,

›Insel Gottes‹, einem katholischen Heim, in dem Behinderte, Kranke und alte Leute in einer alten aristokratischen Villa (jetzt abgerissen) zusammengepfercht waren. Ich sah nichts. Mit meinem Ärmel fuhr ich mir über die Brillengläser. Da sah ich ihn. Auf der anderen Seite der Straße, auf dem Weg nach Hause. Von der Ladefläche wehte Zeitungspapier, das in langen, nassen Fetzen an seinem Rad kleben blieb. Die Pflanzen standen ungeordnet in den Kisten, die zerbrechlichen Blüten und Blätter waren Wind und Regen ausgesetzt. Eine einzige hatte er anscheinend in der Eile noch eingepackt. Ich ging über die Straße. Unter dem Regen ließen die Blumen ihre Köpfe hängen, die meisten Stiele waren abgeknickt.

Ich sah ihn an. In seinen Augen standen Tränen. Ich sagte nichts. Nach geraumer Zeit sagte er, während die Autos durch den stärker gewordenen und nun von Windböen begleiteten Regen an uns vorbeifuhren:

»Ich hatte sie schon alle ausgepackt. Im Laden waren viele Kunden. Er griff nach einer der Chrysanthemen und hob sie an der Blüte hoch. Die Blüte brach ab, der Topf fiel runter, und die schwarze Erde lag mit den roten Scherben dazwischen auf dem Boden. ›Scher dich zum Teufel‹, rief er, ›scher dich zum Teufel mit dem ganzen Scheiß, mach, daß du wegkommst mit deinem Scheißzeug, ich bin doch kein Müllmann...!‹ Die Leute haben gelacht, da habe ich alles wieder eingepackt. Ich mußte die Kisten alleine wieder aufladen, sie haben mir noch nicht einmal die Tür aufgemacht, als ich die schweren Kisten wieder hinaustrug...«

»Und die Frau?« fragte ich.

»Ich weiß nur, daß sie in der Küchentür stand, so wie immer.«

»Hat sie etwas gesagt?« bohrte ich.

»Nein, sie hat nichts gesagt, sie hat auch gelacht, glaube ich, aber sie hat sich nicht eingemischt.«

Ich beugte mich zu ihm und küßte ihn auf die Stirn.

Ich fuhr mit ihm zurück.

Abends wurde nicht darüber gesprochen. Er las an seinem

Schreibtisch in der *Nachfolge Christi* von Thomas von Kempen. Er blätterte die Seiten nicht um. Ich schaute ihm über die Schulter und sah, daß sein Blick auf Punkt sechs des achten Kapitels ruhte: »Einzig mit Gott und seinen Engeln wünsche vertraut zu sein; den unnötigen Umgang mit Menschen aber meide.«
Auch danach wurde nie wieder davon gesprochen.

Inzwischen bin ich erwachsen. Mein Vater ist gestorben, aber meine Mutter lebt zum Glück noch. Ich habe ein festes Einkommen, und ab und zu schreibe ich ein Gedicht. In einem sehr engen Kreis bin ich sogar bekannt wegen einer Ballade über Dyspepsie, die gut ankam. Sehr ausgefeilt, schrieb ein Kritiker in einer wohlmeinenden, aber kurzen Besprechung. Was ihm dieser verachtungswürdige Schweinehund angetan hat, habe ich nie vergessen, ist mir nie aus dem Sinn gegangen. Mir war nie mehr danach, mit Menschen in Kontakt zu kommen. Ich zog mich zurück in meine eigene Gedankenwelt. Dunkle Vorahnungen bedrücken mich seitdem. Allmählich wurde ich von Kummer, Trübsinn und innerer Unruhe erfüllt. Wie oft hat mein Auto mit laufendem Motor auf dem Hoflaan gestanden! Kühlen Blutes auf Rache sinnend, wartete ich im Dunkeln mit einem Backstein in der Hand hinter der Ligusterhecke. Ich spähte, wog ab und verschob. Manchmal erhaschte mein Blick ihn oder sie. Ein Schemen, der Schatten eines Schattens. Dann klopfte mein Herz, bewegungslos stand ich da, und der Stein glühte in meiner Hand. Ich war feige, ich wartete die richtige Zeit ab oder besser, ich ließ die Zeit für mich arbeiten.

Einmal bin ich tagsüber hingegangen. Ich hatte einen hellen Kammgarnanzug und ein gepunktetes Batisthemd an (ich mag mich gern gut kleiden; ich finde großen Gefallen daran, mich abends, ganz allein und nur für mich selber, viele Male umzuziehen; ich bin ziemlich narzißtisch) und trug eine Sonnenbrille mit großen Gläsern. So würde er mich nicht erkennen. Ich ging auf das Schaufenster zu und sah, daß ein anderer Name daraufstand. Eine junge Frau kam mit einem Eimer Chrysanthemen nach draußen. Weiße Chrysanthemen mit gelben, Eidottern gleichenden Herzen. Ich erkundigte mich. Sie erzählte mir, daß er vor einem Jahr gestorben sei. Ich bat um Einzelheiten. Eines Tages konnte er nicht mehr aus dem Bett aufstehen, seine Beine waren gelähmt.

Mit einer Krankheit geschlagen, dachte ich, genau wie König Hiskia. »Er wurde ins Krankenhaus gebracht«, fuhr die junge Frau fort, »dort stellte man Gehirnblutung und eine Art Verkrampfung der Muskeln fest.«

Hysterischer Stupor, hoffte ich, obwohl man davon geheilt werden kann. Doch das Schicksal war mir noch freundlicher gesinnt.

»Sein Unterkörper blieb gelähmt«, sagte die junge Frau (ihr Haar schimmerte rostfarben in der Sonne), »aber sonst erholte er sich ganz gut. Er hatte auch Schwierigkeiten beim Sprechen, aber auch das wurde besser. Er fuhr in einem Rollstuhl. Ab und zu schaute er hier noch vorbei.«

»Bevor Sie weitererzählen, sagen Sie mir erst, wie es seiner Frau geht«, unterbrach ich.

Sie zuckte mit den Achseln. »Über die weiß ich nicht viel. Ich habe in der Nachbarschaft gehört, daß sie einen Monat bevor er krank wurde, spurlos verschwunden ist. Einmal wird erzählt, sie würde sich vor Gram verzehren, doch niemand kann sich vorstellen, weswegen. Dann wieder heißt es, sie sei zu ihrem Bruder gezogen. Sogar von Selbstmord ist die Rede. Keiner weiß, wie es wirklich war.«

»Und wie ist es mit ihm ausgegangen?« fragte ich.

»Einmal war er bei seinem Bruder zu Besuch, der wohnt irgendwo da oben«, sie zeigte auf das Ungeheuer hinter uns, »er fuhr den Hoflaan entlang, wahrscheinlich versagten seine Bremsen, und da ist er in einen Traktor gefahren. Eine blanke Stange hat ihm die Stirn durchbohrt. Er war sofort tot.«

Ich beherrschte mich, aber ich hätte jauchzen können. Ich

ging in die scheußliche neugotische Kirche, in der ich hinter einem Pfeiler laut betete. Ich umarmte den Pfeiler und drückte mich vor lauter Freude an ihn. In jener Nacht, oh, jene Nacht, kam ich so vollkommen, so wunderbar trunken nach Hause. Die Sterne fielen vom Himmel und ließen sich auf mir nieder wie Diamanten auf einem Ring. Ich war umgeben von einem Halo und schwebte über die Häuser, und die Häuser hatten keine Dächer, und wie Asmodi konnte ich in die Zimmer schauen, und ich sah bleiche, magere Frauen in hohen Schaftstiefeln und mit strohblondem Haar, die an schmutziger Unterwäsche schnüffelten; ich sah die Grausamkeit des ehelichen Zusammenlebens, die heimlichen Gedanken, die Habsucht und die Rache, die bösen, fiebrigen Träume, die onanierenden Männer und Frauen, und überall sah ich ausgemergelte Frauen, bleich und durchsichtig, verhärmt dahinsiechend, aber voller lüsterner Begierde... so mußte das Bild der gnadenlosen, völligen Verwesung aussehen... aber ich war vollkommen ruhig, ohne Angst, ohne Groll... der Lichtkreis um mich herum glänzte noch greller... ich sah, daß alles gut war...

Am nächsten Tag bin ich früh aufgestanden. Mein Kopf war von Schmerzen durchzogen.

Ich habe Blumen auf sein Grab gelegt.
Weiße Chrysanthemen.

Doch erst habe ich sie zu Brei getreten.

JAN WOLKERS

Schwarzer Advent

Noch nie hat der Hunger so schöne Namen gehabt: Red Emperor, Peach Blossom, Rosa Copland, The Bishoff. Ich hatte sie schon gerochen, bevor ich sie im Gang liegen sah, in grauen Säcken, auf welche die Namen der Sorten in großen, blauen Buchstaben gestempelt waren. Ich blieb auf der Schwelle der Diele stehen und schnüffelte einen Duft ein, der nicht in Worte zu fassen war, der Bilder von Ferien, lange her, vor dem Kriege noch, in mir wachrief. Ich saß wieder in der Sonne zwischen Körben mit Tulpenzwiebeln und schälte die Zwiebeln aus der harten, sandigen Haut, hielt sie kurz in der Hand und betrachtete, bevor ich sie in den Korb warf, ihre glänzende, braune Membran, durch die das fettige, elfenbeinfarbene Weiß des Zwiebelfleisches manchmal schimmerte. Ich war von der Arbeit in der frischen Luft so braun geworden, daß einer von den Arbeitern gesagt hatte: »Wenn du stirbst, wirst du auf dem Negerfriedhof begraben.« Gleichzeitig mit dem Schlag der hinter mir zufallenden Zwischentür ging die Küchentür am anderen Ende des Gangs auf, und mein Vater erschien in der Türöffnung.
Der argwöhnische Ausdruck auf seinem Gesicht verlor sich in milder Formlosigkeit, als er kopfschüttelnd sagte: »Der verlorene Sohn.«
Aber es war, als seien zweitausend Jahre Christentum wie Blei in seine Arme gesackt und als sei er unfähig, sie zu einer väterlichen Gebärde zu heben. Er blieb im vertrauten Küchenlicht stehen, das an ihm vorbei in den Gang strömte und über mich herfiel, vermischt mit dem Kochdunst von Kohl und dem Geruch vom Gasschlauch aus Gummi.
Dann nahm er einen Sack vom Stapel, öffnete ihn und zeigte mir ein paar Zwiebeln.

»So weit ist es mit den Menschen gekommen«, sagte er. »Wir müssen uns von Gewächsen ernähren, die nicht fürs Essen bestimmt sind.« Er zuckte mit den Schultern, steckte die Zwiebeln in den Sack zurück und nahm ihn mit in die Küche.

»Die sind für heute abend«, sagte er. »Ja, es ist hier kein Schlaraffenland.«

Ich sah, daß ein Lächeln den Versuch machte, das Gitter seines gefurchten Gesichts zu durchbrechen, so daß ich ihm fast die Hand auf die Schulter legte, als ich ihm ins Wohnzimmer folgte. Meine Mutter saß am Tisch, die Lebensmittelkarten vor sich, aus denen sie mit der Schere kleine, numerierte Vierecke schnitt, die sie zwischen eine Klammer im Einkaufsbuch schob. Als sie zu mir aufblickte, sah ich, daß ihr Gesicht geschwollen und rot war, als sei sie lange durch peitschenden Regen gelaufen.

»So, bist du da«, sagte sie, wobei sie mich länger ansah, als es ihre Gewohnheit war. Dann beugte sie den Kopf wieder und schnitt weiter.

Ich ging zu ihr und küßte sie auf die Wange. Sie sank noch tiefer in sich zusammen, über die Lebensmittelkarten. Den Wunsch, die Schere hinzulegen und den nassen Fleck auf der Wange abzuwischen, bezwang sie. Ich streichelte sie über den Rücken und sagte: »So, Mutter.«

»Wir haben ein Kind verloren, aber wir haben auch wieder ein Kind zurückbekommen«, sagte mein Vater.

»Du bist jedenfalls zum Weihnachtsfest zu Hause«, sagte meine Mutter.

Sie faltete seufzend die Lebensmittelkarten zusammen und schob sie in einen Umschlag.

»Man bekommt dafür nichts anderes mehr als ein paar graue Erbsen«, sagte sie.

»Dies ist der schwärzeste Advent meines Lebens«, sagte mein Vater. »Keinen Weihnachtsbaum, keine Kerzen. Das einzige, was wir haben, sind Blumenzwiebeln, Zuckerrüben und Erbsen. Wir nähern uns dem Untergang. Ich habe noch versucht, Wild aufzutreiben, aber das ist mir nicht gelungen.«

Er sah mich an, fast mit einem Anflug von Wohlbehagen.

»Die Familie ist jetzt wieder komplett«, sagte er.

Dann durchzuckte ihn plötzlich der Gedanke an den Tod meines Bruders. Er starrte mit schmerzlichem Gesichtsausdruck in den Garten und trommelte mit den Fingern nervös auf dem Tisch. Dann blickte er seufzend zu meiner Mutter, die das Gesicht abwandte.

Ich verdrückte mich ungeschickt in die Küche, wo ich meinen Mantel auf einen Stuhl warf, und ging nach draußen.

Der Tritt war glatt. Die Sträucher hinten im Garten schienen mit den Schutzhüllen und gehäkelten Deckchen aus der Erbschaft meiner Großmutter behängt. Die Apfelbäume standen mit bereiften Ästen im aufkommenden Nebel. Die Grashalme des Rasens waren einzeln zu sehen. Eine große Reinheit und Einfachheit ging vom Garten aus. Als ob Bäume und Pflanzen mit bröckeliger Kreide auf eine Schultafel gezeichnet waren.

Ich ging zum Schragen, auf dem ein dicker Stamm lag. Ich glaubte in ihm die Erle zu erkennen, auf die ich als Kind immer geklettert war, um auf das Dach des Schuppens zu gelangen. Ich sah zum Schuppen hin. Die Erle war verschwunden. Auch der Schuppen hatte sich verändert, ein Schuppen, der nichts mehr mit dem früheren gemein hatte. Ich packte die Säge, die halb im Stamm steckte, und sägte weiter in das feuchte Holz. Orangefarbene Späne fielen auf den Kies.

Ich säge meine Erinnerung in Stücke, dachte ich. Die Vergangenheit wird verbrannt. Es ist besser, daß nichts von ihr übrigbleibt, sie geht niemanden etwas an.

Über meine Schulter sah ich zum Haus. Mein Vater stand hinter dem Fenster der Glasveranda und beobachtete mich. Sein Mund bewegte sich. Er sprach mit meiner Mutter. Ich vermutete, daß er über mich sprach, aber vielleicht stimmte das gar nicht. Er schien mir zuzulachen, aber das konnte auch eine Täuschung sein, die von der feuchten, ziemlich beschlagenen Scheibe hervorgerufen wurde. Ich hob meine Hand und winkte ihm. Er nickte mir ein paarmal zu. Dann trat er vom Fenster zurück.

Als ich ein paar Stücke vom Stamm abgesägt hatte, nahm ich die große Axt und schlug damit auf die Schnittfläche eines der Klötze, so daß der Stahl tief in das Holz eindrang. Dann schwang ich die Axt hoch über den Kopf und ließ sie mit einem gewaltigen Schlag auf den Hackklotz sausen. Die Holzstücke flogen nach allen Seiten. Ein Scheit schlug mir ans Schienbein. Der Schmerz breitete sich in meinem Körper wie eine warme Glut aus; schon früher, als Kind, hatte ich sie durch den Körper strömen fühlen, wenn ein Geburtstag oder Festtag zu Ende ging, ohne daß ich bestraft worden war. Abends, beim Gutenachtkuß, sagte ich zu meinen Eltern: »Es war ein wunderschöner Tag!«

Hinter der Tür horchte ich dann, und wenn ich jemanden aus der Familie sagen hörte, daß ich doch ein dankbares Kind sei, rannte ich nach oben, während die Glut, die irgendwo in meiner Brust ihren Ursprung hatte, sich durch den ganzen Körper ausbreitete. In meinem Zimmer machte ich ungeschickte, wilde Bocksprünge, bis ich erschöpft in mein Bett fiel und angezogen auf den Decken einschlief.

Ich mußte plötzlich über meine wunderliche Jugend lachen und über den seltsamen Jungen, der ich einmal gewesen war. Auf den Stiel der Axt gestützt, sah ich auf. Der Nebel hatte sich gehoben. Hinter den bereiften Ästen des Apfelbaums sah ich das Blau des Himmels wie auf einem Puzzlespiel, das nur leicht zusammengeschoben zu werden brauchte, um ineinanderzupassen.

Am Abend, nach einer Mahlzeit von Blumenzwiebeln und Kohl, las mein Vater das Gleichnis vom verlorenen Sohn vor, womit er, ohne daß es ihm bewußt wurde, auch auf sein eigenes Versäumnis bei der Begrüßung am Nachmittag deutete:

»Da er aber noch ferne von dannen war, sah ihn sein Vater, und es jammerte ihn, lief und fiel ihm um seinen Hals und küßte ihn.« Noch bevor er zu Ende gelesen hatte, schlug er die Bibel zu. Er sah mich an und ließ dann seinen Blick über meine Brüder und Schwestern wandern, während er die letzten beiden Zeilen auswendig aufsagte:

»Denn dieser dein Bruder war tot und ist wieder lebendig geworden, er war verloren und ist wiedergefunden.«

Ich konnte zu Hause nicht mehr Wurzel fassen, ich war zu lange fort gewesen. Ich ging ziellos durchs Haus, von meiner Bodenkammer, wo es zu kalt war, um lange zu bleiben, nach unten. Im Schuppen röstete ich eine Blumenzwiebel über der Öllampe. Vorsichtig schnitt ich ein kleines Stück aus der schwarzgesengten Zwiebel. Aber sie schmeckte nicht. Sie waren ungekocht nicht eßbar. Ich warf sie in den Garten, in der Hoffnung, daß im Frühjahr aus ihr eine schwarze Tulpe wachsen würde. Manchmal hackte ich etwas Holz oder stand Stunden hinter den grauen, zerschlissenen Tagesgardinen und sah über die Straße. Zwischen den Steinen wuchs ockerfarbenes Gras. Die wenigen Menschen, die vorbeikamen, schleppten Jutesäcke, in denen, nach den Buckeln und Beulen zu urteilen, Rüben steckten. Die Nachbarn erkannnte ich kaum, so abgemagert waren sie. Es war, als ob ich zehn Jahre fort gewesen und die Straße in der Zeit alt und grau geworden wäre. Ich sah mich verzweifelt um, aber ich konnte nicht mehr weg, weil mir klar war, daß ich hierbleiben mußte. Es gab keine Möglichkeit mehr zu entkommen. Vor mir, auf der anderen Straßenseite, die zugeklebten Schaufenster der Läden. Wenn ich mich umdrehte, die weißen, mageren Gesichter meiner Brüder und Schwestern. Ich war jetzt der Älteste, ich spürte, daß eine große Verantwortung vor mir lag, daß ich etwas tun mußte. Aber was? Ich kniff die Augen zu und dachte nach. Gedanken an Gaunereien, durch die ich meiner Familie etwas zu essen verschaffen könnte, gingen mir schemenhaft durch den Kopf. Plötzlich erinnerte ich mich wieder an den schnoddrigen Laut eines Truthahns, den ich gehört hatte, als ich, auf dem Weg nach Hause, an einem großen

Landhaus vorbeigekommen war. Ich nahm heimlich das Prismenglas meines Vaters aus dem Schrank, eines der wenigen Dinge, die noch nicht gegen Eßwaren eingetauscht worden waren, und ging nach oben. Während ich die Treppe hinaufstieg, überlegte ich, daß Truthähne die einzigen Tiere seien, die nachtragend und finster sind und die ständig in Begräbnisstimmung zu sein scheinen. Sie haben nicht einmal Federn, sie sind mit Stücken verbrannten Papiers bedeckt und laufen mit einem ekeligen Dekolleté voller Krankheit und Elend herum, einer klumpigen Verschmelzung von Krebs und Hämorrhoiden.

In meinem Zimmer öffnete ich das Fenster. Die Kälte nahm mir fast den Atem. Über die Häuser sah ich nach außen, aber der Weidenbruch war ein grauer Schirm, aus dem sich, auch als ich das Fernglas vor die Augen setzte, kein Stamm löste. Als ich das Fenster geschlossen hatte, sah ich, daß die Linsen des Fernglases beschlagen waren. Ich wischte sie mit der Innenseite meines Pullovers ab, unternahm aber keinen neuen Versuch, die Ferne zu ergründen. Ich holte ein altes Kissen vom Zwischenboden und band an eine der Ecken ein langes Seil, das ich über einen Balken in der Dachspitze warf. Ich zog das Kissen hoch und stellte den Fuß auf das Ende des Seils. Dann nahm ich mein Taschenmesser aus der Gesäßtasche und klappte es auf. Wie ein Raubtier duckte ich mich, das Messer hob ich drohend. Dann ließ ich das Seil unter meinem Fuß durchrutschen. Noch bevor das Kissen den Boden erreichte, hatte ich mich draufgestürzt und das Messer bis zum Griff hineingestochen. Ich wiederholte diese Übung mehrmals; auf die Dauer wirkte sie sehr naturgetreu, weil das Kissen mit Federn gefüllt war, die auf allen Seiten durch die Löcher quollen.

Als ich im Garten das Geräusch einer Säge hörte, ging ich ans Fenster. Erst jetzt fiel mir auf, wie grau mein Vater geworden war. Er schien bereit, wie die Sträucher ringsum. Mit der Handsäge versuchte er, einen viel zu dicken Stamm durchzusägen. Ich lief nach unten, holte die Zugsäge aus dem Schuppen und ging zu ihm. Mit einem beifälligen Blick nahm er den anderen Griff. Während wir sägten und er mich zu sich herüberzog und ich ihn zu mir, kroch über meine um den Griff geklammerte Faust ein unangenehmes Gefühl in meinen Körper, das sich schließlich fast wie Scham hinter meine Wangen nistete. Ich hatte das Gefühl, als wären wir mit etwas Obszönem beschäftigt. Ich schloß die Augen und bemerkte deshalb nicht, daß der Stamm beinahe durchgesägt war; ich flog nach vorn, als das Stück Holz beinahe herunterfiel. Ein heftiger Schmerz schoß durch meine Lenden. Ich drückte die Hände von hinten gegen die Hüften und beugte mich langsam auf und nieder. Mein Vater betrachtete mich mit einer Mischung von Besorgnis und Gereiztheit. Dann fragte er verwundert:

»Was hast du in Himmels Namen nur angestellt?«

Ich sah nach unten. Mein Pullover und meine Hose waren mit kleinen weißen Daunen bedeckt.

»Es sieht so aus, als hättest du mit dem Engel gerungen«, sagte er.

An diesem Abend ging ich früh auf mein Zimmer. Nachdem ich aus einem Papierseil eine Schlinge geknüpft und sie neben meinem aufgeklappten Taschenmesser auf dem Tisch bereitgelegt hatte, warf ich mich angezogen aufs Bett und wartete auf den Beginn der Sperrstunde. Es war meine letzte Chance, übermorgen war Weihnachten. Ich wollte versuchen, das Tier lebend in die Hände zu bekommen, und es in den Schuppen einsperren, damit mein Vater es am nächsten Tag töten und rupfen könnte. Ich müßte sagen, daß ich es in der Nacht von meinem Freund bekommen hätte, denn wenn mein Vater hörte, woher ich es hatte, wäre er imstande, mich mit dem Tier wieder zurückzuschicken.

Den Gedanken an das Unrecht der Tat verscheuchte ich, indem ich mir die bleichen Gesichter meiner Brüder und Schwestern vorstellte.

»Not bricht das Gesetz.«

Aber würde die Not auch imstande sein, in meiner Erinnerung das Kachelbild zu zerbrechen, das früher in unserer Schule hing, im Treppenhaus, auf dem zwischen stilisierten Reihern stand: SEID GUT ZU DEN TIEREN. SCHONT DIE VÖGEL. Ich war immer stolz und mit hoch erhobenem Kopf daran vorübergegangen, weil es eines der wenigen Gebote war, die ich nie übertreten hatte. Meine Klassenkameraden hatten mich damals sogar spöttisch, mit einer Variante auf den Beinamen von Floris V., »der Amsel Gott« genannt, weil ich besessen und fieberhaft die Nester in der Nähe unserer Schule gegen Eierraub beschützte. Ich ging deshalb früher als die anderen zur Schule und war der letzte, der in die Klasse kam. An einem Mittwochnachmittag, als ich gerade die Nester kontrollierte, fand ich im Wald eine sterbende Katze. Ich kniete neben ihr nieder; unter ihren Kopf schob ich meine Hand, in die sie immer wieder zu beißen versuchte, weil sie Schmerzen hatte. Es kam Schleim aus ihrem Maul. Weinend blieb ich bei dem Tier sitzen, bis es gestorben war. Dann bedeckte ich es mit Blättern und beschloß, am nächsten Tag zurückzukommen, um es zu begraben. Ich wischte die Hand am Moos ab. Als ich aus dem Wald kam, sah ich, daß auf der Brücke ein Junge aus meiner Klasse saß, der gespannt ins Wasser starrte. Ich schaute über seine Schulter und sah, daß die noch kahlen jungen Amseln aus dem Nest in der Stechpalme neben der Brücke im Wasser trieben. Ohne zu überlegen, sprang ich in den Graben und faßte die kleinen Tiere. Aber es waren leblose Säckchen, gefüllt mit Därmen, die ich in den Händen hielt. Ich legte sie auf den Rand der Brücke und sah den Jungen an. Er war gebückt liegengeblieben und belauerte mich, bestürzt und zugleich voller Bewunderung, weil ich ohne zu zögern ins Wasser gesprungen war, aber auch spöttisch, weil ich bis an die Knie im Schlamm stand. Plötzlich schlang ich meinen Arm um seinen Hals und rammte ihm die Faust so hart auf den Kopf, daß ich meinte, sein Gehirn pochen zu hören. Dann setzte ich die zu einer Klaue verkrampfte Hand in sein Gesicht, und während ich den Kopf von mir wegstieß, zog ich die Fingernägel von oben nach unten über das Gesicht. Auf der Stirn und Wange entstanden weiße Spuren, die sich mit Blut füllten. Als ich ans Ufer watete, stieg eine eiskalte, gespannte Ruhe in mir auf. Er war ein Junge, der ein paarmal sitzengeblieben war. Er war einen Kopf größer als ich. Doch als ich auf ihn zuging, drehte er sich um und lief weg. Am nächsten Tag kam er nicht in die Schule und auch am Tag darauf nicht; er kam nie wieder. Ein paar Wochen später sagte der Lehrer mit ernstem Gesicht, daß er an Gehirnhautentzündung gestorben sei. Ich wußte, daß es meine Schuld war, daß ich ihn ermordet hatte. Ich starrte auf seinen leeren Platz in der Schulbank. Schließlich konnte ich es nicht mehr ertragen und erzählte dem Lehrer alles, vom Ertrinken der Vögel und dem harten Schlag auf den Kopf. Aber der Lehrer lachte, klopfte mir ermutigend auf die Schulter und sagte, daß man von einem Schlag auf den Kopf keine Gehirnhautentzündung bekommen könne; es sei eine Infektionskrankheit. Ganz beruhigt war ich nicht. Ich wußte genau, daß etwas in ihm geknackt hatte, als ich ihm auf den Schädel geschlagen hatte.

Ich stand von meinem Bett auf und zog mich einige Male an einem Balken hoch. Ich machte noch andere gymnastische Übungen, die mich für mein Abenteuer fit machen sollten. Dann ging ich zum vorderen Dachboden und horchte am Fenster. Von weitem hörte ich das sich entfernende Klappern von Felgen auf den Pflastersteinen, worüber ich mich wunderte, denn der Radfahrer mußte die Hand nicht vor den Augen sehen können, der Nebel stand wie Milchglas vor dem Fenster. Ich wartete eine Weile, bis das Geräusch nicht mehr zu hören war und die Stille vollkommen wurde. Ich ging in mein Zimmer zurück, zog Tennisschuhe an und steckte das Messer geöffnet in die Hosentasche, die Spitze nach unten. Die Schlinge ließ ich liegen. Der Gedanke an das, was ich mit ihr anrichten könnte, erfüllte mich mit Abscheu.

Der Nebel war so dicht, daß ich mit den Fingerspitzen an den Gartenzäunen entlangtasten mußte, um nicht vom Bürgersteig abzukommen oder gegen einen Laternenpfahl zu laufen. Ich hörte, daß von weitem ein Deutscher herankam. Das Klappern des eisernen Sohlenbeschlags klang gedämpft, als marschiere der Soldat unter einem Glassturz. Als ich sicher war, daß er auf der anderen Straßenseite vorübergehen würde, lief ich weiter. Im Wald mußte ich nach Gehör laufen. Krachten unter meinen Füßen Äste und verdorrte Blätter, so wußte ich, daß ich vom Waldweg abgekommen war. Ich kam nur sehr langsam vorwärts, weil tief hängende Äste erst eine Handbreit vor meinem Gesicht aus dem Nichts auftauchten. Solange es mir gelang, auf dem Waldweg zu bleiben, lief ich, ohne Lärm zu machen. Gefahr drohte mir nur von einem, der reglos Wache stand. Aber das würde mit einem Schreck abgehen. Wir würden einander erst dann sehen, wenn wir die Wärme unserer Gesichter bereits spüren könnten. Vielleicht würde einer von uns vor Schreck tot umfallen.

Mitten auf der Brücke zur Insel, auf der das Federvieh in Ställen untergebracht war, stand ein Zaun mit seitlich herausragenden Latten, über die Spinngewebe aus Stacheldraht gespannt waren, die bis zum Wasser reichten. Vergeblich versuchte ich daran vorbeizukommen. Dann schaute ich nach oben, um nachzusehen, ob es möglich war, über den Zaun zu klettern. Ich hielt den Atem an und fröstelte vor Aufregung. Dicht über meinem Kopf sah ich die Silhouetten zweier Truthähne. Wie lange ich stillstand, bis ich den Sprung nach oben wagte, weiß ich nicht mehr. Aber als ich sprang, wie von Sinnen, meine mageren Grabeshände nach dem warmen Vogelleben ausgestreckt, war die Luft plötzlich von wildem Geflatter erfüllt. Dann ein Aufschlag aufs Wasser, verzweifeltes Spritzen und ein erstickter Schrei, der in einem leisen, gurgelnden Laut endete, als ob eine Flasche, die im Wasser trieb, von kleinen Wellen untergetaucht worden sei und nun vollliefe. Ich hatte das Gefühl, als schieße das eiskalte Wasser des Grabens, das zwischen die Federn des Vogels dringen mußte, auch zwischen meinen Kleidern und meiner Haut empor und griffe mir an die Gurgel. Ich beugte mich über das Brückengeländer und meinte im Wasser große Kreise zu sehen, die ein rauschendes Geräusch hervorbrachten, wie von einer Grammophonplatte, die auf der letzten Rille leerläuft.

Da sah ich plötzlich den anderen Vogel, der geduckt auf der Brücke lag; er mußte, vor Schreck gelähmt, vom Zaun gefallen sein. Ich stürzte mich auf ihn, packte seinen Kopf und preßte ihm den Schnabel zu, um ihn am Schreien zu hindern. Ich fühlte am kleinen Kopf, daß es eine Henne sein mußte. Ich war darüber zugleich traurig und froh. Froh, weil ich mit meinen Händen nun nicht den Kopf eines Truthahns umfaßte, der mit seinen Warzen und Kehllappen aussieht, als befände er sich im Zustand der Verwesung. Und traurig, weil eine Henne nicht so ekelerregend aussieht, daß für das Tier die Todesstrafe als unvermeidliche Folge seines Aussehens gelten könnte. Ich hob den Vogel auf und drückte ihn kräftig an mich. Während ich nach Hause lief, wärmte das Tier mir die Brust, und das erfüllte mich mit Scham; denn ich würde die Ursache sein, daß es seine Körperwärme verliert.

Nachdem ich die Schuppentür sorgfältig hinter mir geschlossen hatte, ging ich vor der Werkbank ein wenig in die Knie und ließ den Truthahn los. Er fiel um, sein Kopf schlug auf die Platte. Ich betastete den Vogel. Er lag auf der Seite und bewegte sich nicht. Ich nahm die Öllampe von der Wand und zündete sie an. Vor mir lag, wie ein blaugrüner Fluch, ein Pfau. Er war tot, Blut kam aus seinem Schnabel. Ich hatte die Hand fest um seinen Kopf zusammengedrückt. Der Schwanz war ausgefallen. Nur beim unteren Ende seines Rückens saßen noch ein paar längere Federn mit Augen. Ich zog sie aus und legte sie beiseite. Der kleine Federbusch oben auf dem Kopf war geknickt. Ich versuchte ihn glattzustreichen, aber es blieb ein verwelkter Miniaturstrauß. Die Augen standen offen und erschienen durch die kleinen, rahmweißen Flecken darum noch dunkler. Ich schauderte, als ich daran dachte, daß er vielleicht seine Augen hatte nicht schließen können, um zu sterben, weil meine Finger gegen sie gepreßt waren. Ich nahm die Augenlider einzeln zwischen zwei Finger und zog sie zu, wodurch der Vogel erst wirklich tot zu sein schien. Ich dachte daran, daß ich ihn nun selbst rupfen müßte, denn wenn ich ihn so liegen ließe, würde ihn niemand essen wollen. Ich stellte die Lampe auf den Boden, breitete davor einen Jutesack aus und begann auf ihm den Vogel zu rupfen. Als er halb kahl war, sah ich, daß kleine, lausartige Tierchen schnell über die Haut zu dem Teil flüchteten, der noch Federn hatte. Einige liefen auf meinen Händen. Ich wischte sie ab und krempelte die Ärmel hoch.

Die Geschöpfe verlassen den schnell erkaltenden Himmelskörper, dachte ich. Meine in den Federn wühlenden Hände sind für sie die Apokalyptischen Reiter.

Als der Vogel völlig kahl war, legte ich ihn auf die Werkbank und schlug ihm, mit abgewandtem Gesicht, mit der Axt den Kopf ab. Ich legte ihn zu den Schwanzfedern. Dann hackte ich die Füße ab, die ich auf den Boden zwischen die Federn warf, in denen sie wie in einer übermäßig schäumenden Seifenlauge wegsanken. Den Jutesack legte ich mit den vier Ekken zusammen und begrub die Federn in der Brandgasse. Ich ging zurück in den Schuppen, nahm den Kopf und die Schwanzfedern und schlich ins Haus. In der Küche blieb ich lauschend stehen, aber im Hause war alles totenstill. Ich ging ins Wohnzimmer und steckte die Federn in eine Vase auf dem Schornsteinsims, in der schon viele Pfauenfedern standen. Auf dem Zwischenboden angekommen, kletterte ich die Leiter zum Oberboden hinauf und strich ein Zündholz an. Ich nahm einen Glassturz, blies den Staub ab und legte den Pfauenkopf darunter. Beim letzten Licht, das das Streichholz verbreitete, sah ich noch, daß auch der Kopf voller kleiner Tiere saß. Es waren so viele, daß sich die Federn bewegten; auch die Augenlider waren von ihnen bedeckt. Ich stellte den Sturz auf seinen Platz, kletterte die Leiter hinunter und ging in mein Zimmer. Ich war todmüde. Ich ließ mich aufs Bett fallen, wo ich angezogen auf den Decken einschlief.

Der Weihnachtstisch sah festlich aus. Der Truthahn war goldbraun gebraten und verriet nichts mehr von seiner ursprünglichen Farbe. Meine Schwester hatte sogar Papiermanschetten mit Fransen auf die Beine gesteckt und Stechpalmenzweige um die Schüssel gelegt. Meine Mutter hatte aus geraspelten Zuckerrüben einen Salat gemacht, mit dem letzten Schuß Essig und einem Apfel, den sie von einer Freundin bekommen hatte. Die Blumenzwiebeln glichen gerösteten Kastanien, und der Soße war nicht anzusehen, daß der Vogel in einem Gemisch aus Vaseline und ranzigem Rinderfett gebraten worden war. Mein Vater faltete die Hände zum Gebet. Ich schloß die Augen nicht, sondern sah auf den Tisch, auf den Braten. Dann irrte mein Blick zum Schornsteinsims. Zwischen den jahrealten, verschossenen Federn standen die Federn, die ich dazugestellt hatte, herausfordernd frisch, mit einer herrlichen blaugrünen samtenen Glut in ihren dunklen Augen. Ich sah zur Seite auf meinen Vater, weil seine Stimme stockte. Er war meinem Blick gefolgt und sah mich mit einem düsteren Feuer in den dunklen Augen an. Er sah mich immer noch an, als er betete:

»Und führe uns nicht in Versuchung, sondern erlöse uns von dem Übel. Denn Dein ist das Reich und die Kraft und die Herrlichkeit in Ewigkeit.«

Nachwort

Eine Übersicht über die jüngste niederländische Literatur zu geben, ist ein riskantes Unternehmen. Es ist fraglich, ob von der aktuellen literarischen Vergangenheit (und Gegenwart) ein einigermaßen zutreffendes Bild skizziert werden kann. Erst die Zeit lehrt, welche Autoren und welche Werke von Bestand sein werden. In dieser Anthologie sind Erzählungen von Autoren versammelt, die die Entwicklung der niederländischen Literatur nach 1945 immerhin repräsentieren.

Eine besondere Stellung nimmt die niederländisch-ostindische Literatur ein. Noch immer erscheinen Bücher, die Aspekte der kolonialen Vergangenheit der Niederlande zum Thema haben. Auch Autoren der jüngsten Generation reflektieren diese Vergangenheit mit Blick auf das heutige Indonesien. Albert Alberts entwirft in seiner Erzählung *Der König ist tot* aus seinem Erstlingswerk *De eilanden* (Die Inseln, 1952) ein sehr beeindruckendes Bild einer kolonialen Gesellschaft, eindrucksvoll vor allem wegen seiner Zurückhaltung.

Bei der Auswirkung des Zweiten Weltkriegs auf die niederländische Literatur sind zwei Richtungen zu unterscheiden. Die eine mit dem Krieg (faschistischer Terror, Widerstand, Befreiung) als zentrales Thema, die andere mit dem Krieg als Hintergrund für die Beschreibung einer allgemeineren (psychologischen oder philosophischen) Problematik.

In der niederländischen Nackriegsliteratur gibt es vier Autoren, die auch für die jüngsten Generationen immer wieder als Maßstab gelten: Anna Blaman, Willem Frederik Hermans, Gerard Reve und Harry Mulisch.

Diese Autoren sind wichtig, weil sie in und mit ihren Werken ein neues Lebensgefühl ausdrücken: die Desillusion, die dargestellt wird in der Figur des Antihelden. Beeinflußt durch den französischen Existentialismus bringt Anna Blaman moderne Probleme des Lebens zur Sprache. Sie schreibt offenherzig, ohne Illusionen, aber auch ohne Scheinheiligkeit – wodurch sie in Konflikt mit der herrschenden (auch literaturkritischen) Moral gerät.

Dasselbe erfährt Willem Frederik Hermans, dem vorgeworfen wird, »nihilistisch« zu sein. Seine Erzählungen aus der Periode kurz nach 1945 sind teilweise geprägt durch absurdistische Elemente, was auch noch in *Der blinde Fotograf* mit hineinspielt.

Gerard Reve debütierte 1946 mit der in diesem Buch aufgenommenen Novelle *Der Untergang der Familie Boslowitsch*: ein zeitloses Bild menschenunwürdiger Unterdrückung. Sein Debütroman *Die Abende* (1947) ruft in der Literaturkritik durch die teilweise peinlich genaue, nichts und niemanden verschonende Weise, mit der der Protagonist beobachtet, unterschiedliche Reaktionen hervor. Doch außer der eingehenden Wiedergabe des bedrückenden geistigen Klimas, in dem ein Teil der Nachkriegsjugend aufwuchs, gerät der Roman dadurch zum Meisterwerk, wie er einen Einblick in die psychische Entwicklung eines Jugendlichen in der Phase des Erwachsenwerdens gibt. Zahlreiche Motive aus dem späteren Werk von Reve (Religion, Sadomasochismus, ausgedrückt in feierlichem Stil und mit Ironie) sind in diesem Roman bereits auszumachen.

Harry Mulisch nimmt unter den hier erwähnten Autoren eine Sonderstellung ein. Auch er spiegelt in seinem Œuvre den Zweiten Weltkrieg wider, doch erreicht dies bei ihm eine magische Dimension. Es ist jedoch vor allem die Wechselbeziehung zwischen Symbolik und (der Analyse) der Wirklichkeit, die die thematische Einheit in seinem Werk ausmacht. Mit Hilfe seiner magisch-mystischen Lebensauffassung versucht er das System zu finden, das sich hinter dem menschlichen Handeln verbirgt. Die Entschlüsselung und das In-Worte-Fassen des zugrundeliegenden Mythos ist das

Hauptziel seines Schreibens. Hierfür ist die Erzählung *Was geschah mit Sergeant Massuro?* ein Beispiel, auch in ihrer Rätselhaftigkeit.

Obwohl einige Jahre jünger, wird auch Cees Nooteboom zu dieser Generation gezählt. Er debütiert mit einem romantisch-poetischen Bericht über die Reise eines Jugendlichen durch Frankreich, *Philip und die anderen*. Später entwickelt sich der Romancier Nooteboom (mit dem Roman *Rituale* von 1980 als Höhepunkt) zum Verfasser von Reisereportagen von hoher philosophischer und literarischer Qualität. Sein Beitrag zu der vorliegenden Anthologie ist dafür ein Beispiel.

Das Lebensgefühl der 60er Jahre: das Brechen von Tabus, die Auflehnung gegen bestehende Ordnungen, schlägt sich auch in der niederländischen Literatur nieder. Der Bildhauer und Schriftsteller Jan Wolkers überfällt den Leser mit Freimütigkeit, mit der er seit seinem Erstlingswerk *Gesponnen suiker* (Zuckerwatte, 1963) – hieraus stammt auch die Erzählung *Zwarte advent* (Schwarzer Advent) – seine christliche Erziehung und seine Erfahrungen mit Sexualität beschreibt. Gerard Reve bekennt sich in diesen Jahren öffentlich zu seiner stark persönlich gefärbten religiösen Empfindung seiner Homosexualität. Harry Mulisch engagiert sich für gesellschaftliche Protestbewegungen: die Amsterdamer Provos, der Widerstand gegen die amerikanische Kuba- und Vietnampolitik.

In der zweiten Hälfte der 60er Jahre sieht es so aus, als würde der Charakter von Literatur zur Diskussion gestellt. Vertraute Genreunterscheidungen wie Fiktion und nichtfiktionale Literatur (Essay, Autobiographie, Dokumentation, Reportage) können einander innerhalb eines Werkes abwechseln.

Am Anfang der 70er Jahre herrscht bei debütierenden Schriftstellern eine Vorliebe für anekdotische, ironische oder melancholische Literatur vor, die oft in extrem kurzer Erzählform in Erscheinung tritt. Simon Carmiggelt ist ein Vorläufer dieser Autoren. Carmiggelt entwickelt sich unter dem Pseudonym ›Kronkel‹ zu einem der wichtigsten und meistgelesenen Kolumnisten der Niederlande.

In der niederländischen Literaturkritik wird in der zweiten Hälfte der 70er Jahre eine Verschiebung insofern wahrnehmbar, als Tages- und Wochenzeitungen den Diskurs über die neueste Literatur übernehmen, der zuvor in den Literaturzeitschriften stattfand. Als Sammelpunkt möglicher neuer Talente für Verlage (die aus diesen Gründen eine Zeitschrift unter ihre Obhut nehmen) bleibt eine Anzahl von Zeitschriften dennoch wichtig. Seit 1975 gehört die Zeitschrift *De Revisor* dazu.

Um 1975 treten Schriftsteller mit anderen oder veränderten Literaturauffassungen in den Vordergrund. Sie setzen sich vom politisch-gesellschaftlichen Engagement, von einer allzu ironisch-anekdotischen Erzählweise ab. Sie geben der eigenen ›Phantasie‹ den Vorzug; ›die‹ Wirklichkeit ist nur Anlaß, um häufig absichtlich konstruierten und anderen entlehnten Formen und Motiven (den Klassikern, den Symbolisten des 19. Jahrhunderts) tiefliegenden Mustern (mythologischen, psychologischen und symbolistischen) Ausdruck zu verleihen: Literatur, die ihren künstlichen Charakter und ihre Verpflichtung der literarischen Tradition gegenüber eher betont als verschleiert.

Die literarische Zeitschrift *De Revisor* spielt eine wichtige Rolle bei der Entwicklung der Literatur der Phantasie. Eine explizite Grundsatzerklärung fehlt, aber die Zeitschrift wird in kurzer Zeit zum Publikationsorgan für junge Schriftsteller, die sich nachdrücklich auf den Kunstcharakter, die Form ihres Werkes besinnen.

Zu diesen Schriftstellern gehören Doeschka Meijsing und Frans Kellendonk. Unter dem Pseudonym Patrizio Canaponi debütiert in *De Revisor* A. F. Th. van der Heijden, der sich zu einem der bedeutendsten niederländischen Autoren entwickelt und mit seiner noch nicht vollendeten Trilogie *De tandeloze tijd* (Die zahnlose Zeit) auf eine mehr naturalistische

Weise die Zeit der 60er, 70er und 80er Jahre sowohl in den niederländischen Provinzen als auch in der Stadt Amsterdam festhält.

Später ist Thomas Rosenboom Redaktionsmitglied von *De Revisor*, in dem er die in diesem Buch aufgenommene Erzählung veröffentlicht.

Zu diesem Literaturtypus können aber auch – bei allen Unterschieden – die Werke hinzugerechnet werden, die Harry Mulisch, Cees Nooteboom und Jan Siebelink in diesen Jahren schreiben.

Aus Siebelinks Debüt *Nachtschade* (Nachtschatten, 1975), mit der er vor allem thematisch beim Symbolismus und der Dekadenz Anschluß sucht, ist hier eine Erzählung über seine Jugend aufgenommen. Insbesondere Nooteboom thematisiert beispielsweise in *Ein Lied von Schein und Sein* auf literarisch elegante Weise die Problematik von Fiktion und Wirklichkeit. Aber dieselbe Fragestellung kommt auch – sei es auch implizit – in den Publikationen einer Vielzahl weiblicher Autoren zur Sprache, die in der ersten Hälfte der 80er Jahre in auffallender Weise bei verschiedenen – renommierten – Verlagen debütieren. Schriftstellerinnen wie Hermine de Graaf und Vonne van der Meer veröffentlichen Erzählungen und Romane, die zwar strenggenommen nicht zur *Revisor*-Prosa gerechnet werden können, die aber doch in der Konstruktion der Erzählwelt den Akzent auf den handwerklichen Charakter des Schreibens legen.

Im nachhinein erhebt sich die Frage, ob der Terminus *Revisor*-Prosa überhaupt zuverlässig ist, wenn er auf so viele unterschiedliche Schriftsteller verschiedener Generationen angewendet wird. Jedenfalls bleibt der Name dieser Zeitschrift mit der Literaturdiskussion in den Jahren nach 1975 verbunden, in der es um die Standortbestimmung geht, die die Autoren für sich und ihr Werk beanspruchen. *Revisor*-Prosa heißt dann zumindest: ein bewußtes Absetzen, einerseits gegen die allzu weit durchgeführten (mehr oder weniger gesellschaftlich engagierten) Experimente, andrerseits gegen die realistische Tradition in der niederländischen Literatur.

Willem Melchior vertritt mit seinem Debüt *De roeping van het vlees* (Die Berufung des Fleisches) von 1992 vielleicht die exotischste Variante dieser neuen Literatur. Auf der einen Seite schließt seine Thematik von Homoerotik, Sadomasochismus und Mystik bei der romantisch-dekadenten Literatur des 19. Jahrhunderts an (und läßt sich so in die Tradition von Gerard Reve situieren), auf der anderen Seite scheint Melchior durch das Werk des Amerikaners James Purdy und ihm verwandte Literatur beeinflußt.

Eines ist deutlich: Bei aller Auflehnung, die eine sich als ›neu‹ präsentierende Generation natürlich immer manifestiert oder sogar manifestieren *muß*, sind sie von den vorhandenen literarischen Konventionen beherrscht. Letzteres darf Klischee genannt werden – es ist jedoch ein Klischee, mit dem jeder zeitgenössische Autor arbeiten muß, auch in den Niederlanden.

Frans de Rover

Zu den Autoren

ALBERT ALBERTS
Geboren 1911 in Haarlem. Studium der Indologie mit Promotion. Tätigkeit als Verwaltungsbeamter in Indonesien. 1946 Rückkehr in die Niederlande. 1953–65 politischer Redakteur der Zeitschrift *De Groene Amsterdammer* in Amsterdam. Bis 1976 Beamter im Außenministerium in Den Haag. Lebt seit 1968 in Blaricum. Er veröffentlicht historische Studien aus äußerst persönlicher Sicht. 1975 bekommt er den Constantijn Huygensprijs.

ANNA BLAMAN (Pseudonym von Petronella Vrugt)
Geboren 1905 in Rotterdam. Studium der Romanistik, danach für kurze Zeit Lehrerin, Dramaturgin und Theaterkritikerin. Unter dem Pseudonym Anna Blaman — nach kleineren Veröffentlichungen in Untergrundzeitschriften – Debüt mit dem Roman *Vrouw en Vriend* (Frau und Freund, 1941). Seitdem immer wieder wegen der als ›unchristlich‹ empfundenen Darstellung von Sexualität und Einsamkeit – beeinflußt vom französischen Existentialismus – in der Literaturkritik angegriffen. 1949 lehnt sie den Van der Hoogtprijs für ihren umstrittenen Roman *Eenzaam Avontuur* ab. 1957 nimmt sie den niederländischen Staatspreis für Literatur, den P. C. Hooftprijs, für ihr gesamtes Schaffen an. 1960 in Rotterdam gestorben.
– *Eenzaam Avontuur* (Einsames Abenteuer) (Roman: 1948; dt.: 1988)
– *Op leven en dood* (Auf Leben und Tod) (Roman: 1954; dt.: 1990)

Geboren 1913 in Den Haag. Seit 1945 Journalist für die Tageszeitung *Het Parool*. Hier Ausbildung seiner spezifischen Form der Kurzgeschichten, der ›Kronkels‹, in denen er das Amsterdamer Straßenleben schildert: genau in der Wahrnehmung und in der Wortwahl, oft schwermütig im Tonfall. Vor allem dem ›kleinen Mann‹ sowie Kindern und Tieren bringt er viel Sympathie entgegen.
1977 niederländischer Staatspreis für Literatur, P. C. Hooftprijs.
- *Poespas* (Alles für die Katz) (Kurzgeschichten; 1952; dt.: 1954)
- *Vergeet het maar* (Mach dir nichts draus) (1953; dt.: 1954)
- *Vroeger kon je lachen* (Heiteres aus Amsterdam) (Kurzgeschichten; 1977; dt. 1990)

HERMINE DE GRAAF
Geboren 1951 in Winschoten als Hermine Jonkers. Studium der niederländischen Sprach- und Literaturwissenschaft in Amsterdam (bis 1975). 1975–85 Lehrerin in Venray. 1989 Umzug nach Nunspeet (Geldern).
In ihrem Debut *Een kaart, niet het gebied* (Eine Karte, nicht das Gebiet, 1984) stellen aufständische Mädchen während der Pubertät ihre eigene Phantasiewelt der Welt der Erwachsenen gegenüber. Schwierige Eltern-Kind- und komplizierte zwischenmenschliche Beziehungen sind immer wieder auftauchende Themen ihres Werkes, die sie in einem klaren Stil und mit unterschwelligem Humor verarbeitet.
- *Stella Klein* (Roman: 1990; dt.: 1992)

WILLEM FREDERIK HERMANS
Geboren 1921 in Amsterdam, studiert er an der dortigen Universität physikalische Geographie, 1955 Promotion. 1958 bis 1973 Lektor für physikalische Geographie in Groningen, dann Umzug nach Paris.
Nach Hermans Auffassung ist die Wirklichkeit ein Chaos, in

der der Mensch verzweifelt nach einer Ordnung oder Wahrheit sucht. In seinem Werk wird diese Problematik ausführlich behandelt.

Mit seinem umfangreichen Werk (Lyrik, Schauspiele, Drehbücher, Essays und Romane) zählt er neben Mulisch und Reve zu den ›großen Drei‹ der niederländischen Nachkriegsliteratur der 20er Generation. 1977 P. C. Hooftprijs.

- *De tranen der Acacia's* (Die Tränen der Akazien) (Roman: 1948; dt.: 1968)
- *Nooit meer slapen* (Nie mehr schlafen) (Roman: 1966; dt.: 1982, 1986)
- Onder professoren (Unter Professoren) (Roman: 1975; dt.: 1986)

FRANS KELLENDONK

Geboren 1951 in Nimwegen, tritt nach einem Studium der Anglistik als eine der großen Hoffnungen der niederländischen Literatur hervor. Er gilt mit als der wichtigste Vertreter der *Revisor*-Generation.

Sein Roman *Mystiek lichaam* (Mystischer Körper, 1986), der mit dem F. Bordewijkprijs ausgezeichnet wurde, erregt landesweit Aufsehen. Kellendonk ›untersucht‹ mittels seiner Romanfiguren Standpunkte über Homosexualität, Katholizismus und Judentum, über den Sinn des Lebens im Zeitalter der nicht beim Namen genannten Krankheit AIDS, wobei er kontroverse Positionen bezieht.

In einem Interview bezeichnete Kellendonk seine Prosa als »eine Art des Experiments mit Hilfe der Einbildungskraft«. Kellendonk stirbt Anfang 1990 an den Folgen von AIDS.

VONNE VAN DER MEER

Geboren 1952 in Eindhoven. Arbeitet als Regisseurin, Theater- und Prosaautorin. Ihr Buch *Het limonadegevoel en andere verhalen* (Das Limonadegefühl und andere Geschichten, 1985) wurde als bestes Erstlingswerk des Jahres 1985 ausgezeichnet. Ungekünstelt, teilweise ironisch betrachtet Van der Meer das menschliche Verhalten, das sie besonders aus weiblicher Sicht zu beschreiben versucht.

– *De reis naar het kind* (Die Reise zum Kind) (Roman: 1989; dt.: 1991)

WILLEM MELCHIOR

Geboren 1966 in Amsterdam, aufgewachsen in Haarlem, studiert Melchior drei Jahre lang Niederlandistik in Amsterdam. Danach ist er ein Jahr in New York, ein weiteres in New Orleans, Berlin und London. Seine Thematik schließt an den französischen Symbolismus an, aber auch an neuere Entwicklungen der angelsächsischen Literatur. Er debütiert 1992 mit dem Erzählband *De roeping van het vlees* (Die Berufung des Fleisches).

DOESCHKA MEIJSING

Geboren 1947 in Aerdenhout. Nach Studium der Niederlandistik und Vergleichenden Literaturwissenschaft an der Universität von Amsterdam, beginnt sie ihre berufliche Tätigkeit zunächst als Studienrätin. Danach ist sie zwei Jahre lang wissenschaftliche Mitarbeiterin für moderne Literatur an der Universität von Amsterdam. Von 1978–1988 ist sie Redakteurin bei der Wochenzeitung *Vrij Nederland*, seitdem freie Schriftstellerin. Wie Frans Kellendonk wird sie zur Gruppe der *Revisor*-Schriftsteller gezählt. In ihrem Werk sind die Spannung zwischen Phantasie und Wirklichkeit und die Frage nach der Zuverlässigkeit des Gedächtnisses immer wiederkehrende Themen.

1981 wurde ihr der Multatuli-Prijs für ihren Roman *Tiger aus Glas* zuerkannt.

– *Robinson* (Robinson) (Roman: 1976; dt.: 1988)
– *De kat achterna* (Der Katze hinterher) (Roman: 1977; dt.: 1984)
– *Utopia of de Geschiedenissen van Thomas* (Utopia oder Die Geschichten von Thomas) (Roman: 1982; dt.: 1989)
– *Tijger, tijger* (Tiger aus Glas) (Roman: 1980; dt.: 1986)

Geboren 1927 in Haarlem als Sohn eines nach dem Ersten Weltkrieg in die Niederlande eingewanderten österreich-ungarischen Vaters und einer in Antwerpen geborenen jüdischen Mutter. Nach der Scheidung seiner Eltern (1937) wächst er bei einer Haushälterin von deutsch-polnischer Abstammung auf. Während des Zweiten Weltkrieges war sein Vater Mitglied des Direktoriums des Bankhauses Lippmann-Rosenthal & Co., das durch die Nazis beschlagnahmtes jüdisches Kapital verwaltete.

Sein breitgefächertes Œuvre umfaßt eine große Anzahl Genres: Erzählungen, Romane, Theaterstücke, Poesie, Essays, Studien, Berichte, Libretti und Autobiographien. In seinen Arbeiten stehen das Schreiben und der Schriftsteller, dem er eine mythische Dimension zuschreibt, häufig im Mittelpunkt.

Mulisch entwickelt sich zu einem gesellschaftlich engagierten Schriftsteller; in vielen seiner Publikationen kommt er immer wieder auf die Ereignisse des Krieges und Fragen der individuellen Verantwortung zurück.

Mulisch wird mit vielen Preisen ausgezeichnet, u. a. mit dem Constantijn Huygensprijs 1977 und dem P. C. Hooftprijs 1977.

– *Het stenen bruidsbed* (Das steinerne Brautsbett) (Roman: 1959; dt.: 1960)
– *De diamant* (Der Diamant) (Roman: 1959; dt.: 1961)
– *De zaak 40/61* (Strafsache 40/61) (Reportage; 1961; dt.: 1963)
– *Twee vrouwen* (Zwei Frauen) (Roman: 1975; dt.: 1980)
– *Hoogste tijd* (Höchste Zeit) (Roman: 1985; dt.: 1990)
– *De elementen* (Die Elemente) (Roman: 1988; dt.: 1990)
– *De aanslag* (Das Attentat) (Roman: 1982; dt.: 1984)
– *De pupil* (Augenstern) (Roman: 1987; dt.: 1989)

Geboren 1933 in Den Haag. Beschließt unmittelbar nach dem Abitur, Schriftsteller zu werden und macht sich seither einen Namen als Theater- und Prosaautor, besonders aber als Reiseschriftsteller. Er arbeitet für die Zeitschriften *Elsevier* und *Avenue* und für die Tageszeitung *De Volkskrant*. 1980 wird Nooteboom durch seinen Roman *Rituale* einem großen Publikum bekannt. Der Roman wird in den Niederlanden 1980 mit dem F. Bordewijkprijs und 1982 mit dem amerikanischen Pegasusliteraturpreis für den besten ausländischen Roman ausgezeichnet.

Von 1989 bis 1990 hält er sich als Stipendiat des DAAD (Deutscher Akademischer Austauschdienst) in Berlin auf, wo 1991 seine *Berliner Notizen* entstehen. Dieses Buch wird mit dem erstmals verliehenen *Preis des 3. Oktober* ausgezeichnet. Sein Werk ist journalistisch geprägt, der distanzierte, kühle Beobachter spielt eine Hauptrolle. Inhaltlich zeigt Nooteboom ein starkes Interesse für die Einstellungen, die der Mensch zu Leben und Tod, zur Zeit und zum Chaos der alltäglichen Existenz einnehmen kann.

– *Philip en de anderen* (Philip und die anderen) (Romandebut; 1955; dt.: 1992, bzw. 1958 unter dem Titel ›Das Paradies ist nebenan‹)

– *Rituelen* (Rituale) (Roman: 1980; dt.: 1988)

– *Een lied van schijn en wezen* (Ein Lied von Schein und Sein) (Roman: 1981; dt.: 1989)

– *Mokusei!* (Novelle: 1982; dt.: 1990)

– *In Nederland* (In den niederländischen Bergen) (Roman: 1984; dt.: 1987)

– *Berlijnse notities* (Berliner Notizen) (Essays: 1990; dt.: 1991)

– *Het volgende verhaal* (Die folgende Geschichte) (Roman: 1990; dt.: 1991)

– *De omweg naar Santiago* (Der Umweg nach Santiago) (Essays: 1992; dt.: 1992)

– *Het gezicht van het oog* (Gedichte: Auswahl aus Das Gesicht des Auges; 1989; dt.: 1992)

GERARD (KORNELIS VAN HET) REVE

Geboren 1923 in Amsterdam als Sohn eines kommunisti-
schen Journalisten. Erinnerungen an seine Jugend in Kriegs-
und Krisenzeiten bilden ein immer wieder auftauchendes
Motiv seines Werkes. Als Romancier debütiert er mit dem
Roman *Die Abende* (1947), der mit dem Reina Prinsen Geer-
ligsprijs ausgezeichnet wird. Nach einem Aufenthalt in England kehrt er 1957 zurück in die Niederlande und findet sein
Genre: den Reisebrief, der anfänglich in der Zeitschrift *Ti-
rade*, später dann in Buchform ein großes Publikum erreicht.
Religion und Homosexualität finden hier ihre Verbindung
im sogenannten Revismus: ein mit besonderen religiösen,
mystischen und sadomasochistischen Elementen vermisch-
tes Liebesritual. Reve selbst bezeichnet sich als romantisch-
dekadenten Künstler. P. C. Hooftprijs 1969.

– *De avonden* (Die Abende) (Roman: 1947; dt.: 1984)
– *Nader tot U* (Näher zu Dir) (Literarische Briefe; 1966; dt.:
  1970)

THOMAS ROSENBOOM

Geboren 1956 in Doetinchem, in Arnheim aufgewachsen.
Nach dem Abitur Studium der Psychologie in Nimwegen. Dann Umzug nach Amsterdam, wo er Niederlandistik
studiert. Seit 1983 lebt er als freier Schriftsteller in Amsterdam. Von 1989 bis 1992 ist er Redakteur der Zeitschrift *De
Revisor*. Er debütiert mit Erzählungen, die mit dem Van der
Hoogtprijs ausgezeichnet werden. Sein Roman *Vriend van
verdienste* (1985), indem er das für ihn typische Thema von
Natur und Gewalt behandelt, ist ein Beispiel für seinen ar-
chaischen Schreibstil.

– *Vriend van verdienste* (Eine teure Freundschaft) (Roman:
  1985; dt.: 1991)

JAN SIEBELINK

Geboren 1938 in Velp in orthodox-protestantischem Milieu.
Lehrerseminar in Arnheim, Militärdienst und Reserveoffi-

ziersausbildung bei der Luftwaffe. Daneben Studium für das Lehramt in Französisch. 1969 Examen und anschließend Lehrer an einem Kolleg in Ede, an dem er noch immer arbeitet. Trat auch hervor als Übersetzer des französischen Symbolisten J. K. Huysmans: *A Rebours* (1977).
Verfall, Tod und der Glanz des Exotischen zusammen mit Sexualität sind wichtige Themen in seinen ersten Erzählungen und Romanen. In seinem späteren Werk wendet er sich mehr der psychologischen Entwicklung seiner Figuren zu. Für seinen nostalgischen Roman *De overkant van de rivier* (Die andere Seite des Flusses) wurde er mit dem F. Bordewijkprijs ausgezeichnet (1991).

JAN WOLKERS

Geboren 1925 in Oegstgeest bei Leiden, wächst er in streng protestantisch-reformierten Milieu auf. Nach Kriegsende Studium an der Leidener Kunstakademie. Bis 1957 Reisen und künstlerische Ausbildung in verschiedenen europäischen Ländern. In Paris, wo er bei Zadkine in der Lehre war, fing er 1957 an zu schreiben. Sein Werk wird vielfach als Reaktion auf die repressive Umgebung seiner Kindheit verstanden. Die zahllosen Grausamkeiten und rituellen Opfer, Schuld und Buße, Mord und Totschlag, wie diese in der Bibel ausführlich behandelt werden, finden sich in seinem Werk wieder. Hierbei durchbricht er damalige sexuelle Tabus. Nach 1980 tritt die Bibel als Thema in den Hintergrund. Wolkers lehnt ›aus Prinzip‹ alle Literaturpreise ab, sogar den ihm zuerkannten P. C. Hooftprijs im Jahre 1987.
– *Terug naar Oegstgeest* (Zurück nach Oegstgeest) (Roman: 1965; dt.: 1979, 1981)
– *Een roos van vlees* (Eine Rose von Fleisch) (Roman: 1964; dt.: 1969)
– *Turks fruit* (Türkische Früchte) (Roman: 1969; dt.: 1975, 1986, 1992)
– *De Perzik van onsterfelijkheid* (Der Pfirsich der Unsterblichkeit) (Roman: 1980; dt.: 1985)

Quellenhinweise

ALBERT ALBERTS, *Der König ist tot (De koning is dood)*. Aus: *De eilanden*, erschienen bei: G. A. van Oorschot, Amsterdam 1952 ©. In: *Niederländer erzählen*, herausgegeben und übersetzt von Jürgen Hillner, Fischer Taschenbuch Verlag, Frankfurt am Main. © 1969 Fischer Taschenbuch Verlag

ANNA BLAMAN, *Am Tage (Overdag)*. Aus: *Overdag en andere verhalen*. © 1957 the Estate of Anna Blaman c/o Meulenhoff, Amsterdam. In: *Moderne Erzähler der Welt: Niederlande*. Übersetzt von M. R. C. Fuhrmann-Plemp van Duiveland. Horst Erdmann Verlag, Tübingen. © 1979 Horst Erdman Verlag

SIMON CARMIGGELT, *Ein Tag in Amsterdam (Een dag in Amsterdam)*. Aus: *Elke ochtend opstaan*, erschienen bei: De Arbeiderspers, Amsterdam 1973 ©. In: *Erkundungen: 21 Erzähler aus Belgien und den Niederlanden*. Übersetzt von Manfred Bratz. Verlag Volk und Welt. Berlin. © 1976 Verlag Volk und Welt

HERMINE DE GRAAF, *Snoepjesnacht*. Aus: *Een kaart, niet het gebied*, erschienen bei: Meulenhoff Nederland, Amsterdam 1984 ©. Für diese Ausgabe übersetzt von Gritta Ewald, Marie-José Klaver und Kees van der Sluys

WILLEM FREDERIK HERMANS, *Der blinde Fotograf (De blinde fotograaf)*. Aus: *Een landingspoging op New Foundland* erschienen bei: G. A. van Oorschot. Amsterdam 1957 ©. In: *Niederländische Erzähler der Gegenwart*, herausgegeben von Pieter Grashoff, übersetzt von Johannes Piron. Verlag Ph. Reclam jun. Stuttgart 1966 ©

FRANS KELLENDONK, *Clara (Clara)*. Aus: *Namen en gezichten*, erschienen bei: Meulenhoff Nederland. Amsterdam 1983 ©. Deutsche Erstveröffentlichung in: Wespennest Nr. 72, Literatur aus den Niederlanden und Flandern. Wien 1988 ©. Übersetzt von Waltraud Hüsmert

VONNE VAN DER MEER, *Het limonadegevoel*. Aus: *Het limonadegevoel en andere verhalen*, erschienen bei: De Bezige Bij. Amsterdam 1985 ©. Für diese Ausgabe übersetzt von Marlene Müller-Haas

WILLEM MELCHIOR, *Kogeltjes*. Aus: *De roeping van het vlees: Verhalen*, erschienen bei: Contact. Amsterdam 1992 ©. Für diese Ausgabe übersetzt von Andreas Mühlmann

DOESCHKA MEIJSING, *Temporis acti (Temporis Acti)*. Aus: *De hanen en andere verhalen*, erschienen bei: Em. Querido, Amsterdam 1974 ©. In: *Moderne Erzähler der Welt: Niederlande*. Übersetzt von Rosemarie Still. Horst Erdmann Verlag, Tübingen. © 1979 Horst Erdmann Verlag

HARRY MULISCH, *Was geschah mit Sergeant Massuro? (Wat gebeurde met sergeant Massuro?)*. Aus: *De versierde mens*, erschienen bei: De Bezige Bij. Amsterdam 1956 ©. In: *Niederländer erzählen*, herausgegeben und übersetzt von Jürgen Hillner, Fischer Taschenbuch Verlag, Frankfurt am Main. © 1969 Fischer Taschenbuch Verlag

CEES NOOTEBOOM, *Die Dame auf dem Foto*. Aus: Zeitschrift *Avenue*, Amsterdam 1985 ©. In: Wespennest Nr. 72, Literatur aus den Niederlanden und Flandern. Wien 1988 ©. Übersetzt von Rosemarie Still

GERARD KORNELIS VAN HET REVE, *Der Untergang der Familie Boslowitsch (De ondergang van de familie Boslowitsch)*, erschienen bei: De Bezige Bij. Amsterdam 1950 ©. In: *Niederländische Erzähler der Gegenwart*, herausgegeben von Pieter Grashoff, übersetzt von Johannes Piron. Verlag Ph. Reclam jun. Stuttgart 1966 ©

THOMAS ROSENBOOM, *Het zoute water*. Aus: *25 onder 35: nieuwe verhalen van jonge Nederlandse en Vlaamse schrijvers*. Samengesteld door: Jessica Durlacher e. a., erschienen bei: Bert Bakker. Amsterdam 1980 ©. Für diese Ausgabe übersetzt von Thomas Kugler und Thomas Wieckhorst

JAN SIEBELINK, *Witte chrysanten*. Aus: *Nachtschade. Verhalen*, erschienen bei: Loeb & Van der Velden. Amsterdam 1975 ©. © Jan Siebelink c/o Meulenhoff Nederland. Amsterdam. Für diese Ausgabe übersetzt von Andreas Mühlmann

JAN WOLKERS, *Schwarzer Advent (Zwarte advent)*. Aus: *Gesponnen suiker*, © Jan Wolkers c/o Meulenhoff Nederland. Amsterdam 1963. In: *Niederländer erzählen*, herausgegeben und übersetzt von Jürgen Hillner. Fischer Taschenbuch Verlag. Frankfurt am Main 1969. © 1969 Fischer Taschenbuch Verlag

Der Herausgeber und der Fischer Taschenbuch Verlag danken allen Rechteinhabern für die Abdruckgenehmigungen.

Berlin erzählt

19 Erzählungen

Ausgewählt und mit einer Nachbemerkung
von Uwe Wittstock

Berlin erzählt läßt die veränderungswütige Vergangenheit Berlins in Erzählungen berühmter Schriftsteller Revue passieren. Keine andere Stadt hat in diesem Jahrhundert so viel mitgemacht wie Berlin. Nicht nur die deutsche Geschichte hinterließ hier ihre tiefsten Spuren, auch die europäische oder, wenn man so will, die Weltgeschichte. Es sind deshalb in diesem Band Erzählungen versammelt, die nicht unbedingt typisch sind für das Werk ihrer Autoren, aber Typisches aus dem Berliner Leben der jeweiligen Zeit wiedergeben. Aufgenommen wurden Geschichten, die Atmosphäre, Mentalität und Sprache dieser Metropole einfangen. Sie sollen ein Porträt der Stadt entwerfen von der Jahrhundertwende und der Kaiserzeit, über die Weimarer Republik und Deutschlands düstere Dreißiger, bis zur vermauerten Nachkriegszeit und der Wiedervereinigung.

Band 10925

Es erzählen: Bertolt Brecht, Günter de Bruyn, Alfred Döblin, Marieluise Fleisser, Christoph Hein, Franz Hessel, Günter Kunert, Heinrich Mann, Thomas Mann, Vladimir Nabokov, Sten Nadolny, Walter Serner, Klaus Schlesinger, Wolfdietrich Schnurre, Jürgen Theobaldy, Kurt Tucholsky, Robert Walser, Carl Zuckmayer und Marina Zwetajewa.

Fischer Taschenbuch Verlag

fi 1157 / 1

>Alles dörrt, siedet, zischt, grölt, lärmt, trompetet, hupt,
pfeift, rötet, schwitzt, kotzt und arbeitet.«

Georg Grosz, ›New York‹

New York erzählt

23 Erzählungen

Ausgewählt und mit einer Nachbemerkung
von Stefana Sabin

Band 10174

New York ist die heimliche Hauptstadt der USA, die Welthauptstadt des zwanzigsten Jahrhunderts: die Hauptstadt des Geldes und der Ideen, Schmelztiegel von Rassen und Kulturen – Großstadtdschungel und Großstadtromantik. Immer schon Schauplatz von Fiktionen, wurde New York in den letzten Jahren auch von den jüngeren amerikanischen Autoren entdeckt, die eine neue Welle urbaner Literatur angeregt haben. Sie setzen eine Tradition fort, die dieser Band widerspiegelt, indem er mehrere Erzählergenerationen vereinigt. Die Erzählungen, darunter drei als deutsche Erstveröffentlichung, handeln von Geschäft und Erfolg, von Künstlerleben und bürgerlichen Existenzen, von Rassismus und Gewalt, von Liebe und Einsamkeit. Jede zeugt auf ganz eigene Weise von der Faszination der Stadt New York und gibt damit auch den Eindruck von der Vielfalt der amerikanischen Erzählliteratur dieses Jahrhunderts.

Fischer Taschenbuch Verlag

Österreich erzählt

27 Erzählungen

Ausgewählt und mit einer Nachbemerkung von Jutta Freund

Österreich erzählt – von Träumen und Erinnerungen, von Einsamkeit und Tod, vom Lachen und Vergessen. 27 österreichische Autoren schreiben bissig, böse, witzig oder wehmütig über ihr Land, über historische Ereignisse, über seine Bewohner, schreiben ihre Geschichten – jeder auf seine charakteristische Art und Weise. Die hier gesammelten Erzählungen zeigen in ihrer Vielfalt die Spannweite und die verschiedenen Strömungen der österreichischen Prosa unseres Jahrhunderts. Sie geben die Stimmung dieses Landes wieder, des Landes, das Hans Weigel »die Synthese aller Welten«, das »staatsgewordene Paradoxon« nannte, in dem man »deutsch sprechen kann, ohne Deutscher zu sein«. Eine Mischung aus Heiterkeit und Melancholie tritt uns entgegen, diese typische Mischung, die zu so vielen nicht nur literarischen Bildern und Vergleichen schon Anlaß gab.

Es erzählen: Ilse Aichinger, Peter Altenberg, H.C. Artmann, Ingeborg Bachmann, Alois Brandstetter, Franz Theodor Csokor, Heimito von Doderer, Erich Fried, Barbara Frischmuth,

Band 9283

Marlen Haushofer, André Heller, Fritz v. Hermanovsky-Orlando, Hugo von Hofmannsthal, Ödön von Horváth, Elfriede Jelinek, Robert Musil, Alfred Polgar, Helmut Qualtinger, Christoph Ransmayr, Peter Rosei, George Saiko, Arthur Schnitzler, Jutta Schutting, Jura Soyfer, Franz Tumler, Franz Werfel, Stefan Zweig.

Fischer Taschenbuch Verlag

*»Wie mit dem Zauberstäbchen jedoch konnte ich sogleich
alle bösen Geister vertreiben, wenn ich von Italien
zu erzählen anfing.«*
Goethe

Italien erzählt

Herausgegeben von Stefana Sabin

Italien erzählt – 25 Autoren, 25 Geschichten, die Zeugnis geben von Italien und seiner Literatur in den letzten 50 Jahren: von jener unverwechselbar italienischen Art, Widersprüche zwischen Vorstellung und Wirklichkeit zu lösen. Längst anerkannte und auch hierzulande bekannte Autoren und andere, die wohl in Italien eingeführt, hier aber noch zu entdecken sind, erzählen von Liebe und Ehe und immer wieder von der Familie, von Spiel und Arbeit, von Heimat und Fernweh – 25 verschiedene Facetten des Phänomens Italien. Ohne das Geheimnis zu erklären, macht dieser Band die Faszination begreiflich, die von Italien ausgeht.

Band 9237

Es erzählen: Dino Buzzati, Italo Calvino, Antonio Delfini, Natalia Ginzburg, Primo Levi, Giorgio Manganelli, Elsa Morante, Cesare Pavese, Mario Soldati, Antonio Tabucci und viele andere.

Fischer Taschenbuch Verlag

fi 770 / 2

»Wie glücklich sind doch die Franzosen!
Sie träumen gar nicht.«
Heinrich Heine

Frankreich erzählt

Herausgegeben von Stefana Sabin

23 Erzählungen von 23 Autoren, die Zeugnis geben von jener unverwechselbar französischen Art, Wirklichkeit in Literatur zu verwandeln. Stilistisch wie thematisch ist diese Auswahl repräsentativ für die französische Literatur der letzten fünfzig Jahre: Realisten wie *Pierre Gascar, Jean Giono, Roger Grenier, Raymond Jean* und *Françoise Sagan,* Surrealisten wie *Louis Aragon* oder *Benjamin Péret,* Phantasten wie *Boris Vian* oder *Marcel Aymé,* Vertreter des Nouveau Roman wie *Alain Robbe-Grillet* oder *Marguerite Duras,* Existentialisten wie *Albert Camus* oder *Antoine de Saint-Exupéry,* Psychologisten wie *Alain Nadaud, Henri Thomas* und *Henri Troyat* erzählen vom Leben in Paris und in der Provinz, von Kleinbürgern und Lebenskünstlern, von Familienvätern und Liebhabern. Jeder Autor hat einen unver-

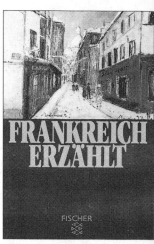

Band 9286

wechselbaren Stil, den die ausgewählte Geschichte typisch vertritt – 23 verschiedene Facetten der französischen Wirklichkeit, die zu Literatur wurde.

Fischer Taschenbuch Verlag

fi 775/2

Unterm Jasmin singt die Mauer,
ruhig und weiß leuchtet die Moschee.
Oh, ihr Müßigen der langen Sonntage, viel Gnade liegt
in dem Mantel der Nacht
Haufen von Abfall, Säcke und Regen.
Jean Senac

Nordafrika erzählt

Ausgewählt und mit einer Nachbemerkung
von Widulind Clerc-Erle

24 zeitgenössische Autoren aus Ägypten und dem Maghreb, das ist Tunesien, Marokko und Algerien, geben mit ihren Erzählungen faszinierende Einblicke in die bunte, verwirrende, immer auch schwierige und für uns fremde Welt ihrer Heimatländer. War das Bild des westlichen Orients einst in den Zauber der ›Geschichten von 1001 Nacht‹ getaucht, so erscheint es bei den modernen Autoren Nordafrikas im Licht einer eher realistischen Betrachtungsweise. Es kommen sowohl die ›intellektuellen‹ als auch die ›naiven‹ Erzähler zu Wort, um dem Leser ein möglichst umfassendes Bild zu vermitteln: von Stadt und Land, von traditionell geprägten Familien-und Gesellschaftsstrukturen und dem Aufbruch Nordafrikas in die Neuzeit.

Es erzählen: Sa'id Abduh, Mahmud Taimur, Ibrahim Schukrallah, Mahmud Diab, Yussuf Idris, Jahja Jahja Hakki, 'Abderrahman Esch-Scharkawi, Nagib Machfus,

Band 9285

Muhammad Al-Busati, Alifa Rifaat, Muhammad Al-Machsangi, Gamal Al-Ghitani, Kateb Yacine, Mohammed Dib, Assia Djebar, Rachid Mimouni, Rachid Boudjedra, Mohamed Choukri, Driss Chraibi, Mohammed Berrada, Tahar Ben Jelloun, Mustapha Fersi, Salah Garmadi, Hassouna Mosbahi.

Fischer Taschenbuch Verlag

fi 871/2

Im Galopp kommend aus dem fernen Asien
streckt es sich ins Mittelmeer wie der Kopf einer Stute!
Das ist unser Land.
Nazım Hikmet

Die Türkei erzählt

Ausgewählt und mit einer Nachbemerkung
von Jutta Freund

Siebzehn türkische Autoren –
siebzehn Erzählungen aus
sechzig Jahren türkischer
Prosa: ein literarischer Bilder-
bogen von jenem Land, das
uns so fern ist und in vielerlei
Hinsicht doch eng verbun-
den, historisch, politisch, wirt-
schaftlich. Sie berichten von
Städten, in denen sich Orient
und Okzident, westliche Kultur auf eigenwillige Weise ver-
mischen wie nirgends sonst,
erzählen von den tiefverwur-
zelten Traditionen, von den
Unvereinbarkeiten zwischen
Alt und Neu, sie schreiben
von den politischen Verhältnissen in ihrer Heimat zwischen Anarchie und Diktatur
und von der Heimatlosigkeit
in der Emigration.
In einer poetischen Sprache
bringen die Texte uns die
Geheimnisse dieses Landes
näher und seine Stimmung
zwischen optimistischer

DIE TÜRKEI ERZÄHLT

FISCHER

Band 9576

Lethargie und melancholi-
scher Gelassenheit.
Zu den auch hierzulande
schon bekannteren Autoren
dieser Sammlung gehören
Sait Faik, Yaşar Kemal, Aziz
Nesin, Aras Ören, Aysel
Özakın und Füruzan Selçuk.

Fischer Taschenbuch Verlag

fi 428 / 3

China erzählt

Ausgewählt und mit einer Nachbemerkung
von Andreas Donath

Vierzehn Erzählungen namhafter chinesischer Autoren dokumentieren die Entwicklung der chinesischen Prosaliteratur seit der Revolution des Jahres 1911, die den Drachenthron stürzte und eine viertausend Jahre während Monarchie beendete. Die Anfänge der modernen chinesischen Literatur lassen sich datieren auf das Jahr 1918, denn in diesem Jahr veröffentlichte der wahrscheinlich bedeutendste chinesische Autor der ersten Jahrhunderthälfte, Lu Xun, seine erste Erzählung, das »Tagebuch eines Wahnsinnigen«. Mit einer Erzählung von Lu Xun, »Die Arznei« aus dem Jahre 1919, beginnt denn auch diese Sammlung, und sie spannt den Bogen bis in die Literatur unserer Tage: Bei Dao, einer der Wortführer des »Pekinger Frühlings«, und die 1957 geborene Can Xue stehen stellvertretend für die

Band 9575

jüngste Schriftstellergeneration, die erst nach 1949, dem Gründungsjahr der Volksrepublik China, geboren wurde. Zwei Erzählungen, die von Ding Ling und Bei Dao, erscheinen hier erstmals in deutscher Übersetzung.

Fischer Taschenbuch Verlag

»Ja, es ist ein wunderbares Land, wie geschaffen,
um sich darin zu verlieren. In Australien verloren zu sein,
gibt einem ein wunderbares Gefühl von Sicherheit.«
Bruce Chatwin, »Traumpfade«

Australien erzählt

18 Erzählungen

Ausgewählt und mit einer Nachbemerkung von Volker Wolf

Australien, das Land unserer
Antipoden, ist ein Kontinent des
Geschichtenerzählens. Lange
bevor die ersten Weißen ihren
Fuß auf australischen Boden
setzten, kursierten die mythi-
schen Traumzeitgeschichten
unter den eingeborenen Aborigi-
nes. Und als dann, vor nunmehr
rund zweihundert Jahren, die
Besiedlung und Eroberung des
Kontinents durch die Weißen
begann, da hieß es für diese, in
der Weite der unwirtlichen Landschaft eine große Einsamkeit zu
überwinden und sich in der
fremden Wirklichkeit der eigenen Existenz zu vergewissern.
Die Short Story wurde zur Lite-
raturform Australiens schlecht-
hin. Wie populär sie noch heute
und wie lebendig ihre Tradition
ist, zeigt schon die Tatsache, daß
Australien seit 1940 mehr Kurz-
geschichtensammlungen eigener
Autoren hervorgebracht hat als
England mit seiner dreimal so
großen Einwohnerzahl.

Band 10536

Es erzählen: *Henry Lawson,
Mary Patchett, Katharine Susannah
Prichard, Xavier Herbert, John
Morrison, Alan Marshall, Gavin
Casey, Frank Hardy, Olaf Ruhen,
Peter Cowan, E. M. Noblet, Dal
Stivens, Patrick White, Peter Carey,
Frank Moorehouse, Mudrooroo
Narogin, Helen Garner und
David Malouf.*

Fischer Taschenbuch Verlag

fi 1805 / 1